Tous Continents

Collection dirigée par
Isabelle Longpré

PREMIÈRE IMPRESSION

Dédiée à la relève littéraire, la mention
« Première Impression » indique qu'il
s'agit de l'œuvre d'un auteur émergent.

DEVANT PUBLIC

Catalogage avant publication de Bibliothèque et Archives nationales
du Québec et Bibliothèque et Archives Canada

McNeil, Arteau, Guillaume
Devant public
(Tous continents)
ISBN 978-2-7644-2250-2
ISBN 978-2-7644-2474-2 (PDF)
ISBN 978-2-7644-2475-9 (ePub)
I. Titre. II. Collection : Tous continents.
PS8625.N455V53 2013   C843'.6   C2012-942840-X
PS9625.N455V53 2013

 Conseil des Arts
du Canada   Canada Council
for the Arts   SODEC
Québec

Nous reconnaissons l'aide financière du gouvernement du Canada par
l'entremise du Fonds du livre du Canada pour nos activités d'édition.

Gouvernement du Québec – Programme de crédit d'impôt pour l'édition
de livres – Gestion SODEC.

Les Éditions Québec Amérique bénéficient du programme de subvention
globale du Conseil des Arts du Canada. Elles tiennent également à
remercier la SODEC pour son appui financier.

Québec Amérique
329, rue de la Commune Ouest, 3e étage
Montréal (Québec) Canada H2Y 2E1
Téléphone : 514 499-3000, télécopieur : 514 499-3010

Dépôt légal : 1er trimestre 2013
Bibliothèque nationale du Québec
Bibliothèque nationale du Canada

Projet dirigé par Isabelle Longpré en collaboration
      avec Anne-Marie Fortin
Mise en pages : Andréa Joseph [pagexpress@videotron.ca]
Révision linguistique : Sabine Cerboni
Conception graphique : Nathalie Caron
En couverture : Photomontage réalisé à partir de photographies
      tirées de Shutterstock © dwphotos / © Menna

Imprimé au Canada

GUILLAUME McNEIL ARTEAU

DEVANT PUBLIC

ROMAN

Québec Amérique

Pour briller dans une époque ne faut-il pas la représenter?

Honoré de Balzac

PREMIÈRE PARTIE
UN ART MINEUR

1

En ouvrant les yeux, Vincent fut pris d'étourdissements. L'obscurité de la chambre était quasi complète. Il referma les yeux et mit les mains sur ses oreilles. Dans ce vertige où il se sentait emporté, il croyait encore entendre le vacarme assourdissant des amplificateurs de guitare et des cymbales de la batterie qui se confondait avec les cris et les applaudissements de la foule.

Il rouvrit les yeux et fixa un point dans la noirceur. Les étourdissements s'atténuèrent. Tous ces bruits qui avaient survécu un instant à son rêve se transformèrent en un bourdonnement aigu dans ses tympans. C'était comme le son d'un électrocardiographe annonçant la linéarité infinie de la mort, une impression auditive qu'il connaissait vaguement pour l'avoir expérimentée deux ou trois fois.

Biiiiiiiiiiiiiiiiiiiiiiiiiiiiiiiiiiiiiiiiiiiiiiiiiiiiiiiiiii.

Les acouphènes seraient temporaires, espéra-t-il. Bientôt, le bruit aigu se mêla, dans son esprit, au vent qui s'engouffrait sous les saillies du toit. La pluie avait commencé à tomber depuis quelques minutes et des rafales de vent s'abattaient contre la fenêtre de sa chambre. Une branche du grand chêne de la cour arrière fouettait d'un rythme régulier les carreaux de verre.

Vincent s'assit dans son lit et ressentit instantanément une nausée. N'ayant dormi que deux heures et demie, il savait qu'il devait se rendormir, mais cette journée du mois de mai 2003 qu'il s'apprêtait à vivre revêtait dans son esprit un caractère si déterminant pour son avenir qu'il ne put faire autrement que guetter les premiers signes du jour.

À cinq heures trente, il se leva. Il se sentait mieux. Il ouvrit la porte de sa chambre en prenant soin de ne pas faire de bruit. Il tendit l'oreille. Dans la pièce voisine, sa mère dormait d'une respiration continue. Il descendit au rez-de-chaussée, se servit un verre de jus d'orange. Puis, il attrapa son étui à guitare qu'il avait laissé dans l'entrée et descendit au sous-sol. Il ferma la porte de l'escalier et alla s'enfermer dans la salle de lavage. Il pratiqua à nouveau son jeu de guitare, mais c'était surtout sa voix qui faisait défaut. Que connaissait-il au chant? Rien, ou si peu. Il se rappela les inflexions modulantes que prenait la voix de Christophe lorsqu'il chantait. Il reprit des couplets et des refrains, les reprit encore, et encore. Non, ça ne sonnait pas comme il le fallait. Sa voix, bien que juste et précise, sonnait faux; elle détonnait, ne rendait pas ce mugissement bestial, grossier et viril qui fait le rock. Vincent s'acharna.

Une heure et demie plus tard, il remonta à l'étage pour prendre une douche. Il s'étonna de ne pas être plus nerveux. L'inconnu dans lequel il s'apprêtait à se jeter était à l'origine de ce calme suspect. Il déjeuna et mit quelques fruits dans la poche extérieure de son étui à guitare. Il écrivit une note sur un papier pour justifier son absence. Brigitte la trouverait en déjeunant. À 7 h 30, il sortait de la maison et allait prendre l'autobus.

Quarante-sept minutes plus tard, il arrivait devant l'adresse qu'il avait notée sur un bout de papier. Il vérifia trois fois afin de s'assurer d'être au bon endroit. Il n'aurait pas pensé que les auditions se tiendraient dans un hôtel de banlieue. Avant de se diriger vers l'entrée de la bâtisse, Vincent s'immobilisa et regarda la façade grandiloquente de l'hôtel. Son œil, habitué à détailler les formes par son intérêt pour l'histoire de l'art, releva de nombreuses incongruités. L'architecte qui avait récemment conçu ce bâtiment avait sans doute voulu lui donner une touche «ancienne». On aurait dit qu'il avait pris des éléments archi-tecturaux à différentes époques, qu'il les avait mis dans un chapeau et qu'il avait pigé au hasard pour dresser ses plans. Il observa les colonnes et les chapiteaux, les balustres et les pilastres des lucarnes, les frises et quelque chose qui s'apparentait à des rinceaux de feuillages. Il en conclut que les styles architec-turaux de la Grèce antique rencontraient, dans cette façade, la Renaissance française. C'était l'Acropole qui se mélangeait au Château de Chambord ; le tout était illuminé par des projecteurs qui lançaient depuis le parterre de gazon de grands faisceaux lumineux à couleurs variables. Une banderole indiquait que les chambres étaient au rabais, ce mois-ci.

Vincent se rappela la raison de sa présence en ce lieu et se ressaisit. «Tu fais le bon choix, ne t'inquiète pas», murmura-t-il pour lui-même. Il s'avança vers le portique de l'hôtel en empoignant fermement son étui à guitare. Une fois arrivé à l'intérieur, il remarqua une table située à sa gauche au-dessus de laquelle était indiqué : «Inscriptions pour les auditions». Vincent s'avança vers la femme qui se tenait derrière la table.

— Je viens pour…

— Prenez cette chemise, fit-elle sèchement en lui tendant un document d'un geste péremptoire sans lui concéder un regard. Toutes les informations sont là. Vous trouverez aussi le contrat d'exclusivité que vous devez signer. Pour ce faire, veuillez passer dans la salle qui se trouve à ma droite. Merci.

Vincent prit le document et suivit les directives. Lorsqu'il ouvrit la porte, il vit devant lui une grande salle de réception complètement vide. Des tables étaient rangées le long des murs, des chaises étaient empilées tout au fond. Au centre, un tapis bourgogne laissait place à un plancher de danse de bois franc. Au-dessus de cette piste, au plafond, un gigantesque lustre déversait sur la salle un halo de lumière dorée. Vincent fit trois pas. Tout au fond, il distingua une porte près de laquelle se tenait un homme en costume noir. Il avança.

L'homme le fit pénétrer dans une pièce. Il y avait quatre rangées de tables. La pièce ressemblait vaguement à une salle de classe. Une trentaine de personnes étaient assises, tête penchée, affairées à lire le contrat. Vincent ne comprenait pas trop ce qu'était ce contrat. Il s'assit et ouvrit l'enveloppe.

Sur le dessus du document, dans une calligraphie métallique et brillante transpercée d'étoiles filantes, figurait le logo de *L'Académie de la chanson populaire*. À ses côtés, les gens feuilletaient ce même contrat. La salle était envahie par le bruit des feuilles que l'on tournait rapidement. Puis, on entendait le son sec d'une plume sur le papier, le mouvement saccadé de la signature et un individu se levait et remettait le document à l'homme en costume. Vincent commença sa lecture.

Il distingua deux contrats. S'il ratifiait le premier, il autorisait la société de production COM, détentrice du visa d'exploitation de l'émission, à utiliser son image. Bien que cela fût présenté comme une formalité, ce premier contrat obligeait le signataire à aliéner son droit à la vie privée. Vincent ne savait pas qu'aux yeux de la loi, la vie privée constituait un droit fondamental et qu'il devait donner son accord pour qu'on puisse diffuser l'image de sa personne. Le second contrat, beaucoup plus volumineux, que devaient ratifier aussi tous les candidats, n'était actif qu'advenant la sélection du candidat contractant. Vincent se lança dans la lecture de ce deuxième contrat. C'était un méandre de clauses, de renvois, de conditions applicables et non applicables selon les circonstances. Vincent lisait et tentait de voir clair dans ce document, mais son esprit, pourtant habitué à la lecture de textes hermétiques, se perdait dans ces développements infinis et ce langage administratif. La terminologie lui échappait. Il en vint tout de même, après quinze minutes, à se faire une idée générale de son contenu : en signant au bas de ce contrat, il cédait ses droits aux Productions COM sur trois plans, soit la gérance, la production et la diffusion. En d'autres mots, Vincent comprenait qu'il mettait sa personne, et une bonne partie des profits qu'il pouvait générer, à la totale disposition de cette entreprise. Soixante pour cent de son cachet revenait à la société qui avait un droit de regard sur chacune des productions de l'artiste, sur sa diffusion et l'ensemble de sa carrière pour les cinq années suivant son passage à l'émission. Et les Productions COM se réservaient un droit de reconduction du contrat au terme de ces cinq années. En somme, c'était un contrat d'artiste non négociable.

Vincent se tâta la nuque : il était tendu. À sa droite, un candidat se leva rapidement et tendit son contrat à l'homme en costume.

Irait-il jusqu'à signer *ça* ? Irait-il jusqu'à vendre son image ? Et tous ces autres candidats qui feuilletaient rapidement le document : comprenaient-ils ce qu'ils avaient entre les mains ? Vincent en doutait.

« Si je signe ça, se dit-il, je ne suis plus maître de moi-même. Si je signe, tout peut être différent. Je ne peux pas, je ne peux pas… »

D'un geste décidé de la main, il rejeta le document sur la table et s'adossa contre le dossier de sa chaise pour réfléchir. Il était sur le point de se lever, de prendre son étui à guitare et de quitter ce lieu lorsque son regard fut alors attiré par un autre candidat qui s'apprêtait à quitter la salle. Il était entré deux minutes auparavant. Il s'était assis, avait feuilleté très rapidement le document, l'avait signé et s'apprêtait à le remettre à l'homme en complet. En marchant dans l'allée centrale, il passa devant Vincent. Il souriait et Vincent décela dans ses yeux une pointe de défi. Le candidat tendit sa chemise à l'homme en complet noir. Ce jeune homme dégageait une assurance et une pleine confiance en ses moyens que Vincent aurait voulu posséder. Ne doutait-il pas de son choix? Et s'il avait raison de signer aveuglément ce contrat?

Tout se confondait dans sa tête. Que devait-il faire? Son futur était là, devant lui, et Vincent avait l'impression qu'il pouvait le perdre à tout instant, qu'un seul faux pas de sa part le lui enlèverait.

Il secoua la tête afin de garder les idées claires. Il évalua ses forces. Il n'avait aucun contact dans le monde du *show-business*, ne possédait aucune composition: bref, il ne se distinguait d'aucune façon des autres jeunes individus qui avaient soif de gloire.

«Ce n'est qu'un contrat d'artiste, se dit-il, un contrat comme tous les autres. Ils ont tous signé ce genre de chose, ceux qui ont réussi. Un contrat de gérance et de production, rien de plus… »

Il pensa alors aux artistes de la Renaissance italienne. Ne s'étaient-ils pas tous mis au service d'un mécène? Certes, le mécénat des xve et xvie siècles était différent des réseaux de production artistique du xxie siècle, mais ne représentaient-ils pas, à deux époques différentes, une même réalité à laquelle tout artiste devait se soumettre? Comment devient-on artiste, aujourd'hui? Il médita quelques instants sur cette question. Tout son savoir académique, conclut-il, ne lui était d'aucune utilité pour y répondre.

Il aurait voulu que Brigitte fût là, à ses côtés, pour lui donner son opinion comme elle l'avait toujours fait en toute chose. Mais ce matin-là, quand il avait été réveillé par les rafales de vent qui se brisaient bruyamment contre sa fenêtre, il avait pris une décision par lui-même, peut-être la première de sa jeune vie, et il devait maintenant se débrouiller seul.

La main tremblante, il saisit le document qu'il avait rejeté sur la table devant lui, le rouvrit, alla à la dernière page et apposa sa signature, tout en bas. Soudainement, après qu'il eut signé, son rythme cardiaque diminua. Il asséa ses paumes humides en les frottant sur son pantalon et sentit qu'il retrouvait son calme. Avant de se lever, il contempla sa signature. *Vincent Théodore*. Chaque lettre était lisible, finement tracée d'une main posée. Ce nom qui se trouvait à cinquante centimètres de son visage lui apparut étranger pour la première fois de sa vie. Était-il en train de l'acquérir, ce nom, ou de le perdre ? La question vogua dans son esprit pendant quelques secondes. Il se leva.

Il marcha jusqu'à l'homme en costume noir. Sans échanger une parole, il lui tendit la chemise. L'homme la prit, cocha une case sur une liste, déposa le document sur une pile déjà bien garnie ; puis, il tendit un papier autocollant à Vincent. C'était un numéro. Le numéro quatre-vingt-quatre. Il était le quatre-vingt-quatrième depuis le matin à avoir paraphé ce contrat. En éprouvant une vague impression d'aliénation industrielle, Vincent colla le numéro sur sa poitrine. L'homme lui fit signe de passer dans le couloir.

De là, Vincent put apercevoir la salle de bal : une centaine de personnes, peut-être même plus, aspirant toutes à devenir artistes, attendaient qu'on les introduise dans la salle qu'il venait de quitter. Il frissonna. Désormais, il n'y avait plus aucune incertitude dans son esprit, plus aucun questionnement ni hésitation. Tout était joué et une seule idée envahissait maintenant ses pensées : il devait triompher de tous ces candidats venus pour la même raison que lui.

Le couloir le mena à une salle. Là, il retrouva les quatre-vingt-trois autres concurrents. À sa droite comme à sa gauche, on chantait et grattait des guitares. Tous les divans étaient déjà occupés. Vincent s'adossa contre un mur, déposa son étui à guitare sur le plancher. La certitude d'avoir fait le bon choix venait de laisser place à un autre sentiment : un inconfort social. Vincent n'avait jamais été doué pour entrer en contact avec les gens. Mais la sociabilité, se dit-il, n'a jamais été un prérequis pour la carrière artistique. Combien d'artistes avaient démontré, pendant toute leur carrière, une indisposition pour la vie sociale, certains frôlant même la misanthropie ? Des noms surgirent instantanément dans son esprit : Le Caravage, Jean-Jacques Rousseau, Van Gogh, Beethoven, Céline.

Vincent entendit alors des éclats de rire provenant d'un groupe de personnes qui chantaient bruyamment. Il jeta un regard circulaire autour de lui. La plupart des autres candidats entraient en relation avec leurs rivaux. Ce fait lui donna à penser que les qualités requises pour ce concours, et peut-être même les attributs artistiques que commandait l'industrie aujourd'hui, se distinguaient de ce qu'il avait toujours cru être celles d'un « artiste ». Il éprouvait l'impression encore indistincte que s'il arrivait à passer les premières auditions, sa personnalité allait être impliquée dans tout ce processus.

On appela un numéro. D'après ce numéro, il en déduisit qu'il devrait peut-être patienter deux ou trois heures avant de pénétrer dans la petite salle où tout se jouerait. Il regarda sa montre. Il était 9 h.

Laide, laide… comme la vie est laide, laide…

Vincent dévisagea le musicien qui venait de chanter le succès de Jean Leloup. Il se dit que cette chanson populaire était en partie responsable de sa présence, ici, ce matin.

● ● ●

La veille des auditions pour *L'Académie de la chanson populaire*, Vincent avait participé à son premier spectacle rock. Pendant une demi-heure, cet après-midi-là, il avait fait le guet devant la porte du bar *Le Tube*. Non seulement les autres musiciens étaient en retard, mais le technicien de son se faisait aussi attendre, si bien que Vincent, dont la patience était rudement mise à l'épreuve, attendait sur le trottoir de la rue Saint-Jean.

— T'es Vincent ? lui dit un homme qui venait à sa rencontre.

— Oui…

— Désolé, j'ai été retardé. J'suis l'*tech*.

Ils montèrent l'escalier qui menait au deuxième étage. Une fois arrivé dans la salle, il fut rebuté par une odeur extrêmement forte, une odeur nauséabonde de vieille moquette poussiéreuse où se mélangeaient les arômes du tabac, de la bière chaude et de la sueur macérée. Des grandes fenêtres de la salle tombait la lumière du jour. Vincent sentait bien que cet endroit, que ce sol et ces tables n'étaient pas faits pour une telle lumière. Sous la lumière du jour, ils étaient sales, usés ; partout des tuiles à demi arrachées par les pas énergiques des danseurs, de la crasse enfoncée entre les lattes du plancher, des boules de poussière dans chaque encoignure. Son œil se promenait avec dégoût sur ce spectacle repoussant. Cette impression confirmait ce qu'il avait toujours pensé de ces endroits. D'aussi longtemps qu'il se souvenait, il n'avait jamais apprécié les soirées passées dans les bars.

— Bon, à quelle heure arrive ta gang? demanda le technicien qui allumait sa console de son tout en démêlant un amas de fils.

— Ils ne devraient pas tarder, répondit Vincent qui arpentait les lieux.

De fait, un klaxon, dans la rue en bas, se fit entendre. Vincent descendit pour monter les instruments. Mathieu, le *drummer*, était assis à la place du passager et Benjamin, le bassiste, tenait le volant.

— Ça va, *man*? demanda le conducteur en arrêtant le moteur de la fourgonnette. Pas trop fébrile?

— Non, fit Vincent. Christophe n'est pas avec vous?

Benjamin pointa l'arrière du véhicule. Vincent passa sa tête par la fenêtre du conducteur. Ils avaient baissé les bancs pour empiler les amplis, les caisses de la batterie, les guitares et, parmi tout ça, quelqu'un était étendu. Mêlé au matériel, Christophe, le chanteur du groupe, dormait.

— On l'a ramassé chez eux il y a une demi-heure, dit Mathieu. Une chance que Ben savait que la porte arrière n'est jamais barrée. Y dormait dans le salon. On avait beau le secouer, il se levait pas. On l'a traîné dans la douche. Pis, on l'a dompé là, avec le stock…

— Espérons qu'il va tenir le *sound check*, dit Benjamin.

Vincent retira sa tête de la fenêtre. Mathieu ouvrit les portes arrière du camion. Ils commencèrent à décharger le matériel. Christophe se réveilla peu à peu et finit par se traîner hors de la minifourgonnette.

Ce furent les premiers coups de *bass drum* qui secouèrent Christophe de sa torpeur. Sa vieille *Telecaster* tout ébréchée en bandoulière, il reprit ses esprits et s'anima peu à peu en maugréant dans son micro. Benjamin en profita pour le piquer :

— Ouais, Christophe, la veillée a été difficile. Comment a s'appelait la *chicks* avec qui t'es parti ?

— Hein, moé ? grogna le chanteur. Sais pas d'quoi tu parles, *man*.

— Ah ! s'exclama le bassiste. Y s'rappelle même pus du nom des filles avec qui y finit les soirées…

— Aaaaaaaaaaaahhhhhhh ! Ben ! lâcha-t-il dans un râlement, *give me a break*. Quand j'essaie de réfléchir, la tête veut m'exploser. Faque, pose pas trop de questions, O.K.?

— Ça va être beau, ça, à *L'Académie de la chanson populaire*, ajouta Benjamin avec une pointe de moquerie.

— O.K.! c'correct, Ben, j'aurais jamais dû vous dire que j'ai pensé m'inscrire. C'est beau, j'ai compris, j'm'inscrirai pas, si ça peut vous faire plaisir. Maintenant, foutez-moi la paix, j'essaie d'accorder ma guit' pis là j'vois double, faque faut qu'j'me concentre.

Il y eut un rire généralisé parmi les musiciens. Puis, Vincent demanda :

— C'est quoi, Ben, *L'Académie de la chanson populaire* ?

— C't'un concours télévisé qui va y avoir c't'automne. Y font des auditions ces jours-ci. À c'qui paraît, ça vient de la France.

— T'imagines, dit Mathieu, Christophe dans un concours de téléréalité avec la gueule qu'y a là ?

— Arrête, Mathieu, rétorqua Benjamin, y s'ra jamais capable de vivre à jeun pendant neuf semaines !

— Allez-vous me faire chier encore longtemps avec cette histoire de concours de musique, merde ? grogna le chanteur.

— J'suis allé sur le Net pour voir c'tait quoi, continua Benjamin en s'adressant à Vincent. Y va y avoir dix concurrents, cinq gars, cinq filles, qui vont vivre ensemble dans une maison, isolés du monde, où y vont s'préparer pour faire un spectacle tous les dimanches. Pis le public va voter à chaque semaine pour éliminer quelqu'un.

— Si tu veux mon avis, dit Mathieu du fond de la scène, c'est pour les putes c't'affaire-là.

Benjamin s'approcha de Vincent et murmura :

— Pis la semaine passée, Christophe nous a dit qu'il pensait faire les auditions. Disons qu'on s'est foutu d'sa gueule en masse.

— Bon! Vous avez fini de mémérer, les fillettes! fit Christophe. On a un *show* à faire à soir! Faque bougez vos tis culs de *cheerleaders* pis sortez vos pompons…

Le test de son dura près d'une heure. À seize heures trente, les musiciens quittèrent le bar pour aller casser la croûte. Après qu'ils eurent mangé, Vincent rentra chez lui afin de mettre à profit les dernières heures qu'il lui restait avant le spectacle. En acceptant de remplacer le guitariste au pied levé, il avait dû apprendre le répertoire en seulement quelques jours.

Il revint dans la haute-ville vers vingt heures trente; le spectacle débutait une heure plus tard. Mais dès qu'il fut sur la rue Saint-Jean, il put déceler de loin une file de gens qui allait de la porte du bar jusqu'au coin de la rue. À quelques mètres, sur le trottoir opposé à l'entrée du bar, il s'immobilisa. Il devait au moins y avoir soixante à quatre-vingts personnes qui attendaient à l'extérieur, et combien étaient déjà à l'intérieur… Il avait cru Benjamin lorsqu'il avait allégué la popularité des hommages à Jean Leloup afin de le convaincre de se joindre au *band*. Mais il avait pris cette information avec quelques réserves. Il devait reconnaître, maintenant, qu'il avait eu raison.

Un frisson subtil et étrange contracta chacun de ses muscles, des jambes jusqu'au bout de ses doigts. Il inspira profondément en gonflant sa poitrine et s'élança. Lorsqu'il arriva à la porte du bar, il se heurta à une masse de corps compacte. Il essaya en vain de se frayer un chemin. Après plusieurs tentatives, il finit par dire :

— Excusez-moi. Je suis le guitariste.

Soudainement, on le regarda plus attentivement et les corps reculèrent ; la foule s'entrouvrit devant lui. Il gravit l'escalier qui menait au bar situé au deuxième étage. Devant lui, on répétait :

— Tassez-vous ! C'est l'guitariste !

Lorsqu'il arriva à l'étage, sa gorge se serra : les gens étaient dispersés dans tous les coins du bar. Le tumulte assourdissant des conversations entremêlées et d'une musique d'ambiance rythmée envahit ses oreilles. Il tourna son regard vers la scène. Le parterre avait déjà été pris d'assaut par un groupe de fans qui attendaient fébrilement le début du spectacle. Jamais Vincent n'avait participé à un événement d'une telle ampleur.

Il restait là, planté à l'entrée du bar, quand une voix l'interpella :

— Eh ! Vincent ! Viens, on est dans la loge.

C'était Benjamin qui venait d'apparaître entre deux tables. Vincent le suivit. Arrivés au bout de la scène, ils gravirent les escaliers et Benjamin écarta le rideau. Vincent vit alors une petite porte sous laquelle brillait un rai de lumière.

À l'intérieur de cette pièce, Vincent retrouva les membres du groupe. Mathieu, confortablement installé dans un divan moelleux, fumait un joint qui lui emboucanait le visage. À sa gauche, Christophe discutait avec une serveuse qui venait d'apporter quelques bières. Réveillé, rasé et lavé, c'était un Christophe tout différent de celui de l'après-midi qui faisait la cour à la serveuse. Lorsqu'il vit que Vincent se tenait dans l'embrasure de la porte, il lui dit :

— Ça va *rocker, man* ! Tu veux une bière ?

— Non merci, lui répondit Vincent, je ne boirai pas pendant le *show*.

— Mais c'est bar ouvert pour les musiciens, rétorqua Christophe. Tu peux pas refuser un verre de…

Il se tournait vers la serveuse.

— Marie, répondit-elle.

— Oui, Marie, c'est ça, excuse-moi.

Vincent hocha la tête. Christophe, d'un air goguenard, dit qu'il boirait alors pour deux.

À vingt et une heures trente, les deux *doormen* refusèrent l'entrée au troupeau de personnes toujours agglutinées dans l'escalier : le bar avait atteint le nombre d'entrées maximal. Vincent sentit son rythme cardiaque s'emballer. Chaque pulsation fouettait plus fortement ses tempes que la précédente. Tous ces gens étaient venus pour eux, pour les écouter… pour l'écouter, lui, Vincent, pour l'écouter et le regarder jouer…

Pendant la demi-heure qui précéda le début du spectacle, Vincent répondait évasivement aux questions qu'on lui posait. Les autres musiciens, assis autour d'une table, parlaient de tout et de rien, se rappelaient quelques entrées de chanson plus difficiles. Mais Vincent n'y était pas : la bouche entrouverte, la mâchoire inférieure pendante, le regard alangui, il avait l'air d'un homme dépassé par les événements.

Après un certain temps, Vincent entrebâilla la porte et jeta un œil dans la salle. L'excitation était à son comble : l'horloge indiquait 21 h 55. Sous peu, après un léger retard, le spectacle commencerait et il y avait dans l'air cette ineffable euphorie qui accompagne les préludes d'un concert rock. Soudainement, Vincent se sentit pris d'une panique intenable : et s'il oubliait un riff ? Et s'il se trompait d'accord ? Et s'il ne s'entendait pas jouer dans les moniteurs ?

Les lumières se fermèrent. Une salve d'applaudissements et de cris noya les pensées qui aiguillonnaient son esprit. Ce fut alors une sorte d'oubli de soi. Vincent se sentit complètement pénétré par le spectacle. Sa nervosité l'avait quitté. Il avait l'impression que ses forces et ses capacités venaient de quintupler, comme par une métamorphose viscérale de sa personne.

Lorsqu'il fut sur les planches, il se sentit devenir complètement autre. Tout son être était emporté par cette vitalité, par cette énergie triviale et brutale. Dans cet étourdissement complet où son identité se diluait, l'existence avait un goût mordant, pointu, quintessencié : une marée sonore l'encerclait et faisait battre sa chemise contre sa poitrine humide ; des jets de lumières aveuglantes, entrecoupés d'images brèves de visages extasiés, lui brûlaient les rétines.

Pour la première fois de sa vie, il était séduit par le rock. Dans le sous-sol de chez Benjamin où le groupe avait pratiqué, le volume des amplificateurs et de la batterie l'avait agressé. Mais maintenant, sur scène, dans cette salle et devant cette foule imposante, le volume excessif des amplificateurs l'enivrait. Soudainement, il lui semblait qu'il n'y avait aucune limite à son seuil de tolérance auditive. Plus c'était fort, plus c'était bon.

Les musiciens s'échangeaient des regards complices. Christophe, au micro, était vraiment excellent. Mais vers la fin du spectacle, le chanteur s'écroula. Les musiciens crurent d'abord à une mise en scène. Christophe se releva et dit à l'oreille de Benjamin qu'il ne pouvait plus continuer. Ivresse, fatigue, drogue; un peu de tout cela mélangé. Il alla reprendre ses esprits dans la loge. Les musiciens maintenaient le rythme du couplet en échangeant des regards interrogatifs. Vincent n'écouta alors plus que son instinct et se dirigea vers le micro et commença à chanter. Après le premier couplet, il se tourna vers Benjamin: le bassiste saluait son initiative d'un regard approbateur. Vincent était le premier étonné: il se rappelait des paroles et savait rendre plutôt adéquatement les inflexions de voix de Leloup.

La foule accueillit la nouvelle voix par des cris d'enthousiasme. Ce fut alors un moment sans pareil pour Vincent: sa voix dominait cette masse sonore confuse et assourdissante; elle était filtrée et propulsée par un système électrique d'amplification qui, comme un vallon entouré de monts escarpés, donnait à la voix humaine des échos célestes et, pour peu, des attributs divins.

Jamais Vincent n'avait senti son *moi* avec une telle intensité. C'était, pour ainsi dire, une première palpation de l'existence où les sons, les couleurs, les odeurs et les textures se livraient à lui avec une extrême concentration.

Il ne commit aucune faute. Hardi et omnipotent, il s'acquitta de sa tâche avec un doigté de maître. Après plus de deux heures trente de spectacle, les musiciens, trempés de sueur, regagnèrent la loge. Christophe les accueillit. Son visage avait repris des couleurs, la faiblesse semblait résorbée.

— Je suis désolé les gars. Je ne sais pas ce qui s'est passé. Pendant un moment, je n'ai plus rien vu. *Black out* total. J'étais dans les vapes, complètement.

Les clameurs de la foule devenaient envahissantes. On réclamait un rappel. Les musiciens retournèrent sur scène.

Christophe reprit le micro. Au troisième rappel, il fit signe à Vincent de s'avancer. Il lui laissait sa place pour la dernière chanson. Sa voix fut accueillie par des applaudissements.

Laide, laide… comme la vie est laide, laide…

En sortant de scène, Christophe dit à Vincent d'un ton véhément :

— Wow ! Vincent ! T'as été solide à soir, *man* ! Par moment, vraiment, je me serais cru en présence du grand méchant loup en personne… T'avais la gueule du rocker… T'as vu combien ils étaient à genoux quand on est sortis…

Vincent, que l'émotion étranglait, opina de la tête et alla s'asseoir sur une chaise parce que sa tête tournait. Ses mains tremblaient, ses aisselles suaient, ses vêtements étaient trempés, ses oreilles bourdonnaient. Il entendait encore la rumeur de la foule. Depuis la loge, il l'entendait. C'était comme un mugissement animal, un roulement de tonnerre. Il y avait cinq minutes que les musiciens avaient quitté la scène après leur troisième rappel, et *ça* criait toujours ; *ça*, cette chose informe et enivrante que l'on nomme *une foule*.

Christophe, qui semblait avoir complètement retrouvé ses moyens, débouchait une autre bière et s'apprêtait à aller retrouver la serveuse, Marie. Benjamin et Mathieu se félicitaient en affirmant qu'ils avaient livré une grande performance.

Mais lui, Vincent, était muet. Il venait de passer deux heures et demie sur une scène, les dernières minutes à crier dans un micro, mais là, il ne pouvait plus parler, ni exprimer ce qu'il ressentait à cet instant. Tout lui apparaissait enveloppé d'une brume confuse qui rendait indistinct le contour des choses.

Le rock. Comment avait-il pu ignorer ce phénomène, le dédaigner comme une chose purement vulgaire ? Il était vrai qu'il avait été élevé avec des idées de grandeur et de raffinement. La brutalité du rock l'avait toujours rebuté. Au conservatoire, son professeur de littérature musicale lui avait appris que la chanson populaire, dont le rock'n'roll des années 1950 avait été le véhicule de diffusion dans la culture de masse, était considérée comme un art mineur dans la hiérarchie des genres musicaux. Elle faisait figure de parent pauvre aux côtés des genres canoniques tels que la musique symphonique ou l'opéra. Mais là, sur scène, il lui semblait avoir été en contact avec une force indéniable, une puissance grisante devant laquelle aucune catégorie artistique traditionnelle ne pouvait tenir.

2

Peu avant midi, Vincent entendit son numéro. Il se leva, respira profondément, prit sa guitare et s'avança.

Une fille l'attendait en souriant dans le cadre de la porte. Il fit son sourire charmeur en gonflant sa poitrine. Elle le fit entrer dans une pièce éclairée par deux lumières sur pied. Au fond, il y avait une table où deux femmes prenaient place ; derrière elles, une caméra filmait en continu ; au-devant, un pied de micro et un « X » fait à même le sol avec deux morceaux de ruban adhésif gris foncé. Vincent s'avança.

Une fois devant le micro, il commença son texte de présentation dans lequel il rendait compte de son expérience et de ses réalisations. À sa deuxième phrase, l'une des deux femmes l'interrompit ; elle lui dit qu'il n'avait que trente secondes pour montrer ce qu'il savait faire, que cette audition était informelle : on procédait à une première sélection afin de séparer le bon grain de l'ivraie.

Il s'exécuta rapidement. Ses mains étaient maintenant glacées, figées par le stress. La lumière l'aveuglait. On l'auscultait. On analysait rapidement sa constitution : son allure, sa posture, sa peau, sa voix, ses vêtements, ses yeux…

Après un couplet et un refrain, on l'interrompit. L'une des femmes fit un crochet sur une liste et lui dit de passer dans une autre salle. Il comprit qu'il était retenu pour la suite des auditions. Il rangea sa guitare dans son étui et se dirigea vers la porte. Dans l'autre salle attendaient ceux qui avaient accédé, comme lui, au second tour. Ils étaient une quarantaine. Vincent s'assit dans un divan.

À une fréquence régulière, un candidat entrait dans la salle et un autre en sortait à l'autre bout. D'après le débit de l'appel des numéros, Vincent en déduisit que cette seconde audition durait entre cinq et dix minutes. Quarante candidats devaient passer avant lui. Il avait donc cinq ou six heures d'attente. «Qu'est-ce que je fais ici, merde?» pensa-t-il. Il n'avait pas envie de fraterniser avec les autres participants. Il sortit un livre de son étui à guitare et lut.

Après trois heures d'attente, son ventre commença à produire dés borborygmes. Il mangea la pomme et la banane qu'il avait eu la précaution de mettre dans son étui en quittant la maison. Cela apaisa son appétit pendant un moment. Mais bientôt, la faim le reprit. Il n'avait pas songé que ces auditions lui prendraient toute la journée.

Il remarqua une machine distributrice. Dans son portefeuille, il compta trois dollars et quarante-deux sous. Comment ferait-il pour tenir jusqu'à la fin avec si peu d'argent? La faim s'était transformée, sous le stress, en douleur atroce qui lui faisait des nœuds au ventre. Il acheta un sac de pistaches salées qui lui coûta un dollar et quatre-vingt-quinze sous et le mangea lentement afin d'étirer son contenu. Des candidats s'étaient réunis et chantaient en faisant une ronde. L'ambiance était à la fraternité. Vincent resta à l'écart.

Il tendait une oreille vers la chorale: plusieurs ne savaient à peu près pas chanter ni jouer de la guitare. Tous de petits chansonniers amateurs, se dit-il. Lui, il connaissait la musique. Le stress diminuait à mesure qu'il voyait à qui il avait affaire. Il eut alors une pensée pour le jeune homme qui l'avait défié du regard plus tôt dans la matinée alors qu'il hésitait à signer le contrat. Un coup d'œil rapide sur la salle l'informa que ce concurrent n'avait pas été retenu.

Une heure avant d'être appelé, il alla vers la machine distributrice dépenser les derniers sous qu'il lui restait afin d'apaiser sa faim. C'est alors qu'il eut une pensée pour Benjamin et les autres musiciens du *band*. Que diraient-ils lorsqu'ils apprendraient qu'il s'était présenté à ces auditions ?

● ● ●

Vincent avait rencontré Benjamin au club de tennis, trois ans auparavant. À proprement parler, Benjamin avait été son seul ami véritable. De tempérament asocial et légèrement condescendant, Vincent ne nouait pas facilement des amitiés. Jumelés pour une compétition, Benjamin et Vincent s'étaient découvert de multiples affinités. Les parents de Benjamin étaient des musiciens professionnels, ce qui avait attiré l'attention de Vincent qui étudiait alors le piano au Conservatoire de musique et envisageait à l'époque de faire une carrière de concertiste.

C'est Benjamin qui avait initié Vincent au rock. Quand il lui avait demandé de se joindre à son groupe parce que son guitariste s'était blessé à quelques jours du spectacle, Vincent avait d'abord refusé, la guitare étant simplement son instrument secondaire. Mais sous les demandes pressantes de son ami, il avait finalement accepté.

— Pis ?… demanda Benjamin avec une pointe d'insinuation dans la voix quand Vincent et lui furent assis dans la minifourgonnette après le spectacle pour ramener les instruments au local de répétition. C'était pas mal, hein, comme premier *show* ? J't'avais dit qu'c'était fort, hein ?

Vincent, pour seule réponse, écarquilla les yeux.

— Tu vas voir, c'est comme une drogue, reprit le conducteur. Après, quand on y a goûté, on peut pus s'en passer.

— Est-ce que t'as déjà chanté, toi aussi ? J'veux dire sur le devant de la scène comme moi, ce soir…

— Ouais, répondit le bassiste.

— Pis ? Est-ce que c'est aussi bon en arrière qu'en avant ?

— C'est différent. Quand t'es dans la *rythm'*, t'écoutes plus ce qui se passe autour de toi, t'es plus attentif et tu te fonds mieux dans la masse sonore. C'est un aut'trip. Quand t'es *lead*, t'es plus concentré sur ta partie faque t'écoute moins les autres musiciens ; t'es plus porté par eux. Disons que ça te fait un *high* un peu différent. Mais à soir, y avait une *vibe* pas mal spéciale. Ça sonnait vraiment bien. Le *groove* était solide.

Vincent détourna son regard vers l'extérieur du véhicule. Les trottoirs étaient déserts et la minifourgonnette dévalait le boulevard Charest en enfilant les feux verts. Il ouvrit la fenêtre du côté passager afin de respirer l'air frais de la soirée. Rapidement, ils quittèrent le boulevard pour s'enfoncer dans un coin de la ville dont Vincent ignorait presque l'existence.

— Mais on va pas porter les instruments chez tes parents ? demanda Vincent.

— Non, répondit Benjamin. Je viens de louer un local de pratique avec d'autres musiciens. Ça va être plus simple de même.

La camionnette s'engouffra dans le quartier industriel de Saint-Malo et Vincent éprouva un soudain inconfort. C'était un défilement de bâtiments aux devantures placardées de tôle dans des rues sinueuses sans trottoir qui serpentaient de façon imprévisible entre les bâtisses. Autour de chacun de ces bâtiments s'étendaient des zones de transport et des espaces de stationnement pour les véhicules lourds dont le pavage, le plus souvent fait de terre tapée, était crevassé et découvrait un peu partout de grandes mares d'eau sale sur lesquelles brillait le reflet des huiles à moteur.

Ce paysage eut un effet sur l'état d'esprit de Vincent : au sentiment de douce euphorie qu'il avait gardé du spectacle, succéda celui d'une inquiétude vague. La violence esthétique d'un tel lieu l'indisposait.

Benjamin tourna le volant ; devant eux, les deux faisceaux de lumière que projetaient dans l'obscurité environnante les phares du véhicule éclairèrent un stationnement à moitié vide entouré par un grillage métallique. Benjamin gara la minifourgonnette vis-à-vis de l'entrée.

En sortant du véhicule, Vincent discerna, dans la noirceur des lieux, un alignement de camions routiers et, derrière cet alignement, une rangée d'arbres maigrichons au feuillage clairsemé. Était-ce vraiment dans un lieu pareil que les musiciens de la ville se donnaient rendez-vous pour pratiquer ? C'était ici, dans un parc industriel dont chaque pouce carré empestait l'essence et l'huile à moteur, que se faisait la musique ?

Benjamin ouvrit les portes arrière de la minifourgonnette ; ils agrippèrent chacun quelques caisses, refermèrent d'un mouvement d'épaules les deux portes et se dirigèrent vers l'entrée principale qu'une lampe suspendue éclairait d'une douche de lumière.

En marchant, Vincent observa la bâtisse. C'était une grosse boîte carrée sans fenêtre qui s'élevait dans le ciel, recouverte d'un revêtement de tôle grise et verte. En s'approchant, il entendit un grondement sourd ; il eut l'impression qu'une machinerie bruyante y abattait une besogne de fer.

— C'est quoi au juste, Ben, cet édifice-là ? dit-il d'une voix haute afin que l'autre musicien, qui avançait devant lui, les bras alourdis par les instruments, l'entendît.

— Bah! répondit Benjamin en soufflant, tu dois ben être le seul musicien de Québec qui connaît pas Les Studios…

— Les Studios?… répéta Vincent, derrière.

— Ouais, Les Studios. Je joue avec plusieurs musiciens, *tsé*. Y en a qui sont beaucoup plus vieux que moi. Y ont pas nécessairement la place chez eux pour faire un local de pratique, alors ils louent un local ici. C'est simple : tu te mets en gang, tu trouves des musiciens fiables, pis tu te loues un studio dans ce HLM à musiciens. Y a ben une cinquantaine de studios dedans.

Ils arrivèrent à la porte de l'immeuble ; le grondement s'était amplifié. Benjamin sortit une carte de sa veste et la fit glisser dans une petite fente ; la porte aimantée se déverrouilla et Benjamin l'ouvrit péniblement, les bras encombrés par les étuis à guitare. Aussitôt, un vacarme incroyable leur fut craché au visage comme l'haleine âpre d'un immense animal. Ils passèrent l'embrasure du portique.

En pénétrant dans le hall de l'édifice, Vincent comprit que son intérieur était à l'image de son extérieur. Les murs, dont la peinture était écaillée à plusieurs endroits, étaient traversés par de grandes lézardes causées par le va-et-vient des instruments lourds.

— On est au troisième, lui cria Benjamin.

Ils s'engagèrent dans l'escalier. La montée fut pénible ; ils avaient chacun sur leurs épaules une charge de soixante-dix ou quatre-vingts livres. Arrivés au deuxième étage, le brouhaha s'était encore amplifié. Vincent s'immobilisa : le plancher tremblait ! Sous l'effet des vibrations sonores, il tremblait, littéralement… C'étaient des sons de guitare électrique, de basse et de batterie. Il s'aperçut que Benjamin s'était déjà engagé dans l'escalier qui menait au troisième.

Lorsqu'il atteignit cet étage, Vincent resta figé devant ce dédale de couloirs. Il entendit Benjamin lui crier un numéro de porte ; il suivit le long corridor jalonné de portes noires à numéro. Tout cela, pensa-t-il, ressemblait étrangement à une sorte d'hôtel miteux. Il y avait beaucoup de groupes de rock métal qui pratiquaient même à cette heure avancée de la nuit. Il y avait des hurlements d'outre-tombe, des chaos sonores incompréhensibles. Après avoir savouré l'ivresse du rock, Vincent découvrait ses multiples visages.

Ils arrivèrent finalement au bout du corridor. Le local, que Benjamin partageait avec d'autres musiciens et qui était situé au dernier étage de la bâtisse, était une mansarde puant le renfermé et la poussière.

— C'est sûr que ça fait un peu loin pour venir porter les instruments, lui dit Benjamin en posant les guitares et l'amplificateur. Mais c'est comme ça au début : on te donne les derniers studios, ceux du fond, puis t'avances tranquillement jusqu'à ce qu'un de ceux du premier se libère. *That's it.* C'est une question d'ancienneté…

Il y eut un deuxième voyage consacré aux caisses de la batterie, puis un troisième pour l'immense amplificateur de la basse. C'était un vieil ampli dont la tête devait peser quarante livres. Le *bottom*, d'une hauteur de cinq pieds, avec ses quatre *muffer* de douze pouces chacun, était encombrant. Ils forcèrent, à bout de bras, pour le hisser en haut des escaliers, ce qui leur demanda leurs dernières forces. À chaque marche, Vincent sentait des élancements lancinants dans les muscles de ses jambes. Arrivés au troisième, Benjamin lui dit :

— Ces osti de *Marshall*… Cette compagnie fait des amplificateurs en pensant que tous les musiciens ont des *roadies*…

— Des quoi ?… demanda Vincent.

— Des *roadies*... C'est des techniciens de tournée qui se chargent de trimballer le stock du *band*. Mais j'vas te dire, y a ben peu de *bands* qui peuvent se permettent des *roadies*. On a déjà d'la misère à s'faire payer convenablement, alors imagine...

Benjamin referma la porte du studio derrière eux en la cadenassant très solidement.

— Ouais, fit-il en se redirigeant vers les escaliers, ça c'est la partie un peu plus plate du métier. Tu pratiques pendant des heures pour monter ton *show*; arrive le soir où tu joues, tu finis à une heure du matin, des fois deux, trois ou quatre, pis là y te reste à tout remballer pour retourner au studio.

— Mais ça ne te décourage pas de devoir faire tout ça?...

— Ouais, répondit le musicien, des soirs c'est un peu plus *rough*... Mais qu'est-ce'tu veux... Y a rien de gratis dans'vie. Imagine si t'avais pas à charrier le stock: ça serait le métier le plus cool. On te paierait pour être sur un *stage*. Les filles se tireraient devant toi, pis tu finirais ton *show* en rentrant relaxe avec une *chicks* sous l'bras...

Ils arrivèrent au portique. Devant la porte, ils remarquèrent qu'un homme, à l'aide d'un diable, tentait de faire passer dans l'embrasure une immense caisse de son. L'homme, incliné pour pousser de tout son poids contre la caisse noire, trimait dur, mais la manœuvre échouait: la caisse était prise entre les montants de la porte. Benjamin se dépêcha à lui proposer son aide.

— Attends! lui cria-t-il. J'vais ré-enligner le diable.

Il plaça ses mains sous la caisse et força pour la soulever. Les roues du diable s'alignèrent dans le portique et la caisse, dans une secousse où son poids imposant se fit sentir, franchit la porte. L'homme qui avait été jusqu'ici accroupi derrière le petit chariot se releva.

— Eh! Mario! s'exclama Benjamin.

Les deux musiciens, visiblement familiers, se serrèrent la main. L'homme devait avoir une cinquantaine d'années. Il portait une crinière abondante et grisonnante, des lunettes aux verres larges avec une monture massive.

— Vincent, fit Benjamin après avoir échangé quelques paroles avec l'homme, je te présente Mario, un gars avec qui j'ai *giggué* pendant queq'temps pour remplacer le bassiste de son *band*.

Vincent tendit la main.

— T'as besoin d'un coup de main, *man*? enchaîna Benjamin.

— Ben… répondit le vieux musicien, c'est jamais de refus.

Benjamin fit signe à Vincent de le suivre. Les deux jeunes hommes allèrent au stationnement où un autre musicien sortait des instruments d'un immense fourgon. Ils prirent des amplificateurs et se dirigèrent vers la bâtisse. Benjamin guida Vincent dans un couloir du premier étage. Le studio de Mario était situé parmi les premiers et était l'un des plus convoités.

Quand ils eurent terminé le transport des instruments, Mario invita les deux jeunes hommes à s'asseoir dans le petit salon aménagé près de la réception de l'édifice. En s'assoyant dans un des divans, Vincent sursauta en criant. Les musiciens pouffèrent de rire :

— Ah! Ça paraît que ton chum est nouveau dans l'coin… dit Mario.

Vincent se releva pour regarder ce qui lui avait causé une telle douleur. Avant de s'asseoir, il n'avait pas pris la peine de regarder le divan. C'était une vieille causeuse élimée, ravaudée par des couches de gros ruban adhésif gris. Vincent vit qu'un trou dans le coussin laissait à découvert un des ressorts du meuble. Il alla s'asseoir sur un autre divan.

— Je crois qu'il me reste quelques bières, dit Mario en regagnant son studio.

De fait, il revint avec quatre bouteilles en s'excusant du fait qu'elles n'étaient pas fraîches. Benjamin attrapa celle que Mario lui tendait et Vincent se sentit obligé d'accepter.

Benjamin et Mario parlèrent pendant quelques instants, s'enquirent de leurs derniers spectacles. Vincent, intrigué par le personnage, l'interrogea sur le type de spectacle qu'il donnait.

— Moi, mon gars, répondit le quinquagénaire d'un ton sentencieux, ça fait plus de trente ans que je fais de la musique et je peux te dire que j'ai tout fait, tout. J'ai commencé dans les années soixante-dix, quand le rock se répandait à travers la planète comme une traînée de poudre. J'ai fait du rock britannique, américain, du folk, du disco, du punk, de la pop, du progressif, de l'alternatif, de tout j'te dis.

— Et tu enchaînes les contrats de musique comme ça depuis trente ans? demanda Vincent.

— Ouais, mais ça n'a pas toujours été facile. L'âge d'or, ç'a été les années soixante-dix. Tous les bars voulaient un *band* chaque soir. Nous autres, on jouait facilement quatre, cinq ou six soirs par semaine dépendamment de notre rendement. Pis ça payait, sur tous les sens du terme. Ouf! Ça c'était la vie! Hein, Gilles?

L'autre musicien qui se tenait discrètement en retrait en buvant sa bière fit un geste approbateur.

— Pis ça l'a dropé dans les années quatre-vingt avec l'arrivée des discothèques, reprit Mario. Soudainement, y avait pu un bar qui voulait sortir le cash pour s'payer un *band*. Alors j'ai fait le chansonnier avec des ordinateurs pour m'accompagner. Mais depuis dix ans, ça l'a un peu repris. J'fais du corpo.

— … du corpo? demanda Vincent.

— Ouais. Du corporatif. Ça veut dire que des compagnies nous engagent pour assurer l'animation de leur party d'employés, des affaires de même. C'est juste comme ça que tu peux vivre un peu de la musique si t'es pas musicien pour des *shows* télé.

— Alors tu fais que ça, de la musique ?

— Ouais, mais j'ai trois *bands* qui roulent tout l'temps. On fait pas tous ça, hein Gilles ? Une chance que le ministère de l'Environnement a besoin de statisticiens…

À partir de cet instant, la discussion tourna autour de certains riffs de basse que Benjamin maîtrisait particulièrement bien et que Mario tentait de faire comprendre à son bassiste. Vincent écouta d'une oreille distraite les échanges tout en observant le vieux musicien. Il avait du respect pour cet homme. Il émanait de sa personne une expertise musicale que Vincent aurait voulu posséder, mais à quel prix ? Quelle vie avait été celle de cet homme ? Après trente ans de musique, il semblait mener la même vie que celle de Benjamin, partagée entre les différentes scènes de la ville et les locaux de répétition, se dépêtrant toujours dans la précarité, ignorant le confort et l'aisance financière et s'éreintant les membres à transporter du matériel lourd et encombrant.

Ils avaient déjà vidé leur bouteille que Vincent, qui buvait du bout des lèvres, en était à sa troisième gorgée.

— Allez ! dit Benjamin, on s'en va. Je suis brûlé.

Il se leva et tendit la main à Mario en affirmant qu'ils se reverraient bientôt. Vincent déposa sa bouteille de bière presque pleine au pied du divan, salua les deux musiciens et suivit son ami qui regagnait la sortie.

En arrivant chez lui ce soir-là, il était dans un état de grande excitation. Ses oreilles bourdonnaient. Il se mit au lit, mais il n'arriva pas à trouver le sommeil. Il ouvrit son ordinateur portable et rechercha le site de *L'Académie de la chanson populaire*. Les auditions avaient lieu le lendemain. Il prit en note l'adresse de l'hôtel et se coucha en se disant qu'il attendrait son réveil pour prendre une décision.

3

Vincent entendit un numéro: «Le quatre-vingt-quatre». Il sursauta. C'était à son tour de défiler devant les juges. Il y avait plus de cinq heures qu'il attendait et voilà que son numéro venait d'être appelé. Une dizaine de minutes allaient lui être accordées.

Il se leva d'un bond, rangea son livre dans son étui à guitare et s'avança vers la porte principale. Une femme l'attendait.

Il passa l'embrasure de la porte. Juste à sa droite, en entrant, il vit un homme de haute stature vêtu d'un complet sobre qu'il associa à l'équipe de l'émission. Puis, il lança un regard en direction de la pièce elle-même. Elle était de dimensions un peu plus grandes que celle dont il était sorti quelques heures auparavant. Les mêmes rideaux, les mêmes tapis. Au fond, il y avait une large table où étaient assises trois personnes, deux hommes et une femme. Puis, à l'opposé de cette table, à l'autre bout de la pièce, une petite scène avait été aménagée. Un immense rideau aux couleurs du logo de l'émission servait de toile de fond. Au milieu de la salle, on avait placé une caméra sur un trépied. Elle était tournée vers la scène. La fille qui l'avait introduit dit à haute voix:

— Voici le numéro quatre-vingt-quatre.

Puis, elle lui fit signe de s'avancer sur la scène. Vincent déposa son étui à guitare et monta les trois marches. Il y avait encore un « X » fait de ruban adhésif qui désignait la place de l'artiste. Vincent s'avança vers le micro.

— Quel est ton nom ? demanda l'homme assis à l'extrémité droite de la table.

— Vincent. Vincent Théodore.

— Moi, c'est Marc-André. Je serai le professeur de danse à *L'Académie*. Voici Murielle et Chantal qui se chargeront respectivement des cours de chant et de diction.

Vincent les salua d'un hochement de tête réservé.

— Alors… il regarda sur la feuille qui était devant lui, Vincent… pourquoi, selon toi, serais-tu le meilleur candidat pour *L'Académie* ?

— Parce que je suis le meilleur, répondit-il franchement.

Le juge parut un peu décontenancé par cette réponse. L'effet escompté par Vincent avait été atteint, puisqu'il se dessina sur son visage une sorte de sourire mi-narquois mi-sympathique, du moins, l'un de ces sourires qui ne sont pas inspirés par l'indifférence.

— Bon… c'est ce que nous allons voir. Quelles sont tes expériences dans le spectacle, Vincent ?

— J'ai étudié la guitare et le piano au conservatoire pendant six ans. J'ai fait des spectacles, surtout de classique, mais aussi de rock.

— Qu'est-ce que tu aimes faire dans la vie ?

— J'aime la musique, évidemment. Mais j'aime aussi la littérature, la peinture, l'histoire.

— Qu'est-ce qui te fait dire que tu es le meilleur ?

— Je sais ce que je vaux. Ça fait presque six heures que j'entends les autres aspirants ; je sais ce que eux valent. D'ailleurs je vous plains. J'espère au moins que la paye en vaut la peine…

Les juges émirent quelques éclats de rire et échangèrent des regards complices. Du coup, l'atmosphère sembla plus détendue.

— Ouais, disons que pour la paye on en reparlera, répondit le juge d'un ton sarcastique, mais oui c'est un peu éreintant à la longue. Disons qu'on a hâte de trouver nos joueurs. Alors toi, qu'est-ce que tu vas chanter ?

— Une chanson de Jean Leloup.

Le juge lui fit signe de s'exécuter. Vincent fixa la caméra qu'il ne quitta pas des yeux une seule seconde. Il se surprit à être étonnamment calme pendant sa performance.

La chanson une fois terminée, le juge le félicita et lui dit que c'était tout, qu'il pouvait s'en aller. Vincent resta quelques secondes devant le micro, interdit.

— Vous ne posez pas plus de questions ? demanda-t-il. Le juge, tout en triant ses papiers, releva les yeux vers lui.

— Comme tu l'as dit, on est très chargés et il faut que ça roule. Allez, on va te rappeler.

Vincent vit s'ouvrir la porte par laquelle il était entré. Un nouveau candidat pénétra dans la pièce d'un pas énergique et s'arrêta à un mètre du micro, attendant que Vincent libère le plancher. D'un geste un peu précipité, Vincent rangea sa guitare en cherchant quelque chose à dire pour laisser une dernière impression. Mais son esprit était plat. Il sortit.

Une fois arrivé dans le corridor, il s'arrêta. Il regarda à droite et à gauche. Il était seul. Il réfléchit. Il fustigea cette émission populaire à laquelle il ne participerait jamais. Il maudit tous ces musiciens amateurs et vulgaires qui lui renvoyaient une caricature de sa personne.

— Des amateurs, juste une bande d'amateurs… maugréa-t-il.

Enfin, il maudit cette fille stupide qui l'avait présenté comme un vulgaire numéro anonyme, sans nom, sans identité… Lui, un simple numéro…

Il sursauta. On venait de lui taper sur l'épaule. Il se tourna et reconnut ce même visage qu'il était en train d'invectiver en aparté.

— Excuse-moi. Pourrais-tu me suivre s'il te plaît ?

— Co-co-comment ? bégaya-t-il. Je croyais que c'était tout.

— Oui, c'est terminé. Mais on te demande dans une autre salle.

La fille tourna les talons et s'éloigna dans le corridor. Vincent, un peu égaré, emboîta le pas. Ils zigzaguèrent à travers les pièces et les escaliers, passèrent de nombreuses portes, traversèrent la salle où il avait attendu pendant six heures, et arrivèrent enfin devant une petite porte brune entre deux escaliers. La fille ouvrit la porte et l'invita à entrer dans la pièce. Vincent fit deux pas. Elle lui dit qu'on viendrait bientôt à sa rencontre, puis elle referma la porte derrière lui.

Vincent jeta un regard circulaire. C'était une pièce exiguë. Une lumière froide provenant des néons suspendus au plafond donnait aux murs une teinte blafarde et produisait un bourdonnement électrique. Le plancher était carrelé de tuiles blanches. Au centre de la pièce trônait un petit bureau de bois sur lequel reposaient différents objets : un bloc de papier, une liste de noms et de numéros, des crayons, un cellulaire, un ordinateur portable et une tasse à café. Derrière ce bureau, il y avait un siège de cuir noir. Vincent se tourna. Il vit, à sa gauche, deux téléviseurs qui reposaient sur des étagères mobiles. Sur l'écran du premier, Vincent reconnut, dans une vue d'ensemble, la salle d'attente où il avait passé six heures. Puis, sur l'autre téléviseur, il reconnut la scène des auditions d'où il sortait tout juste. Il se rappela la caméra au centre de la pièce.

Il regarda à nouveau le premier téléviseur qui diffusait des images de la salle d'attente. Sa gorge se serra. Il ne serait jamais retenu pour une telle émission, pensa-t-il. La vérité lui apparaissait dans sa plus froide clarté : il n'avait aucune chance de tirer son épingle du jeu dans un tel concours de popularité. Il regarda les autres candidats et candidates qui socialisaient ensemble en chantant. Pendant plus de cinq heures, qu'avait-il fait, lui ? Il s'était tenu à l'écart et il avait lu. Bêtement, il lui semblait que cet événement, aussi insignifiant fût-il, résumait l'essentiel de sa personne. Pendant quelques secondes, toute sa vie devenait l'écho de ce moment qu'il vivait à l'instant. Tout ce qu'il était lui semblait incompatible avec ce concours de musique. Et l'image qu'il contemplait sur le téléviseur lui renvoyait cette impression qu'il avait toujours éprouvée depuis son plus jeune âge : il était différent des autres. Et le souvenir de Julie, cette camarade de classe qui l'avait raccompagné un mardi après-midi de mai alors qu'il avait quinze ans, refit surface dans sa mémoire.

● ● ●

Cet après-midi-là, sa mère travaillait dans les plates-bandes sur le terrain avant de la maison. Brigitte Théodore n'avait presque jamais eu de loisir depuis qu'elle était devenue mère. Trop occupée à se faire une situation à l'université et à veiller seule à l'éducation de son fils, elle avait mis une croix sur les activités récréatives. Le jardinage s'était d'abord imposé à ses yeux comme une corvée domestique quand elle avait accédé à la propriété. Puis, d'année en année, elle avait pris goût à voir fleurir ses plates-bandes. C'était toujours une distraction, un moyen de faire le vide dans son esprit. Les genoux dans la terre, s'affairant à sarcler les mauvaises herbes, sentant le soleil réchauffer sa chemise et le souffle encore frais du vent de mai rafraîchir sa nuque, Brigitte éprouvait un sentiment de détente.

Avant de s'attaquer aux plates-bandes, elle avait d'abord dû mettre de l'ordre dans la remise. La cour arrière nécessitait à elle seule quelques heures de travail. Des herbes, déjà, avaient poussé et donnaient au lieu un aspect sauvage qu'elle détestait. Puis, pendant une heure, elle travailla sur le terrain avant de la maison.

Vers quinze heures trente, elle guetta le trottoir du coin de l'œil. Vincent rentrait toujours de l'école par le même chemin. Encore une fois, elle vit sa silhouette apparaître au bout de la rue. Puis, alors qu'elle se dirigeait vers la remise, elle s'aperçut que Vincent n'était pas seul. Une jeune fille marchait à ses côtés. Brigitte fut saisie d'une émotion particulière. C'était la première fois qu'elle voyait Vincent en compagnie d'une fille. À la fois curieuse et excitée, Brigitte se retira derrière un buisson pour observer son fils.

Vincent marchait lentement, la tête inclinée, les yeux fixés sur le trottoir, les deux mains enfoncées dans les poches de son pantalon. Son visage ne trahissait aucune expression, sinon celle de la calme concentration qu'elle lui connaissait. Il avait l'air un peu maladroit avec ce sac à dos qu'il portait encore comme un écolier. La jeune fille qui l'accompagnait, par contre, semblait très à l'aise. C'était une adolescente blonde et mignonne qui avait des yeux verts et un teint nacré. Elle entretenait la discussion. Elle posait sur Vincent des regards attentionnés et le pressait de questions. Lorsqu'ils arrivèrent devant la maison, ils restèrent silencieux pendant quelques secondes. Manifestement, la jeune fille attendait que Vincent l'invite à entrer. Mais il ne faisait rien. Il gardait ses mains enfoncées dans ses poches et semblait même embêté par la situation. Brigitte entendit la jeune fille inviter Vincent à une soirée. Puis, elle ajouta :

— J'aimerais que tu viennes, Vincent. Chais pas pourquoi, mais t'es différent des autres gars, pis j'pense que ça s'rait l'fun que tu viennes.

Après un certain moment, comme Vincent ne répondait pas à son invitation, la jeune fille esquissa un geste qui se voulait un au revoir. Vincent ne rendit pas la politesse et s'empressa de regagner l'intérieur de la maison.

Lorsque la scène fut terminée, Brigitte demeura quelques instants derrière le cèdre qui l'avait dissimulée. Elle songeait au comportement de son fils. Il n'avait manifesté aucun intérêt pour cette jeune fille. Était-ce normal ? Peut-être n'était-il pas encore prêt pour rencontrer des filles ? Mais le serait-il jamais ? Elle se raisonna en refusant de tirer des conclusions hâtives de la scène dont elle venait d'être le témoin. Elle se dit qu'elle allait observer son fils plus attentivement dans les semaines à venir. Elle se remit au jardinage.

Sa pelle, bientôt, rencontra une racine coriace. Elle bêcha quelques coups, mais la mauvaise herbe lui résista. Elle redoubla d'effort ; rien n'y fit. Brigitte s'impatienta. Elle se releva et alla dans la remise pour chercher son ciseau à jardinage. Bien qu'elle ait passé la matinée à mettre la remise en ordre, elle ne le retrouva pas.

— Mais où est cette maudite paire de ciseaux, merde ! grogna-t-elle entre ses mâchoires serrées d'exaspération.

Alors qu'elle prenait une pause pour réfléchir, les deux mains posées sur l'établi, elle entendit le son d'un clavier.

Vincent, à l'étage, faisait des gammes. Pendant quelques secondes, Brigitte resta immobile dans l'ombre poussiéreuse de la remise, son esprit engourdi par le son de l'instrument. Enfin, elle s'avoua la raison de son exaspération soudaine. Elle n'avait pas apprécié la scène qu'elle avait vue. Sa raison lui disait de laisser aller les choses, mais son instinct maternel jugeait suspect le comportement de Vincent à l'endroit de la jeune fille. Était-ce le caractère timide de l'adolescent de quinze ans qui en était la cause? La jeune fille lui déplaisait-elle?

Alors qu'elle contemplait la remise, une autre réponse émergeait dans son esprit. L'éducation qu'elle avait fournie à Vincent était peut-être la cause de ce comportement rustre. Pour la première fois, elle observait Vincent sous un angle extérieur. À sa connaissance, il n'avait jamais eu d'ami et avait toujours pratiqué des activités solitaires. Rien à voir avec Cédric, le fils aîné de sa voisine. Ariane, avec qui Brigitte avait pris l'habitude de faire son jogging, lui avait dit, la semaine précédente, qu'il ne restait pas en place. Il passait toutes ses fins de semaine chez des amis de son équipe de hockey pee-wee qui habitaient au Lac-Beauport et les invitations se succédaient semaine après semaine. Brigitte avait réprimé la tentation de comparer son fils avec les autres enfants, tentation qui, selon ce qu'elle avait observé chez les autres mères, était une propension presque naturelle. Mais ce jour-là, dans le silence de la remise où le son lointain du clavier parvenait à ses oreilles, elle s'y abandonna.

Si Vincent était si différent d'un autre garçon comme Cédric, c'était forcément parce qu'elle avait dû négliger quelque chose dans son éducation. Élevée dans un milieu modeste où la culture n'avait aucune place, Brigitte avait, de sa propre volonté, acquis une culture générale pendant ses études universitaires. Comme elle avait gaspillé son temps pendant ses années au secondaire et au collégial ! À ses yeux, sa vie n'avait commencé qu'avec l'université.

Après des études en France, elle était revenue à Québec pour faire son post-doctorat. Lors d'une soirée à laquelle une amie violoniste l'avait invitée, elle avait rencontré un musicien spécialisé dans la trompette baroque. Leur relation avait duré quelques mois. Quand Adrien était parti à Berlin, Brigitte découvrit qu'elle était enceinte. Incapable de se résigner à l'avortement, elle avait décidé de garder Vincent. Quelques années plus tard, elle apprenait qu'Adrien était décédé à cause d'une malformation cardiaque.

Mère monoparentale et chargée de cours à l'Université Laval dans le département d'histoire, elle s'était juré que son fils bénéficierait d'une éducation de première qualité. Ne pouvant assumer les frais d'une inscription dans une école privée, elle avait adopté envers son enfant, et ce très tôt, une politique éducative stricte et élitiste. Elle avait mis dans son rôle de mère la rigueur et l'exigence qui étaient les attributs de sa profession et elle avait élevé son fils comme on forme un élève.

Et voilà qu'elle craignait qu'une telle éducation ait eu des répercussions dans la vie sociale de son fils. Il lui semblait pouvoir distinguer ce qu'était la relation qu'il entretenait avec l'environnement extérieur, en dehors de celui familier de la maison. Dès l'école primaire, Vincent avait sans doute remarqué que quelque chose le distinguait de ses camarades de classe. Non seulement il connaissait toutes les réponses lorsqu'un professeur interrogeait la culture générale des élèves, mais il avait surtout remarqué que les autres étudiants s'exprimaient de façon malhabile : leur langue était boiteuse, leur syntaxe incohérente et leur vocabulaire très restreint. C'est ainsi que Vincent s'était sans doute senti différent d'eux et cette différence, cette distinction, s'était étendue à d'autres sphères : leurs jeux lui avaient semblé sans intérêt, leurs discussions sans attrait et, du coup, c'est leur compagnie que Vincent n'avait plus recherchée.

Chez les autres, pensait-elle, on devait le respecter pour son intelligence, son érudition et son caractère studieux, bien que celui-ci lui valût peut-être quelques railleries. Mais on n'osait pas lui adresser la parole. Brigitte arrivait très bien à imaginer son fils, pendant les périodes de récréation, se mettant à l'écart pour poursuivre la lecture d'un livre. Il était trop différent pour susciter chez les autres élèves l'envie de partager avec lui un jeu vidéo, un disque compact ou un film. Les goûts, les inclinations, en somme la personnalité que lui avait forgée son éducation particulière avait quelque chose d'anachronique qui rendait inconfortable la compagnie du garçon. C'est ainsi que pendant la majeure partie de son adolescence, Vincent n'avait eu à peu près aucun ami. Tout cela était maintenant cohérent dans l'esprit de Brigitte.

Le soir même, alors qu'elle cuisinait et qu'il lisait au salon, elle alla vers lui. Il était plongé dans *Les Métamorphoses* d'Ovide qui avait meublé son imaginaire d'enfant et qu'il essayait maintenant de lire en latin.

— Je t'ai vu, tout à l'heure, revenir de l'école accompagné d'une jolie fille.

Elle guetta sa réaction. Il demeurait absorbé par sa lecture.

— Eh bien !… dis-moi… C'était qui ? Elle semblait t'accorder un grand intérêt …

— Ce n'est rien, maman, concéda-t-il en tournant une page, c'est simplement une fille de mon cours de biologie qui me parle depuis quelques semaines. Je ne sais pas ce qu'elle me veut.

— Et tu n'es pas curieux de le savoir… ?

Il leva son regard du livre. Elle vit sur son visage l'expression d'un détachement complet. Elle pensa alors que cette question n'avait jamais effleuré son esprit. Le rythme cardiaque de Brigitte s'accéléra subitement.

— Bien, reprit sa mère, quand une fille te raccompagne après les cours, c'est qu'elle est intéressée. C'est qu'elle aimerait passer du temps avec toi pour… pour…

— Pour faire quoi, maman ? demanda-t-il froidement. Pour écouter la télévision après l'école ? Pour parler au téléphone ? Tu devrais les entendre à la cafétéria, le midi, les filles, quand elles parlent. C'est pas croyable ! Elles sont toutes là à dire des niaiseries, à raconter leur vie dans le moindre détail… C'est tellement ennuyant ! Vraiment, je ne vois pas qu'est-ce que je pourrais retirer de la compagnie des filles de mon âge. Elles sont niaiseuses.

— Hein ! explosa Brigitte avec un élan d'indignation qui fit sursauter le garçon. Son livre lui glissa des mains. J'ai déjà eu leur âge moi aussi, reprit-elle d'une voix nerveuse et agacée, et j'ai déjà passé des soirées à parler au téléphone, pis y a rien de mal là-dedans. Dis donc, es-tu aussi fendant et prétentieux avec tes camarades de classe ?

— Comment ça, prétentieux ? Je ne suis pas prétentieux, maman. Je ne partage avec eux que les planchers de l'école. Pour le reste, c'est comme si je ne les voyais pas.

— Mais Vincent ! Ça s'peut pas avoir ton âge et ne pas être intéressé par des activités de ton âge ! Tu ne peux pas faire une vie comme ça, sans tenir compte des gens qui t'entourent.

Vincent posait maintenant des yeux ébahis sur sa mère. Pourquoi faisait-elle toute une histoire à cause de cette fille qui avait insisté pour le raccompagner après les cours ? Son regard exprimait une confusion complète. Brigitte ferma les yeux en inspirant profondément pour recouvrer son calme. Elle s'assit sur le divan à ses côtés. Elle lui dit alors d'une voix où perçait une pointe de tristesse :

— Tu sais ce qui t'attend, Vincent, si tu continues comme ça ? Tu seras comme moi, à mon âge, sans compagnon de vie, peut-être même sans enfant, avec une carrière quelque part, mais sans doute pas à la hauteur de tes attentes. Là, tu vas découvrir c'est quoi le malheur. En faisant une série de gestes, pas nécessairement des erreurs, simplement en prenant des décisions, les unes après les autres, pour te réveiller un matin sans comprendre comment tu en es arrivé là, comme si tu perdais le contrôle que tu avais toujours cru posséder. Et ça, je ne veux pas que ça t'arrive.

Elle respira profondément afin de ravaler le sanglot qui faisait chevroter sa voix, comme si elle était parvenue à mettre en mots une vérité qu'elle n'avait jamais eu la force d'articuler. Vincent ne se rappelait pas avoir jamais vu sa mère prise d'une telle émotion. Il éprouva de façon soudaine une inquiétude vague et généralisée.

— À partir de maintenant, tu vas passer moins de temps dans tes livres et plus dans les gymnases.

Avant même qu'il pût répondre, sa mère reprit avec un regain de fermeté dans la voix :

— Je suis ta mère, Vincent, et ce n'est pas vrai que je vais te laisser agir ainsi. Tant que tu n'es pas un adulte, c'est moi qui sais ce qui est le mieux pour toi. Et là, tu dois absolument te mêler un peu plus aux autres. Tu vas faire plus de sport. On va doubler tes heures de tennis, tu vas faire des tournois mixtes. C'est décidé.

Elle se leva et retourna à la cuisine. Vincent resta bouche bée pendant un instant. Quand il ramena son regard sur son livre, il vit qu'il avait perdu sa page. Il feuilleta le volume à la recherche de l'endroit où sa lecture avait été interrompue. Il retrouva la métamorphose de Daphné.

La semaine suivante, Vincent était jumelé à Benjamin au club de tennis.

• • •

La porte s'ouvrit. Vincent vit entrer un homme de haute stature vêtu d'un complet gris, ni trop chic ni trop commun, l'un de ces habits qui n'attirent ni ne rebutent les regards. Il portait les cheveux courts, presque drus, à la manière des militaires. Son visage, dont la minceur de la peau laissait transparaître l'ossature prononcée des arcades oculaires et de la mâchoire, était sans expression, neutre même. Les yeux ne semblaient pas être faits pour s'écarquiller ni se plisser ; ils étaient figés dans une expression de calme réceptivité. L'homme resta immobile quelques secondes dans l'embrasure de la porte, s'adonnant à la même activité d'observation que Vincent.

— Je suis allé te chercher une chaise, dit-il enfin, pour que nous puissions discuter plus à l'aise.

Il fit pénétrer la chaise à roulettes dans la petite salle et ferma la porte derrière lui. Puis, il regagna son siège de cuir sans dire un mot. Une fois assis, comme Vincent restait silencieux devant lui, il dit :

— Mais assieds-toi. Tu seras plus confortable.

Vincent s'assit, un peu impressionné par l'étrangeté du lieu.

— Je dois tout d'abord te prier d'excuser la manière peu orthodoxe avec laquelle nous te trimballons dans cet édifice, commença l'homme d'une voix calme et d'un débit lent. Tu dois te poser un tas de questions, notamment en ce qui concerne ma fonction. Mon titre officiel est celui de producteur exécutif. Je suis, si tu veux, la plus haute instance dans l'immédiat pour l'administration de l'émission. *L'Académie*, c'est mon projet. Ça te suffira pour te faire une idée de mon rôle dans tout ça. Ce que nous ferons ici, dans les prochaines minutes, ce ne sera qu'une sorte d'entrevue informelle, un moyen que je prends pour mieux évaluer mes candidats. Tu me suis?

Vincent opina de la tête.

— Je t'ai remarqué tout à l'heure, pendant que tu attendais, reprit-il. Tu lisais un livre, je crois. Ce n'était pas très sociable de ta part. L'homme leva la main gauche en affectant une moue de dédain afin d'aller au-devant des justifications que Vincent s'apprêtait à formuler. Ce n'est pas un reproche, continua-t-il, mais une simple constatation des faits. Je te comprends. Regarde-les, et il pointa le téléviseur de la salle d'attente qui montrait la horde de musiciens qui chantaient. Je te concède qu'ils ne m'inspirent pas beaucoup de sympathie à moi non plus. Est-ce que tu étudies la littérature, le théâtre?

— Non, répondit Vincent après s'être éclairci la voix. Je viens de terminer mes études collégiales dans un programme enrichi qui combine les sciences humaines et les sciences naturelles, en plus de poursuivre le piano au conservatoire. Disons que j'ai toujours eu de la facilité avec les études. Et ma mère est professeure d'histoire à l'Université Laval, elle s'intéresse à presque tous les domaines. La culture générale, je suis tombé dedans quand j'étais petit, disons. Ma mère m'a enseigné plus de choses que les écoles que j'ai fréquentées. C'est elle qui m'a appris le latin, par exemple.

— C'est très bien, commenta l'homme. Tu es chanceux d'avoir une mère aussi attentionnée. Peu de gens ont cette chance. Tu pars dans la vie avec une longueur d'avance. Espérons que tu sauras la conserver. Tu as dit, lors de ton audition, que tu as des expériences dans le domaine du spectacle?

Vincent raconta alors longuement son aventure de la veille. Pendant son récit, ses yeux pétillèrent, son cœur s'emballa et ses mains devinrent moites.

— C'était vraiment quelque chose, disait-il en concluant. Tous ces gens qui criaient, toute cette musique…

Puis, Vincent quitta subitement le caractère volubile qu'il avait adopté pour faire son récit. Il durcit son regard afin que sa détermination s'y lût et il dit:

— Je suis prêt à tout pour revivre ça, m'entendez-vous, tout…

— Bien, très bien, répétait l'homme en laissant ballotter sa tête dans un hochement de satisfaction. J'irai droit au but, Vincent. Dans la carrière de tout grand *manager*, il y a un moment où le flair décide du succès. Aujourd'hui, c'est la découverte du talent qui est difficile, parce qu'il y a tant de gens qui aspirent à une carrière artistique. Tout le monde «chante», tout le monde peut être un «artiste».

D'un geste du revers de la main, il désigna avec lassitude l'écran du téléviseur derrière Vincent.

— Et ce qu'il faut, reprit-il, c'est découvrir dans tout ce fouillis-là qui a le potentiel de devenir un vrai artiste. C'est ce qui est arrivé quand Brian Epstein a vu les Beatles en 1961 au *Cavern Club* de Liverpool et qu'il a su qu'il avait trouvé un filon d'or; ou quand Robert John «Mutt» Lange a entendu chanter Shania Twain et qu'il a su qu'elle allait être la plus grande chanteuse country de l'histoire du disque; ou encore quand René Angélil a entendu Céline Dion. Tous ces imprésarios ont su que ça y était, qu'ils étaient tombés sur quelque chose, comme un diamant brut. Je n'en suis pas encore complètement sûr, mais mon flair me dit que je viens peut-être de vivre un de ces moments qui font l'histoire du disque. Quand je te regarde, je vois un potentiel artistique puissant. Tu es comme une pierre brute qu'il suffit de polir. Je n'arrive pas encore à le définir, mais tu as quelque chose qui te différencie de tout le reste. C'est ça, cette différence, qui te distingue des autres. Et moi, je peux t'aider à développer ce potentiel. Avec mon expertise, ton potentiel deviendra un talent.

Le producteur s'interrompit pour observer le visage subjugué de Vincent. Puis, il reprit.

— Pour réussir aujourd'hui, il faut d'abord évaluer la demande. Que veulent les gens ? Quel type de vedette désirent-ils ? Les artistes ont souvent la fâcheuse habitude de se croire indépendants quand il n'y a rien de plus dépendant qu'eux : ils sont dépendants de ceux qui les font vivre, bien sûr, mais ils le sont surtout de ceux qui les applaudissent. Or, si on observe un tant soit peu, on voit qu'il est révolu le temps où l'artiste se limitait à ses prestations scéniques. Ça, c'était bon il y a vingt ou trente ans. Aujourd'hui, la foule est plus exigeante, elle en demande davantage et, comme partout ailleurs, nous sommes dans une logique d'offre et de demande. C'est ce qui nous pousse à rechercher le « package deal » chez un artiste. Ça signifie qu'on veut un artiste qui peut aussi bien faire son spectacle, faire des entrevues, qu'animer un *show* de télé ou s'engager dans une cause sociale ou environnementale, etc. Ta guitare et ta voix ne sont plus les seules composantes de ton talent. Le talent artistique, à proprement parler, ne compte guère plus que pour dix ou quinze pour cent pour les artistes d'aujourd'hui. C'est ta personnalité qui est impliquée maintenant. C'est la personnalité d'un artiste qui fait les quatre-vingt-dix pour cent de l'artiste. Pour réussir, et c'est ce qui nous préoccupe toi et moi, il faut donc miser sur la personnalité.

L'homme fit alors une autre pause afin de mesurer les effets que son discours produisait sur son jeune auditeur. Vincent écoutait attentivement, les yeux écarquillés, la bouche entrouverte.

— Pour avoir l'attention et l'admiration des foules, il te faut donc attirer sur toi l'estime publique. C'est souvent là que les artistes d'aujourd'hui se plantent. En faire trop, c'est passer pour hypocrite; mais ne pas en faire assez, c'est se fermer toutes les portes. Comme ce Jean Leloup, si tu veux, dont tu sembles apprécier la musique. Lui, il se fout du public et il se ferme des portes. Mais c'est là où je peux te venir en aide afin de trouver l'équilibre entre ces deux attitudes pour devenir une grande vedette de la chanson.

Vincent était subjugué par la science de l'ascension qu'exposait cet homme. Son savoir et son intelligence étaient tout appliqués aux réalités concrètes de la vie contemporaine. Dans ses mots, la réussite semblait acquise d'avance. À cet instant, Vincent éprouva de façon très violente la faim qui tenaillait son ventre. Cet état lui causait des étourdissements. Il avait des sueurs froides, ses oreilles bourdonnaient. Il remarqua que l'homme avait maintenant un air très sérieux.

— Écoute-moi bien, Vincent, reprenait-il d'une voix grave, c'est très important ce que j'ai à te dire. Tu viens de signer ce contrat. Il attrapa un document qui était posé à sa gauche sur le bureau et le déposa devant Vincent. Tu as donc accepté de te joindre à ce concours. Mais je veux m'assurer que tu comprends bien ce que ça implique… Ta vie risque de changer du tout au tout quand commencera ce concours de musique. Et on ne peut pas tout prévoir. C'est mon devoir de te poser cette question : es-tu certain de vouloir te lancer dans cette aventure ? Il n'y aura pas de demi-mesures, ici. Tu seras complètement dans le projet, ou tu n'y seras pas du tout. Ce que je te propose, Vincent, peut t'amener directement au succès, et ce, d'une manière qui ne s'est peut-être jamais vue dans l'histoire du spectacle. En quelques mois, quelques semaines même, tu jouiras d'une très grande popularité. Cette émission est étroitement conçue pour répondre au désir du spectateur. Le processus électif sur lequel elle est bâtie est un baromètre précis de l'opinion générale. Mais, et l'homme fit un geste théâtral en levant le menton, il n'en demeure pas moins que tu es libre de choisir comme bon te semble. Tu peux tout aussi bien sortir de cette pièce, rentrer chez toi et continuer cette petite vie honnête et louable à laquelle s'adonnent des millions d'artistes à travers le monde.

Le producteur s'approcha en s'inclinant posément. Il appuya ses avant-bras contre les bordures de son bureau et il plongea son regard froid dans les yeux de Vincent.

— Ou bien tu peux venir avec moi et vivre dans les hôtels de luxe pour le reste de tes jours, faire la couverture des plus prestigieux magazines, être regardé par tout le monde comme un objet de culte.

Vincent s'était avancé au bout de sa chaise. Il s'était accoudé sur ses genoux, avait appuyé son menton sur ses mains et fixait maintenant le vide que son imagination, attisée par les paroles que cet homme susurrait à son oreille d'une voix feutrée, remplissait d'une vie future abondante en richesses de toutes sortes. Le monde, non pas celui qu'il avait découvert à travers la culture et les livres, mais bien celui qui était palpable, tangible, ce monde qu'il habitait lui paraissait à portée de main pour la première fois de sa vie. Dans son imagination, il entendit à nouveau le déferlement de cris et d'applaudissements de la foule.

Tous ces nouveaux fantasmes ronronnaient encore dans son esprit alors que l'homme s'était tu depuis quelques secondes. Vincent s'en aperçut et quitta sa rêverie en clignant des paupières.

— Excusez-moi, dit-il en secouant la tête, disons que j'ai l'esprit un peu confus.

— Alors… Je te pose à nouveau ma question : es-tu certain de vouloir faire partie de *L'Académie de la chanson populaire* ?

Vincent, pour seule réponse, opina de la tête en mettant dans son geste un air de solennité.

— Bien ! fit l'homme avec un ton de voix enthousiaste. Nous sommes fin mai. L'émission sera en ondes début septembre. Il nous reste trois mois pour tout préparer. Tu devras, bien sûr, te soumettre à la suite du processus de sélection ; mais je peux t'assurer dès maintenant, à moins que tu fasses une grosse connerie, que tu seras du nombre des candidats sélectionnés. Ne parle de ça à personne. C'est entre toi et moi. On te contactera sous peu, le temps de terminer les auditions. D'ici là, prends des forces et travaille ta voix.

Le producteur se leva pour le raccompagner vers la sortie. Une fois arrivé dans l'embrasure, Vincent tendit la main :

— Je crois que nous ne nous sommes pas formellement présentés.

L'homme lui serra la main en répondant :

— Frédéric Bellemare.

Bien qu'il fût affable et courtois, Vincent avait l'impression que cet homme imposait une distance aux gens qui le côtoyaient. Il resta un instant interdit devant lui comme devant un objet qui résistait à son intelligence. Vincent eut un sourire timide et sortit de la pièce.

Quand il fut dans le corridor, il sentit ses muscles se détendre. Il se tâta la nuque ; il était exténué. Il avait cessé d'éprouver la faim, comme si son corps s'était résigné à être privé de nourriture, mais il ressentait une extrême fatigue. Il fut pris de violents étourdissements. Il marcha jusqu'à la sortie. Une fois dehors, il inspira profondément et se sentit mieux.

Le soleil encore éclatant de la fin d'après-midi l'aveugla. Il eut d'abord de la difficulté à ouvrir les yeux, sentant ses rétines s'enflammer au contact de la lumière. Il lui semblait sortir d'une salle de cinéma. Lentement, il reprenait contact avec la réalité. Il alla prendre l'autobus et observa, d'un air absent, le ciel que le soleil, peu à peu déclinant, teintait de reflets orangés. À plusieurs reprises, il se répéta à voix basse : « Je vais être un chanteur populaire. » Bien qu'il l'eût prise lui-même, cette décision lui semblait vaporeuse, comme si elle lui était tombée dessus.

4

Le retour en autobus, à cause de multiples réparations de la route, fut long et pénible si bien qu'il faisait déjà noir quand Vincent revint à la maison. Le rez-de-chaussée était éclairé, mais il n'y avait personne. Brigitte, pensa Vincent, devait lire dans son bureau à l'étage. Il alla directement à la cuisine pour se faire un sandwich. Il se servit un grand verre de jus de pomme et alla s'asseoir à la table de la salle à manger. L'adrénaline qui l'avait tenu éveillé toute la journée se diluait dans son sang et Vincent éprouvait de plus en plus son manque de sommeil.

Il entendit le craquement des marches de l'escalier. Puis il vit Brigitte apparaître dans le cadre de la porte. Elle portait son habillement de fin de soirée : des pantalons de coton ouaté, de gros bas, une veste de laine et ses lunettes. Elle alla à la cuisinière et attrapa la théière pour réchauffer sa tisane.

— Coudonc, Vincent, est-ce que c'est une fille qui te fait lever tôt comme ça un lendemain de spectacle ?

Elle porta sa tasse à ses lèvres en le regardant d'un air narquois.

— Mais non, maman. Ce matin, j'avais autre chose à faire.

— Ah…

Vincent soutint son regard. Elle lui souriait affectueusement. Il éprouva alors des sentiments mélangés. Il ne pouvait s'empêcher de penser qu'en auditionnant ce jour-là pour cette émission populaire sans la consulter, il avait trahi le lien étroit qui l'unissait à sa mère. Plus il vieillissait, plus il comprenait qu'il devait à Brigitte la plupart des traits de sa personnalité. Et cela lui inspirait une infinie gratitude. Mais en même temps, il devait faire les choses par lui-même en s'affranchissant de cette tutelle.

— Écoute, maman. Je ne sais pas comment te dire ça… Aujourd'hui, je suis allé auditionner pour un concours de chanson. Les auditions ont commencé très tôt ce matin et elles ont duré toute la journée. Je n'ai entendu parler de ce concours qu'hier, alors je n'ai pas pu te demander ton avis.

— Mais c'est très bien, Vincent. C'est une bonne idée, fit-elle en venant le rejoindre à la table. Tu dois acquérir de l'expérience en musique. C'est toujours bon pour la formation.

— Oui, je sais. Mais là, c'est vraiment une grosse affaire. Ça pourrait changer beaucoup de choses dans ma vie, ce concours.

— Comment ça ?

Vincent prit une gorgée de jus. Il chercha pendant quelques secondes la bonne formulation.

— Écoute, maman. Il s'agit d'une émission de télévision qui sera diffusée cet automne. Il va y avoir dix candidats. Nous allons vivre dans une espèce d'école, un domaine où nous aurons des cours pour devenir des artistes. Tous les dimanches, nous allons faire un gros spectacle qui sera diffusé à la télé en direct et les gens vont voter pour choisir le candidat qui sera éliminé chaque semaine. Et ça va durer dix ou douze semaines en tout, je ne suis pas certain.

Brigitte fronçait les sourcils d'un air concentré.

— Depuis quand, demanda-t-elle, veux-tu devenir un chanteur populaire ?

— C'est tout récent, depuis hier soir. J'ai vraiment vécu quelque chose de puissant, hier, quand j'ai chanté.

— Je pensais que tu ne faisais que jouer de la guitare dans ce groupe ? Tu chantais aussi ?

— Au début, je ne devais que jouer de la guitare. Mais finalement, j'ai chanté. Et, ça a été une… expérience incroyable.

— Je comprends, continua sa mère avec assurance, mais ce concours, si tu le gagnes, ça signifie quoi ? As-tu pensé à tes études ? Comment vas-tu faire pour aller à cette «école» de chanteur en même temps qu'à l'université ? C'est ton premier semestre, cet automne, faudrait pas que tu commences sur une mauvaise note. Tu sais combien le dossier académique est important pour les bourses de deuxième cycle. Est-ce que j'ai besoin de te le rappeler ?

— Oui, maman, je sais tout ça. Mais j'ai pris une décision. Tu ne vas peut-être pas être d'accord, mais je pense que c'est ce qu'il y a de mieux pour moi. Je n'irai pas à l'université cet automne.

Brigitte se leva soudainement et alla vers le comptoir de cuisine pour y ranger la vaisselle qui reposait dans l'égouttoir. Vincent reconnaissait ce comportement. La veille d'un colloque, il avait observé que la nervosité poussait toujours Brigitte à faire quelque chose de ses mains.

— Écoute, maman, ce n'est pas dit que je n'irai jamais à l'université. C'est juste pour cet automne. Après ce concours, on verra.

— Nous en discuterons quand tu auras les résultats de ce concours, trancha-t-elle froidement en ouvrant un panneau de l'armoire située au-dessus du comptoir de cuisine. Je ne t'ai jamais entendu chanter, alors je doute que ce soit dans la poche. J'imagine que tu auras la réponse dans quelques jours. Ce délai va nous permettre de réfléchir tous les deux afin de prendre une décision à tête reposée.

— Maman, fit Vincent d'une voix délicate, je sais déjà que j'ai été sélectionné pour l'émission. Début septembre, je pars vivre dans une maison et je ne reviendrai pas tant que le concours ne sera pas fini ou que je n'aurai pas été éliminé.

La main de Brigitte qui tenait une assiette s'immobilisa un instant. Vincent pouvait entendre sa respiration qui s'accélérait.

— J'ai déjà signé un contrat, maman. Ce sera un grand changement dans ma vie. Je sens que je peux vraiment devenir un bon chanteur.

— Et… tu vas passer à la télé tous les soirs?

— Presque…

Brigitte recommença à ranger la vaisselle dans l'armoire. Elle demeurait silencieuse en lui faisant dos.

— Tu n'es pas d'accord avec ma décision? demanda Vincent.

— Ce n'est pas que je ne suis pas d'accord, c'est que je ne comprends pas. Il y a deux semaines, tu ne parlais que de tes programmes à l'université et de ton conservatoire en piano. À t'entendre, tu voulais commencer trois bacs en même temps… Et maintenant, tu veux devenir Robert Charlebois, ou Roch Voisine ou je ne sais pas quel chanteur populaire. Je ne comprends pas…

— Maman, tu me répètes depuis des années que je dois faire des activités plus «de mon âge»…

— Oui, mais pas nécessairement tout abandonner pour ne faire que ça! Où est passé ton goût pour les études? Je croyais que tu te dirigeais vers une grande carrière universitaire.

Vincent, tu as des capacités supérieures à la moyenne. Ça serait dommage que tu gaspilles tout ce potentiel.

Brigitte ferma le panneau de l'armoire et en ouvrit un autre; elle y rangea des tasses à café et quelques soucoupes. Ses gestes étaient de plus en plus saccadés et brusques. Le bruit sec de la porcelaine s'entrechoquant devenait agressant.

— Et si je devenais un chanteur célèbre, maman? Si je vendais des centaines de milliers d'albums? Ça ne vaudrait pas une carrière dans une bonne université?

Brigitte soupira. Elle savait bien que son fils avait raison. Elle savait bien qu'en le poussant ainsi vers une carrière universitaire, elle voulait sans doute réaliser à travers lui ses ambitions carriéristes en le voyant enseigner dans une université prestigieuse. N'importe quel livre de psychologie populaire le lui aurait dit. Mais en même temps, elle ne pouvait réprimer l'impression que Vincent commettait une grave erreur; que sa vie, à partir de ce point, allait peut-être évoluer dans une direction que ni elle ni lui n'avaient prévue.

— Je serai toujours fière de toi, Vincent, reprit-elle avec un ton de voix maternel en relevant la tête, même si tu es un chanteur populaire. Et tu as raison: il y a eu de très grands chanteurs dans l'histoire et il n'y a pas qu'à l'université où tu pourras développer ton potentiel. Tout ce que je dis, c'est que tu viens juste de découvrir quelque chose, une nouvelle «carrière», et que tu es prêt à sacrifier tout ton travail des dernières années pour cette nouvelle passion. Je trouve que c'est un peu précipité, c'est tout.

— Je sais que c'est précipité, dit Vincent en se levant. Il prit la casserole qu'elle tenait dans les airs et la rangea dans l'armoire sous le comptoir. Mais c'est maintenant ou jamais. J'ai une chance unique qui ne se représentera peut-être pas. Et j'ai envie de faire quelque chose de concret qui n'a rien à voir avec des personnes qui ont vécu il y a deux ou trois siècles. J'ai envie de quelque chose de vivant, de tangible que je peux palper.

Brigitte abaissa le regard.

— Je sais que je ne pourrai jamais t'empêcher de faire à ta tête, Vincent, reprit-elle après un instant. Tu es déjà majeur, tu peux faire ce que tu veux. C'est ça, la vie. Mais je doute sincèrement que cette «carrière» t'apporte suffisamment de défi intellectuel, c'est tout.

— Maman, dit Vincent en s'approchant. Il posa une main sur son bras. Tu as fait un travail exemplaire en m'élevant toute seule. Je suis très reconnaissant pour tout ce que tu as fait pour moi. Mais jamais mon cerveau n'a tourné aussi vite que depuis les deux derniers jours. Et si jamais cette carrière ne me satisfait pas, alors je reviendrai à mon premier choix et je finirai professeur de politique, d'histoire ou de littérature antique à Yale, ou alors je serai concertiste… Tout est possible, maman. Tout. Ce n'est qu'un essai. Je ne risque rien.

Brigitte soupira comme si elle abandonnait dans ce soupir tout le contrôle et l'ascendant qu'elle avait eus jusque-là sur son fils.

1

Vincent se concentrait sur son assiette. Il piqua sa fourchette dans l'une des trois crevettes aux fines herbes et au Grand Marnier qu'il n'avait pas encore entamées; puis il prit son couteau et essaya d'attaquer le tournedos de prosciutto et de poire monté sur un pain ciabatta aux olives noires grillé au fromage de chèvre. Il se dégageait de son assiette le savoureux mélange aromatique d'origan, de chèvre et d'orange. Aussi délicieux fussent-ils, ces arômes n'aiguisaient pas son appétit. Autour de lui, à table, la conversation continuait dans un flot régulier de paroles.

— … braillé comme un bébé, dans cette scène-là. Karine Vanasse a prouvé qu'elle était une grande actrice. Pis la musique, ah! La chanson d'Isabelle Boulay…

— J'veux pas te reprendre, Macha, dit Simon, mais Isabelle Boulay n'a fait que l'interpréter. C'est Michel Cusson qui l'a composée.

— Je ne sais pas c'est qui, répondit la jeune femme.

— Tu ne le connais pas? Il était dans UZEB dans le temps, avec Alain Caron et Paul Brochu. Ça, c'était un *band* de génies de la musique.

— UZEB, ajouta un autre candidat qui portait un complet, c'était un groupe québécois de jazz-fusion dans les années 1980.

— C'est quoi ça, Karl, du jazz-fusion? demanda Macha qui s'égarait dans les précisions.

— C'est de la musique instrumentale surtout, répondit le candidat d'un ton professoral, qui allie le jazz au rock et au funk. UZEB a surtout utilisé des synthétiseurs pour faire sa marque, ce qui fait qu'aujourd'hui, ça sonne un peu démodé.

— O.K., j'veux bien admettre que le son est un peu démodé, répliqua Simon, mais quand même, Karl, musicalement, c'est vraiment des virtuoses ces gars-là.

Alors que ce garçon à la chevelure châtain, assis à sa droite, défendait la virtuosité des membres d'un groupe dont il n'avait jamais entendu parler, Vincent, dans un effort considérable, essayait de suivre le fil de la conversation.

— En tout cas, reprit Macha de l'autre côté de la table, tout ce que je voulais dire, c'est que la scène de la confiture au bord de la rivière, c'était vraiment émouvant… C'est tout.

Oui, il se rappelait maintenant. Il avait vu l'affiche de ce film sur les autobus de la ville. Il se souvenait qu'il était question d'avarice. Mais la scène dont parlait Macha, cette candidate volubile, il n'en avait aucune idée.

— Tu as tout à fait raison, Macha, reprit Johanne qui prenait place au bout de la table. *Séraphin* a été l'un des grands films québécois des dernières années.

Vincent observa cette femme à la chevelure blonde qui portait un élégant tailleur blanc cassé. Alors que la plupart des dix concurrents assis autour de la longue table de la salle à manger s'arrachaient la parole pour émettre une opinion, l'animatrice de l'émission dégageait une impression de calme et de contrôle par le débit lent et assuré de sa voix. C'était la première fois que Vincent rencontrait une animatrice de télévision. Bien que légèrement surfaite, il était impressionné par l'aisance avec laquelle elle dirigeait les conversations. C'était une femme âgée d'une trentaine d'années selon ce qu'il pouvait en juger, alors que la majorité des candidats réunis à l'occasion de ce premier souper n'avaient pas encore vingt ans. C'était elle qui avait pris en charge leur arrivée en matinée. Elle leur avait fait visiter la maison qu'ils allaient habiter pendant la durée du concours et que les membres de l'équipe de l'émission appelaient familièrement « le domaine » par l'aspect du lieu qui rappelait vaguement le régime seigneurial de la Nouvelle-France. Vincent leva les yeux au plafond et regarda les solives saillantes. Puis, son regard se posa à nouveau sur Johanne. Contrairement à lui, elle arrivait à suivre la discussion et à la diriger tout en prenant en alternance une bouchée de tournedos et de crevette.

— Est-ce que vous avez vu d'autres films québécois cette année ? demanda-t-elle.

— Moi, répondit Virginie, j'ai vu *La Grande Séduction* cet été et j'ai vraiment aimé ça.

— Ah ! Oui ! s'exclama Stéphanie. Le gars qui trouve des cinq piastres sur le quai… c'était tellement drôle.

— *Est lette, ta maison. Y a rien à faire. Est vraiment lette…*

La réplique tirée du film que venait de citer Simon d'un ton vaudevillesque, produisit un rire généralisé autour de la table. Vincent eut un sourire forcé.

— Moi, j'ai vu *Mambo italiano*, dit Macha, pis j'ai trouvé qu'y était temps que les gais aient leur comédie romantique, eux aussi.

— Je suis d'accord avec toi, Macha, dit Julien, qui était assis à la gauche de Vincent. Le jeune homme leva son verre en direction de Macha, assise en face de lui. Vincent suivit le mouvement général et trinqua au progrès social.

— Sinon, reprit Johanne après quelques secondes, qu'est-ce que vous avez aimé dans le cinéma américain de la dernière année ?

— Ben moi, s'empressa de répondre Macha en avalant précipitamment sa gorgée de vin, j'ai capoté, vraiment ca-po-té ! sur *Chicago* l'année passée. C'est un peu à cause de Renée Zellweger si je veux faire de la chanson, aujourd'hui.

Vincent remarqua de multiples hochements de tête autour de la table en signe d'assentiment aux propos que tenait Macha.

— Qu'est-ce qui t'a plu dans ce film ? demanda Johanne.

— Ben, c'était la première fois que je voyais une comédie musicale comme ça. Les décors, les chorégraphies, les chansons… C'est comme si la vie devenait un théâtre… Pis Richard Gere, ajouta-t-elle avec un clin d'œil égrillard, c'est tout un homme, même à son âge…

Un bref éclat de rire fut partagé par les candidates. Macha but une gorgée de vin.

— Si tu aimes les comédies musicales, ajouta Virginie d'un ton posé, il faut que tu voies *Moulin Rouge*.

— Ben, répondit Macha avec un enthousiasme débordant, c'est sûr que je l'ai loué après avoir vu *Chicago*. J'ai encore capoté, ca-po-té ! Là d'dans, les décors sont *queq'chose*…

Vincent se rappelait ce film qu'il avait vu avec sa mère. Il se souvenait qu'ils avaient longuement discuté de la Belle Époque après le visionnement pour conclure que le réalisateur avait escamoté certaines caractéristiques essentielles de cette période. Il voulut dire quelques mots sur la valeur historique du film, mais jugea qu'il serait inopportun d'aborder cette question alors que chacun s'entendait pour faire l'éloge de la performance des acteurs.

Vincent ramena son regard sur son assiette en se disant qu'il devait manger quelque chose. Avec ses ustensiles, il défit un morceau de ciabatta. Il planta sa fourchette dans une tranche de prosciutto, garnit sa bouchée de quelques feuilles de roquette, porta la nourriture à sa bouche et, après de longues mastications, s'efforça d'avaler le tout d'un geste naturel. Sa gorge et son estomac étaient figés par le stress. Il but une gorgée de sauvignon blanc et prit soin de ne pas faire de bruit en mastiquant pour éviter que le micro qui était épinglé à son col n'enregistre sa déglutition. Puis, il observa les caméras que Johanne venait de leur indiquer. Autour de la table, il y en avait une douzaine. Bien que l'on ait tenté de les dissimuler, elles étaient bien visibles une fois qu'on était informé de leur présence. Un technicien venait juste d'entrer dans la salle à manger pour ajuster une lentille. Tout cela contribuait à lui rappeler qu'il était sur un plateau de télévision et que des caméras et des micros, à l'instant même, captaient tous ses mouvements et le moindre bruit qui s'échappait de sa bouche.

Alors qu'il s'efforçait d'oublier toutes ces lentilles qui étaient dirigées vers lui, l'animatrice expliquait les règles du jeu télévisé auquel les dix concurrents allaient participer. Ils allaient vivre dans cette grande maison pendant les neuf semaines que nécessitait le concours. C'était l'école où ils recevraient une formation variée et où ils pratiqueraient leurs numéros pour les galas hebdomadaires qui allaient se tenir tous les dimanches soirs dans un immense studio du centre-ville de Montréal. Au terme de chacun de ces galas, le public se prononcerait sur l'évincement d'un concurrent de *L'Académie de la chanson populaire*. Elle les informa en outre qu'ils ne pouvaient entrer en contact avec des gens de l'extérieur. Ils avaient seulement droit à un coup de téléphone privé par jour d'une durée de cinq minutes, durée qu'ils pouvaient cumuler s'ils ne l'utilisaient pas.

— Est-ce que les règles sont claires ? demanda Johanne.

Les concurrents opinèrent de la tête. Vincent avait écouté d'une oreille distraite, son attention étant davantage attirée par le technicien qui s'affairait à réparer une caméra. Il se dit qu'il devait arriver à oublier la présence de toutes ces lentilles. Il ferma les yeux un instant en essayant d'en faire abstraction. Lorsqu'il rouvrit les yeux en dirigeant son attention sur la conversation, il eut de la difficulté à la suivre puisqu'elle s'était fragmentée en différents foyers de discussion.

À sa droite, Simon échangeait avec le concurrent qui était assis en face de lui, Jean-François, qui avait une carrure très athlétique et qui insistait déjà auprès de tous pour qu'on l'appelle Jef. Les deux semblaient parler d'un film, ou d'une série de films, Vincent ne savait pas trop, où il était question de nains, de magiciens et d'un lieu étrange qu'ils désignaient par l'expression « Terre du Milieu ». À sa gauche, Julien, Virginie, Marianne et Stéphanie échangeaient avec Johanne à propos d'une nouvelle chanteuse qui s'appelait Ariane Mof… Vincent tendit l'oreille, mais il n'arriva pas à saisir son nom tant les paroles qui résonnaient autour de lui créaient un brouhaha. Finalement, après quelques minutes de confusion générale, Johanne ramena la discussion à l'ordre.

— Alors les gars, fit l'animatrice en interpellant les voisins de Vincent, êtes-vous sûrs qu'ils vont réussir à nous ramener la coupe cette année ?

— Ben oui, fit Jef en se cambrant avec autorité au-dessus de son assiette. Souray est guéri de sa blessure au poignet et revient au jeu cet automne. Markov est en train de devenir un défenseur de premier plan. Mais il manque un gros attaquant, un joueur de centre massif qui peut transporter la rondelle jusque dans l'fond d'la zone. Un Joe Thornton.

— Ouais, dit Simon, mais on a quand même des gars comme Ribeiro, Ryder, sans compter Higgins et Plekanec à Hamilton qui s'en viennent. Y sont petits, mais y sont rapides.

— Je sais, répondit Jef, mais ils ne font pas le poids contre les gros joueurs.

— Y ont quand même battu les Bruins en séries y a deux ans… nuança Macha.

— C'est vrai, répondit Jef après avoir souri pour saluer les connaissances de la jeune femme en matière d'actualité sportive. Mais c'est surtout grâce à Théo s'ils ont battu Boston en première *round*. Si Théo flanche, comme c'est arrivé l'année passée, c'est toute l'équipe qui s'écroule.

— Et parlant du beau Théo, demanda Johanne, il ne serait pas parent avec toi, Vincent?

Vincent vit les regards se tourner en sa direction.

— Heuuu… s'empressa-t-il de répondre sans trop comprendre de quoi il était question. Non, malheureusement. Je n'ai aucun lien de parenté avec un joueur de hockey…

Johanne lui sourit et, fort heureusement, se dit Vincent, redirigea sa question vers ses voisins.

— Est-ce que José Théodore va rebondir cette année?

— Ça, c'est sûr, trancha Simon. Montréal, c'est une équipe qui a besoin d'un gros *goaler*. Théo, c'est le nouveau Patrick Roy! Je le prédis: il est là pour rester, ce gars-là. Il a quand même gagné le Hart et le Vézina en 2002. Je vous le dis, la Coupe s'en vient à Montréal, cette année ou l'année prochaine.

Vincent essaya de se rappeler une conversation que Benjamin et Christophe avaient eue en sa présence. Il avait été question d'un joueur des Canadiens, le capitaine de l'équipe, un certain Sako… ou Souka… un nom européen, il lui semblait.

Il avait aussi été question d'un cancer et d'un retour au jeu fracassant. Il se souvint qu'il y avait déjà eu une équipe de hockey à Québec, mais elle avait déménagé. Oui, il en était presque certain, elle avait déménagé.

— Et vous autres, les filles, demanda Johanne en s'adressant aux concurrentes, à part Macha qui semble connaître son hockey, est-ce que vous écoutez les Canadiens?

Stéphanie, une brunette grande et élancée qui se référait souvent aux membres de sa famille, répondit que ses frères et son père suivaient tous les matchs et que, forcément, elle en entendait parler. Marianne dit que son chum ne manquait pas un match. Mais Christine et Virginie confessèrent leur indifférence en matière de sport.

— Bon, continua Johanne en plaçant ses ustensiles dans son assiette, je vois qu'on apprend tranquillement à se connaître les uns les autres. C'est bien. C'est le but de ce premier souper. D'ailleurs, est-ce que tout le monde a terminé?

Toutes les assiettes étaient vides, sauf celle de Vincent. D'un geste inconfortable, il s'appuya contre le dossier de sa chaise et dit qu'il avait beaucoup trop mangé pour le dîner et qu'il n'avait pas très faim. Au signe discret de Johanne, le serveur, un homme à la tête blanche qui vouvoyait les candidats, vint débarrasser la table.

— On a parlé de films, de sport, mais là, poursuivit l'animatrice, il faut parler de musique. Puisque vous êtes tous des aspirants chanteurs et chanteuses, j'aimerais que vous partagiez vos goûts musicaux.

Vincent ressentit immédiatement un relâchement de la pression qu'il éprouvait dans l'abdomen. Enfin, il allait pouvoir se joindre à la discussion, lui qui n'avait pu placer un mot depuis le début du souper.

Johanne commença alors un tour de table où chacun y alla de ses préférences en matière de chanson populaire. L'animatrice affirma d'abord qu'elle demeurait une fan indéfectible de U2 depuis qu'elle avait assisté à un concert du groupe au Forum en 1992. Bien sûr, U2 demeurait une formation pionnière dans le rock, mais Stéphanie et Christine lui préféraient la formation britannique Coldplay qui, avec la récente sortie de *A Rush of Blood to the Head*, venait de confirmer qu'elle était en voie de concurrencer sérieusement U2 dans le genre pop-rock.

— Ah!… maugréait Jef en se donnant un air mollement condescendant. Coldplay, U2, ça demeure des *bands* de filles…

On s'indigna sans grande conviction de l'affirmation. Pour sa part, Jef préférait, et de loin, un rock dans la tradition subversive d'Elvis, qui était selon lui le premier vrai *bad boy* du rock. Il nomma des groupes de hard rock ou de rock métal comme Mötley Crüe, Guns N' Roses, Metallica. Tout récemment, il avait découvert Eminem qui, grâce au film *8 Mile*, lui avait permis d'ouvrir ses horizons musicaux. *The Eminem Show*, affirma-t-il, était maintenant un classique du rap américain.

— Écoutez *Without Me*, disait Jef avec véhémence, ça brasse en sacrament!

— Ouais, dit Macha avec une réserve à peine contenue, mais ce qu'il dit sur les femmes, hein… pis sur les homosexuels… Moi, j'trouve ça pas mal limite.

Vincent réfléchit un instant en essayant de se rappeler ce qu'il avait déjà entendu de ce chanteur.

— … comme n'importe quel artiste, continuait Simon qui se portait à la défense du rappeur de Detroit. J'veux dire que c'est un personnage. Il a deux facettes, comme Alice Cooper, comme…

— C'est facile, rétorqua Macha qui prenait visiblement plaisir à affirmer ses opinions, de dire qu'il crée un personnage, que c'est pas lui. Mais ce qu'il dit, ça demeure ce que c'est. De la misogynie pis d'l'homophobie.

Vincent tenta de se rappeler les paroles de chanson de Jean Leloup qu'il avait apprises pour le concert. Quelques couplets lui revinrent en mémoire. Il se dit alors qu'il avait très mal employé son temps avant le début du concours. Au lieu de pratiquer sa voix, n'aurait-il pas été mieux qu'il demande à Benjamin de l'initier à la chanson populaire ?

La conversation se poursuivait comme un train en marche dans lequel il n'arrivait pas à sauter.

— … est plus profonde que *Father on the go* ou ben *Boomerang*, disait maintenant Jef. Dans *Seigneur*, le gars, y met ses tripes sur la table en avouant qu'y est faible. Pis tout le bout sur *Lucifer*: c'est presque du Yes tellement la chanson change d'atmosphère musicale…

Vincent reçut son dessert: une crème brûlée au chocolat garnie de cerises de terre. Il releva les yeux et essaya de reprendre le fil des conversations qui s'entremêlaient autour de lui. Le tour de table était devenu encore une fois une foire aux opinions qui s'exprimaient à bâton rompu. C'était un déroulement ininterrompu de noms d'artiste qui évoquaient à sa mémoire des souvenirs confus.

— … était prometteur, mais faut croire que les frères Painchaud n'étaient pas faits pour s'entendre sur la musique…

— … d'accord, mais *Quatre saisons dans le désordre* va plus loin que *Les insomniaques s'amusent*…

— *La folie en quatre*, qu'est-ce que t'en fais ? C'est aussi puissant que du Charlebois, du Vigneault ou du Félix…

— … préfère les chanteuses, comme, au Québec, Monique Leyrac, Linda Lemay, Isabelle Boulay. Pour les Françaises, j'adore des groupes avec des voix féminines comme Niagara ou Les Rita Mitsouko. Les Américaines, Whitney Houston, Madonna…

— Ben là, tu tombes dans mes cordes. Madonna, c'est la plus grande de tous les temps. Y a pas une chanteuse qui va jamais dépasser ce qu'elle a fait. C'est la plus grande… Je ca-po-te sur Madonna…

Vincent, étourdi, prit une gorgée d'eau. Il n'entendait plus que des bribes des conversations qui avaient cours autour de lui. Bientôt, on se mit à chanter.

Échappé belle, alléluia / À toutes celles pas faites pour moi / Échappé belle, grâce à toi / Échappé belle, échappé belle…

… *to face… with the man who sold the world…* Celle de Bowie est meilleure que celle de Nirvana…

… *Je m'ennuie tant que ça me fait peur…*

— Ben non! Cobain, y chante comme s'il allait s'ouvrir les veines… C'est ben plus pognant que la version de Bowie…

Vincent porta une main à ses tempes. Il lui semblait que son crâne allait exploser tant il était envahi de toutes parts par les propos ambiants. Après quelques secondes, il parvint à reprendre ses esprits. Il se concentra alors sur la discussion que tenaient Karl et Virginie. À les entendre, Leonard Cohen était le plus grand auteur compositeur canadien.

— Je suis tout à fait d'accord avec toi, Karl, parvint-il à dire. L'album qui commence avec *Suzanne*, c'est vraiment du grand art.

Karl préférait la période de *I'm your man* à celle des débuts. Virginie n'était pas de cet avis. Il y avait, selon la jeune femme, un dépouillement dans les orchestrations des albums *Songs of Leonard Cohen* et *Songs from a room* qui servait beaucoup mieux le lyrisme de l'auteur. Par contre, *Various positions* et *I'm your man* révélaient la maturité de la voix du chanteur, la « *golden voice* » comme Virginie ne cessait de le répéter. C'était presque une chance que des difficultés financières aient poussé le poète à sortir de sa retraite bouddhiste pour revenir à la chanson. Pour ce qui est de la *golden voice,* il fallait souligner le timbre de Tom Waits, rétorquait Karl. Mais non, il était beaucoup trop *éclaté* pour être comparé à Leonard Cohen. Ils discutèrent ensuite d'un certain Jeff Buckley, puis de Brel.

Le regard de Vincent s'illumina. Brel! Il connaissait! Sa mère faisait jouer un de ses disques à l'occasion. Il voulut entrer dans la discussion, mais Virginie se mit à parler d'une chanteuse du nom de Nina Simone. Sa version, affirmait Karl, de *Ne me quitte pas* n'arrivait pourtant pas à la cheville de celle de Brel – la première, bien sûr! celle de 1959, pas celle de 1972…

Dépassé par autant de références pointues, Vincent abandonna ce sujet de discussion.

Après quelques minutes de confusion générale, Johanne ramena tout le monde à l'ordre et demanda que chacun nomme à tour de rôle son artiste préféré. Macha, la première, fit une longue envolée dithyrambique sur Madonna. Stéphanie parla de Coldplay, Virginie de Nina Simone, Karl de Leonard Cohen. Christine hésita longuement entre Linda Lemay, Beau Dommage et Zachary Richard. Marianne affirma que Richard Desjardins était son auteur-compositeur préféré parce que sa mère lui chantait toujours … *et j'ai couché dans mon char* pour l'endormir quand elle était petite. Jef parla de *Guns N' Roses* qui avait créé une vraie symphonie digne de Beethoven avec *November Rain*…

— Et toi, Vincent, notre petit gêné, dit Johanne d'une voix câline, c'est qui ton chanteur préféré ?

— Bien, fit-il après s'être éclairci la voix, si je dois n'en nommer qu'un… attendez, ce n'est pas évident… mais s'il faut choisir, je dirais Jean Leloup. Ses chansons sont tellement bien construites, et ses textes aussi. Ça doit être un artiste discipliné, en tout cas… Il connaît sa langue…

— Leloup ! Discipliné ? s'étonna Simon. C'est plutôt tout le contraire. Il n'y a rien à comprendre de ce gars-là quand il donne des entrevues. Je sais pas si c'est la drogue ou autre chose, mais il est dur à suivre. C'est plutôt le type du génie fou, y me semble.

— Peut-être, concéda Vincent. En fait, je connais surtout sa musique… Mais prenez *1990*, *Isabelle* ou *Le monde est à pleurer*, ce n'est pas juste des paroles qui sont lancées sans structure… Dans chaque chanson, il y a une thématique qui se fait le véhicule de son propos cynique…

— Ouais, tu as raison, Vincent, répondit Simon. Y a sans doute plus de structure qu'on le pense chez Leloup. Mais pour ma part, je dois avouer que je suis toujours un fan de Nirvana. *Nevermind* est le plus grand album rock de tous les temps selon moi.

— Plus grand que *Abbey Road* des Beatles ?

— Hiiiiiii… soupira Simon avec déchirements. Ouais, t'as un bon point, Johanne.

— Tu sais, reprit Julien, que le magazine *Rolling Stone* avait classé *Nevermind* meilleur album de la décennie 1990 et qu'il s'est ravisé dernièrement pour consacrer *OK Computer* à la place…

— C'est vrai que c'est le meilleur de *Radiohead*, concéda Simon, mais c'est clair qu'il y a un peu de chauvinisme là'dans…

— Et toi, Julien, dit Johanne, pour terminer notre tour de table, qui est-ce que tu préfères?

— Ben… fit le jeune homme en s'avançant, comme je disais tout à l'heure, j'aime vraiment les voix féminines, comme Monique Leyrac, Isabelle Boulay, Whitney Houston, Madonna, Niagara, Les Rita Mitsouko. Mais dernièrement, j'ai découvert Damien Rice et Norah Jones. Je n'écoute que ça depuis un mois. Et si je veux être complètement honnête, je dois aussi vous confesser mon plaisir coupable: ABBA.

Simon se mit alors à taper des mains en chantant le refrain de la chanson du groupe suédois:

The winner takes it all
The loser has to fall
It's simple and it's plain
Why should I complain.

Bientôt, il fut accompagné par Virginie et Macha qui reprirent le refrain en canon et par Julien qui, porté par son enthousiasme, se leva d'un bond pour entonner de sa voix d'alto la mélodie à l'octave.

Comme tous les convives chantaient et riaient en tapant des mains, Vincent se prêta au jeu et essaya d'intégrer le chœur, ce qui était un peu compliqué du fait qu'il ignorait les paroles de la chanson. Il s'empressa d'accompagner Stéphanie dès qu'elle fit des harmonies de voix. Après quelques minutes de chant, les esprits se calmèrent.

— Ouais, dit Simon en se rassoyant après s'être joint à Julien, ça va être pas pire pantoute. On est déjà prêts à faire des duos, des trios, des quatuors!…

— Oui, reprit Johanne dont le visage avait pris des teintes rosées, je crois qu'on va avoir bien du plaisir tous ensemble. Ce que je trouve super, continua-t-elle, c'est que vous avez tous des goûts très diversifiés. Je crois que vous allez vous enrichir mutuellement de cette diversité musicale et c'est justement pour vous aider à découvrir de la musique que *L'Académie de la chanson populaire* tient à vous offrir, avec son partenaire *La Clef de Sol*, des lecteurs MP3.

Trois techniciens firent irruption dans la salle à manger en portant des boîtes dans leurs bras. Ils distribuèrent une boîte à chacun des candidats qui s'empressèrent de la déballer.

— Est-ce que vous connaissez ça ? demanda l'animatrice alors que les plus lents tardaient à venir à bout de l'emballage cadeau.

— Hein ! s'exclama Simon le premier. C'est un iPod ! J'en ai entendu parler. Y a un de mes chums qu'y en a un parce que son père vient de s'acheter un nouveau Mac. C'est d'Apple, hein, c'est ça ?

— Oui, exactement, répondit Johanne. C'est arrivé sur le marché il y a à peu près deux ans aux États-Unis. C'est présentement le lecteur MP3 le plus populaire dans le monde. Apple en a vendu 700 000. Ce que vous avez entre les mains, c'est la toute nouvelle génération qui peut contenir 30 Go de musique. Est-ce que vous imaginez ? 30 Go, c'est plus de quatre mille chansons !

Vincent réussit à ouvrir la boîte. Il sortit l'objet rectangulaire d'un blanc monochrome et l'observa. Il n'avait jamais entendu parler de ce produit. Il comprenait qu'il servait à écouter de la musique. Il regarda les entrées et connexions du lecteur. Il sortit les écouteurs de leur emballage. Voyant qu'il n'était pas le seul à être intrigué par cette technologie, il osa une question.

— Est-ce que c'est une radio ?

— Non, répondit l'animatrice. Tu ne peux pas capter les ondes radio. C'est vraiment un lecteur de musique MP3.

— Mais comment insère-t-on les CD ?

Quelques têtes se levèrent et Vincent sentit qu'il venait de dire une niaiserie.

— Tu ne connais pas les MP3 ? demanda Virginie.

— Ben… Heeeee, non, avoua Vincent. Chez nous, on a plus de trois mille CD, mais des disques MP3, je ne connais pas ça.

Un rire amusé parcourut l'ensemble des convives.

— Mais de quelle planète tu viens, Vincent ? ironisa Simon. J'gage que tu ne *chates* pas ben ben sur *MSN* non plus…

Vincent eut l'impression absurde qu'il ne parlait pas la même langue que les autres participants de cette émission.

— Des MP3, dit Johanne d'un ton exempt de tout préjugé, ce ne sont pas des disques, Vincent, ce sont des fichiers audio que tu peux lire dans un ordinateur. Ça fait trois ou quatre ans que tout le monde écoute sa musique avec des lecteurs MP3. C'est bien plus pratique qu'un lecteur CD, tu vas voir.

— Voyons ! s'indigna Jef subitement. Ça ne marchera pas ce truc-là ! Y a même pas de bouton. Y a juste une roulette. C'est pas pratique.

— Tu n'as qu'à appuyer sur le centre de la roulette pour activer le disque. Ne parle pas trop vite, Jef, recommanda l'animatrice. Attends de voir, un peu. Moi, j'ai un iPod depuis un an et je ne peux plus m'en passer. D'ailleurs, je ne vous l'ai pas encore dit, mais ce cadeau vient avec un télécharge-ment gratuit de 30 Go sur iTunes Store offert généreusement par notre commanditaire. C'est pour ça que je vous disais que vous alliez pouvoir profiter de la diversité de vos goûts musicaux. Vous allez pouvoir brancher vos iPod à l'ordinateur du salon pour acheter 30 Go de musique en ligne. Tout ce cadeau, le lecteur et le téléchargement, ça monte à une valeur de plus de 700 $.

En pressant sur le centre de la roulette, l'écran s'illumina et Vincent vit apparaître une pomme. Impatiente de jouir de son nouveau lecteur MP3, Macha fut la première à se déplacer vers le salon. À sa suite, les candidats s'installèrent près de l'ordinateur pour commencer le téléchargement de la musique.

— Wow! s'émerveillait Macha en parcourant le menu de iTunes Store. Toutes les nouveautés sont là! Britney Spears au complet! Je ca-po-te!

Vincent se dit alors qu'il allait devoir attendre avant de télécharger l'intégral de l'œuvre de Glenn Gould. Il espérait surtout qu'il allait y retrouver son album préféré, les *Suites françaises* de Bach.

● ● ●

Après trois sonneries, Steve décrocha. Il semblait endormi d'après le son de sa voix. Il avait dû s'endormir devant *Sport 30* en attendant son appel.

— Allô chéri, c'est moi.

— Hein? Marianne? On est-tu à TV là?

— Ben non, Steve. C'est juste un téléphone privé. On a droit à un téléphone par jour, seulement cinq minutes. Alors j't'appelle pour savoir comment ça a été pour le coucher?

— Bah…, fit-il avec assurance, c'est pas la première fois que je les couche, Marianne, tu le sais bien.

— Elles ont bien fait ça? Fanny n'a pas été trop tannante?

— Fanny ? Ben non. Elle a juste posé plein de questions sur où t'étais, pis ça avait l'air de quoi où tu dormais, pis si elle allait te voir chanter.

— Qu'est-ce que tu lui as dit ?

— Ben, j'ai répété ce que tu leur dis depuis trois semaines. Qu'elles allaient te voir à la télé dans trois jours lors du premier gala. Elles sont *full* excitées, ben évidemment. Ah oui, Sophie a eu 91 % à son premier examen de français.

— C'est très bien, Steve. Tu la féliciteras de ma part. Oublie pas. Dis-lui que je suis très fière d'elle.

Les dernières nouvelles partagées concernant les jumelles, il y eut un moment de silence. Marianne enroula une mèche de sa chevelure frisottante autour de son annulaire. Après un bref instant, Steve demanda avec une pointe d'enthousiasme dans la voix :

— Pis, chérie, comment c'est ? Tu vas-tu être bonne pour botter des culs pis te décrocher un contrat de disque ? J'aimerais ben ça, moi, être le mari de la prochaine Céline Dion !…

— Ah ! C'est un peu tôt pour dire comment c'est. Les gens sont sympathiques. Les autres concurrents sont… ben, tout le monde veut se mettre en valeur pis ne parle que de lui-même. Ça fait que tout le monde parle en même temps tout le temps…

— Ouais, tu ne dois pas dire grand-chose, hein ? T'aimes tellement pas ça quand y a du monde qui parle beaucoup.

— Oui, c'est vrai, fit Marianne en observant le cadran qui l'informa qui lui restait moins d'une minute. Je sais toujours pas si j'ai bien fait de m'inscrire à ce concours.

— Arrête de te demander ça, Marianne, répondit Steve avec insistance. Je te l'ai dit. Ça va te faire du bien. Tu ne prends jamais de moment pour toi. Tu ne t'es jamais rien offert depuis que Suzanne est tombée malade. Même si tu fais que passer dans cette émission, vois ça comme des vacances, comme un *Club Med...* Pis si jamais tu gagnes, ben là, on va s'payer un château, ma belle, pis on va faire des grandes virées en décapotable...

Marianne sourit en soupirant.

— T'as raison, Steve. Je sais pas. J'me sens juste mal de te laisser tout seul avec les jumelles. Pis pour longtemps en plus. Je sais que tu peux t'en occuper, mais j'ai l'impression de te les mettre sur le dos. C'est pas tes sœurs à toi...

— Je suis de la famille maintenant, ma belle, c'est tout. Elles sont comme mes sœurs. Alors arrête de t'en faire, O.K.? C'est aussi simple que ça.

Marianne se sentit apaisée.

— Bon, il n'y a plus de temps. Faut que je te laisse.

— O.K., chérie.

— Embrasse les jumelles de ma part et dis-leur que je vais rappeler demain soir. J'me suis arrangé pour avoir un moment vers 18 h. C'est correct?

— Tout est ben beau, allez...

Marianne raccrocha. Elle sortit de l'isoloir en jetant un œil sur sa montre. Le couvre-feu était prévu à vingt-trois heures. Il lui restait vingt minutes pour défaire ses valises et se préparer pour la nuit. Elle monta directement dans l'aile féminine qui occupait la moitié est du second étage du domaine. En arrivant dans le dortoir, elle vit que ses quatre collègues avaient déjà enfilé leur pyjama et défilaient dans la salle de bain pour faire leur toilette. Marianne alla vers son lit et ouvrit ses valises pour placer ses vêtements dans la garde-robe.

Macha, qui portait pendant le souper un cardigan cintré qui découvrait une plantureuse poitrine, des avant-bras charnus et des petites mains potelées, venait d'enfiler une nuisette qui faisait toujours honneur à sa féminité. La jeune fille, petite de taille, avait une abondante chevelure blonde bouclée. Elle avait une petite bouche fine et pointue qui donnait un air poupin à son visage ovale et nacré. Elle venait de se tirer un fil de soie dentaire.

— Qu'est-ce que tu penses des gars qu'on a avec nous ? demanda-t-elle à Christine qui sortait de la salle de bain.

— Ben… moi, je les trouve pas pire, continuait la jeune femme. En tout cas, Jef a tellement des pecs développés qu'on dirait qu'il a plus de seins que moi…

— Ah ! Est bonne ! s'esclaffa Macha. Ça va être quelque chose de le voir en bedaine au gymnase ce gars-là. Ça va donner faim…

— Julien, dit Stéphanie qui était la voisine de lit de Christine, a l'air un peu… efféminé. J'pense qu'ABBA est vraiment son groupe de musique préféré, mais qu'y osait seulement pas le dire.

— Ouais, moi aussi je pense ça, dit Virginie, qui était la voisine de Marianne.

— D'après moi, les filles, dit Macha en feignant le dépit, faut mettre une croix sur Julien, même s'il a des cils de Barbie. Si je me fie à mon *gaydar*, y joue pour l'autre équipe…

— Nooooon !…, s'exclama Stéphanie qui n'avait, manifestement, pas autant l'œil dans ce rayon.

— Simon, en tous cas, fit Christine en tapotant mollement son oreiller, m'a l'air d'un gars ben sympa.

— Mais les deux autres… dit Macha avec une condescendance manifeste. Vincent pis Karl ont l'air un peu trop pognés…

— Ça doit être la gêne, supposa Christine.

— T'as pas vu comment ils se tenaient à table, renchérit Stéphanie. Y ont l'air maniérés. Pis la façon que Vincent a de parler, quand il finit par ouvrir la bouche… Il prononce chaque phrase comme il faut. Il parle comme un annonceur de nouvelles à Radio-Canada.

— Ouais… y *perle* bien… dit Macha en articulant avec maniérisme.

D'un enthousiasme spontané, Macha bondit sur son lit en posant ses coudes contre son oreiller. Elle appuya son menton sur ses paumes et dit :

— Bon, les filles, parlons des vraies affaires. Je veux tout savoir sur vos vies, à commencer par toi, Christine, est-ce que t'as un chum qui t'attend à l'extérieur ?

— Non, répondit la jeune fille, pas vraiment. J'ai eu un chum pendant près de deux ans, mais il m'a laissée juste avant les auditions, pis la rupture n'est pas encore tout à fait réglée entre nous. C'est pas clair, disons. On sait pas si c'est juste un break ou si c'est vraiment fini.

— Il doit s'en mordre les doigts aujourd'hui, dit Virginie qui affichait un rictus. Les quatre jeunes filles échangèrent un regard complice.

— Et toi, Macha, répliqua Christine, est-ce que t'as un amoureux qui t'attend à la maison…

— Bah !… s'exclama Macha en faisant une moue de dégoût, est-ce que je m'empêtrerais d'un homme pour vivre ? Moi, les gars, je les prends quand j'en ai envie pis je les range au placard après, comme on fait avec un balai…

— Tu m'as l'air très… émancipée, suggéra Virginie.

— Ouais… répondit sèchement Macha, j'pense que les femmes doivent être fières de faire des carrières et de consacrer leur vie à des grands projets… Comme les hommes ont toujours fait.

Puis, Macha se tourna vers Marianne qui écoutait la discussion sans y prendre part tout en rangeant ses vêtements dans les tiroirs de sa commode.

— Toi, ma belle brunette, je crois que tu as un homme qui t'attend chez toi… En tous cas, je t'ai entendue parler au téléphone tout à l'heure en passant devant la cabine, pis t'avais pas l'air de parler à ta mère…

Marianne, pendant un instant, cessa de plier le vêtement qu'elle tenait dans ses mains et eut un sourire forcé.

— Oui, en effet, Macha, fit-elle en rabattant une manche de chemise, tu as bien écouté aux portes tout à l'heure. Non, je ne parlais pas à ma mère. Je parlais à mon mari.

Stéphanie, Christine et Macha eurent une excitation soudaine qui les poussa toutes trois vers le lit de Marianne qui, devant le mouvement spontané, recula d'un pas.

— Ah! Tu es mariée, dit Christine en sautant sur son lit. À vingt ans, c'est ça? Wow, tu as trouvé l'amour, t'es tellement chanceuse.

— Ah! oui, dit Stéphanie, moi aussi j'ai une sœur qui s'est mariée à vingt et un ans pis la cérémonie à l'église, c'était magique.

— *Enwoye*, dit Macha en bousculant de quelques coups de hanche Christine et Stéphanie afin de prendre place sur le lit. Raconte-nous ça, ma belle brunette.

— Ben, fit Marianne après un moment d'hésitation en plaçant sa chemise dans un tiroir. Emballez-vous pas. Mon histoire a rien à voir avec les contes de fées. Steve et moi, on est mariés, c'est tout. Le palais de justice, ben simple. Presque pas d'amis. Une robe achetée chez H&M. Pis si j'ai marié Steve, c'est pas juste à cause qu'il a des beaux yeux. C'tait plus simple de même. Quand ma mère est tombée malade, très malade, ben, y fallait que quelqu'un s'occupe de mes demi-sœurs qui n'avaient que huit ans. Moi, ma mère m'a eue quand elle était assez jeune. Elle m'a élevée toute seule. Plus tard, elle a eu des jumelles avec un autre homme. Lui aussi, y est parti. En tout cas. Quand ma mère est tombée malade, la DPJ voulait se charger de mes demi-sœurs, mais on nous a dit qu'il y avait des bonnes chances qu'elles soient séparées. Alors, moi, j'ai voulu les prendre chez nous. J'avais tout juste dix-huit ans, alors y avait *full* problèmes juridiques. Pis la façon la plus simple de régler tout ça, ça été de me marier avec mon chum de l'époque, Steve. J'ai été chanceuse qu'il accepte de se caser si tôt avec en prime deux petites filles de huit ans. De même, on a eu la garde des jumelles pis, depuis ce temps-là, ça l'a fait deux ans cet été, ben je suis mariée. C'est tout.

Le récit de son idylle amoureuse n'avait pas eu l'effet d'émerveillement que les trois jeunes femmes étendues sur son lit espéraient. Virginie, qui avait écouté depuis la salle de bain, s'approcha de l'attroupement.

— Et ta mère, demanda-t-elle avec précautions, est-ce qu'elle va mieux?

— Non, fit Marianne en gardant la tête haute. Elle est morte il y a bientôt un an et demi.

— Je suis vraiment désolée de l'entendre, fit-elle avec empathie. Ça dû être un moment très difficile pour toi. Je veux dire, tout ça : la maladie, tes demi-sœurs, le mariage, la DPJ, pis le décès…

— Oui, fit Marianne en tirant une autre valise de sous son lit. Ça l'a été difficile, mais c'est la vie, c'est tout. Ça sert à rien de s'apitoyer sur son sort.

Marianne cessa subitement son mouvement et s'immobilisa. Son visage se figea dans une expression introspective.

— Ce qui est un peu plate, c'est que j'ai fini par abandonner l'école. Je travaillais à l'hôtel les soirs et les fins de semaine, pis j'arrivais pas à suivre à l'école. J'ai doublé mon secondaire trois, pis le secondaire quatre, ben, ça me prenait ben'trop d'temps pour le faire. Finalement, à dix-huit ans, j'ai décidé de prendre un *break*. J'en pouvais plus. J'ai jamais été forte à l'école, pis là, avec ma mère pis les jumelles, j'étais juste pus capable de faire comme si j'avais encore la force d'aller en classe. Faque, j'ai tout abandonné et je suis devenue serveuse à l'hôtel. J'ai été chanceuse, dans un certain sens. J'avais un travail qui me permettait de nourrir mes sœurs, parce que les prestations de la DPJ pour des enfants qui sont pris en charge par la famille immédiate sont vraiment inférieures aux prestations régulières. C'est pour ça que je dis que j'ai été chanceuse dans un sens. Le service, c'est payant. Pis j'ai commencé à travailler aussi comme barmaid au bar. La clientèle de l'hôtel, c'est surtout des *businessmen*. Tous des Américains. Tu fais des sourires, pis t'empoches le pourboire.

— Pis, ajouta Virginie, t'as été chanceuse d'être avec un gars qui t'aimait assez pour accepter tes demi-sœurs. C'est rare les gars de cet âge-là qui comprennent les réalités de la vie familiale…

— Oui, c'est vrai ce que tu dis, Virginie, répondit Marianne. Steve, y a ses défauts, comme tout le monde. Mais c'est quelqu'un sur qui je peux compter. Il est travaillant, vaillant comme pas un. Y répare tout de ses mains dans l'appartement. Y travaille des fois soixante heures par semaine. Y conduit des camions pour des livraisons alimentaires dans les épiceries. Au début, son travail était irrégulier, mais depuis quelques mois, ça s'est régularisé. On a des jobs stables, on améliore tranquillement notre condition.

— Ça dû être même difficile d'accepter de faire partie de l'émission, je suppose ?

— Ça, oui, soupira Marianne. Vous autres, vous avez peut-être toutes hurlé de joie quand vous avez appris que vous étiez sélectionnées…

— Ha !… dit Macha. Moi, j'ai crié tellement fort qu'y a quelqu'un qu'y a appelé la police parce qu'il pensait qu'il y avait eu une agression dans mon bloc…

— Moi, dit Stéphanie, j'ai pleuré comme un bébé…

— C'est ce que je me disais, dit Marianne. Pis, y avait les caméras et tout, hein ? Ben moi, je suis restée figée, glacée sur place comme quelqu'un qui vient de voir un fantôme. Je pensais jamais être sélectionnée, pis là j'ai compris ce que tout ça allait impliquer pour ma famille. Au point que l'animatrice m'a demandé de refaire la scène de l'annonce parce que ça allait pas être assez bon pour la télé.

— Ton chum Steve, demanda Virginie, qu'est-ce qu'il en pensait de tout ça ?

— C'est lui qui m'a convaincue d'accepter de participer à l'émission. Y disait que je le méritais bien et qu'il allait s'occuper des jumelles.

— Pis ton travail à l'hôtel, tu l'as gardé ?

Macha, Stéphanie et Christine, toujours étendues sur le lit de Marianne, levaient leur visage vers Virginie et Marianne qui, se tenant chacune debout des deux côtés du lit, discutaient comme si elles étaient seules.

— Oui, ça aussi j'ai été chanceuse. Le directeur du département de la restauration m'a donné un congé sans solde le temps du concours. Il a été super compréhensif. Si je le désire, il y aura un travail pour moi à l'hôtel à mon retour.

— En tous cas, dit Virginie qui posait un regard compatissant sur sa camarade, je pense que c'est ton chum qui a raison dans tout ça. Tu mérites d'être ici et de penser à toi un peu. Tu vas voir, tu ne le regretteras pas.

Les deux jeunes femmes échangèrent un sourire.

— Ah! dit Marianne. J'y pense: tu veux voir à quoi ressemblent mes petites puces de sœurs?

— Bien sûr, répondit Virginie.

Marianne sortit un petit cadre de sa valise.

— Enfin une photo! s'exclama Christine.

Au premier plan, on voyait Fanny et Sophie qui souriaient candidement en enroulant leurs lulus autour de leurs doigts. À l'arrière-plan, on voyait Steve qui les encerclait de ses grands bras massifs. Quand elles eurent toutes les quatre scruté le portrait de famille, elles le remirent à Marianne qui le déposa sur sa table de chevet.

— Vous voyez, les filles, fit-elle en revenant vers ses valises, que mon histoire a rien d'un conte de fées.

Les trois jeunes femmes avaient quitté son lit et se glissaient sous leurs couvertures.

— Ton histoire, au moins, dit Macha mi-sérieuse, mi-blagueuse, va faire vendre des revues à potins…

Virginie alla éteindre et bientôt, un silence envahit le dortoir. Marianne, sous la couverture, se dit qu'après tout,

Steve avait peut-être eu raison de l'inciter à participer à ce concours. Ici, on allait s'occuper d'elle. Elle n'aurait plus à cuisiner, à faire la lessive, la vaisselle ou à servir qui que ce soit. C'était elle qui allait être servie. Comme les choses changeaient rapidement. Pour Marianne, la vie n'avait jamais rimé avec un autre refrain que celui des réalités contraignantes qui n'étaient pas de son ressort et qu'elle subissait en silence sans jamais se révolter. Et voilà que ce matin, tout venait de basculer. Elle vivait dans un domaine seigneurial et allait suivre des cours de chant, de danse, de théâtre, d'histoire de la musique. C'était l'occasion de racheter les dernières années de sa jeune vie qui s'étaient déroulées dans une abnégation complète.

Puis, comme tous les soirs au moment de s'endormir, Marianne eut une pensée pour sa mère. Elle la revit, étendue sur son lit d'hôpital, dans une chambre sans climatisation, des soins intensifs de L'Hôtel-Dieu où, en pleine canicule, la température était montée jusqu'à trente-quatre degrés. Le cancer avait attaqué ses poumons en quelques semaines. Pour couvrir les râlements de leur mère qui effrayaient les jumelles, Marianne fredonnait des chansons.

Elle remonta la couverture et, comme chaque soir avant de s'endormir, elle fredonna faiblement dans le silence de la nuit pour couvrir ses propres pensées.

J'ai roulé quatre cents milles, sous un ciel fâché.
Aux limites de la ville, mon cœur a flanché…

2

La première journée de cours au domaine s'était plutôt bien déroulée pour Vincent. Le cours de chant en avant-midi lui avait donné l'occasion de démontrer ses connaissances en sol-fège. Il fut particulièrement étonné de constater qu'hormis Karl, tous les autres concurrents n'avaient à peu près aucune formation musicale. Certes, ils savaient pousser des notes justes, mais leur connaissance du langage musical était plus que rudi-mentaire ; pour la plupart, elle était inexistante.

En après-midi avait eu lieu le premier cours de diction animé par une professeure nommée Chantal Fecteau. Encore là, Vincent et Karl s'étaient démarqués par une prononciation impeccable. Par contre, Karl, qui connaissait déjà l'alphabet phonétique, avait une endurance musculaire supérieure à celle de Vincent. Après dix minutes d'exercices d'articulation, tous les concurrents s'étaient plaints de douleurs musculaires aux mâchoires ; Vincent, lui, avait tenu vingt minutes avant d'abdi-quer. Karl, à voir la fière allure et l'aisance avec lesquelles il s'était exprimé dans les minutes qui suivirent l'exercice, aurait pu tenir encore plus longtemps.

Le cours de danse qui suivit celui de diction permit à Macha de se mettre en valeur. La jeune femme énergique, au dire du chorégraphe, savait occuper l'espace. Vincent put à nouveau constater que Karl était, et de loin, le concurrent à prendre le plus au sérieux. Le premier, il réussit les routines de pas que le chorégraphe, Marc-André Boisclair, imposait comme pratique. Vincent le regardait bouger au rythme de la musique et se disait qu'il avait tout pour réussir dans le domaine du spectacle. Il dégageait une telle maturité que Vincent doutât de pouvoir rivaliser avec lui, lui concédant d'avance la victoire. Son habillement était déjà l'indice d'une maîtrise formelle précoce : contrairement à Simon, Jef ou lui-même, il ne portait pas de jeans et de t-shirt. Sa garde-robe était composée entièrement de pantalons, de vestons et de chemises d'une haute élégance. Il savait même nouer une cravate et avec différents nœuds ! Vincent se dit que cette longueur d'avance sur ses concurrents lui venait sans doute de son milieu familial : son père était un éminent chirurgien cardiaque et sa mère était psychiatre.

— J'ai déjà trois ans de formation en chant classique à mon actif et deux ans de cours de danse, dit-il lorsque Vincent le complimenta sur ses performances après le cours.

Selon le programme qu'on lui annonça, la deuxième journée devait fournir à Vincent l'occasion de se reprendre. Johanne, lors du souper qui couronna leur première journée de cours, vanta longuement les connaissances littéraires et culturelles du pédagogue qui allait prendre en charge leur formation d'activité créatrice. Vincent avait été intrigué par ces brèves informations biographiques et avait demandé à Johanne de lui parler davantage de ce professeur de création.

— Quoi ? fit Christine avec étonnement. Tu ne connais pas Fernand Valois ? Le grand Fernand Valois !? Mais tu n'écoutes pas *Les Matins du monde* ?

Les Matins du monde. Vincent se demanda si Christine ne faisait pas référence au film d'Alain Corneau tiré du roman de Pascal Quignard. Mais il s'abstint de le lui demander. Il confessa ne pas savoir de quoi il était question.

— Mais c'est le *morning show* le plus écouté au Québec! s'écria Macha. Fernand est gé-ni-al! Ma mère m'a dit qu'elle a autant besoin de ses chroniques que de son café pour commencer sa journée.

L'animatrice fut, encore une fois, d'un grand secours à Vincent qui nageait en pleine confusion. Il apprit que le poète quinquagénaire Fernand Valois avait d'abord fait parler de lui par son abondante production littéraire : à quarante-cinq ans, il avait publié plus de soixante recueils de poésie, ce qui lui avait valu, entre autres reconnaissances, le prestigieux prix littéraire du Gouverneur général. À la suite de ce premier succès, l'artiste s'était lancé dans une carrière médiatique qui lui avait apporté une si grande notoriété qu'il était la personnalité la plus connue du public parmi le corps professoral de *L'Académie*.

Collaborateur assidu depuis quelques années d'une populaire émission de télévision matinale où on lui avait donné pour tâche de poétiser le quotidien, Valois avait d'abord fait sa marque dans le milieu de la télévision grâce à ses participations à une émission culinaire très appréciée pour la vulgarisation des recettes gastronomiques qu'elle proposait. Ayant présenté son émission avec un slogan publicitaire accrocheur – *Le raffinement culinaire est une recette simple!* –, le chef Clavet, qui avait dirigé, disait-on, quelques-unes des plus prestigieuses cuisines d'Europe, était très apprécié du public québécois pour la simplicité qu'il dégageait malgré son érudition, ce qui venait à l'encontre du préjugé largement répandu selon lequel tout Français est snob. Le chef, par contre, éprouvait des difficultés avec le lexique qu'il employait dans ses recettes. Du moins, était-ce le seul point lacunaire dans son émission que lui révéla un sondage mené auprès de son auditoire. Afin de remédier à cette situation, il avait fait appel pour la deuxième saison de son émission à l'extraordinaire inventivité langagière de Fernand

Valois pour l'aider à rédiger ses recettes qu'il livrait maintenant à son auditoire, au terme de chaque émission, dans une prose poétique. Le public s'était ainsi peu à peu habitué au visage du poète dont la notoriété dépassa dès lors les réseaux littéraires restreints.

À cette époque, les émissions culinaires étaient en pleine expansion et la publication de livres de recettes était un domaine de l'édition si compétitif qu'il fallait faire preuve d'une extraordinaire innovation pour se démarquer. Au terme de la première saison de leur collaboration, le chef Clavet et Fernand Valois avaient produit un livre de cuisine. Le succès avait été au-delà de toute attente. L'ouvrage avait remporté de nombreux prix culinaires et s'était hissé pendant de longues semaines au sommet des palmarès chez les libraires. Pendant plus de cinq ans, le poète avait mis son génie au service de l'art gastronomique, produisant du coup cinq recueils, qu'un éminent critique littéraire avait catégorisés sous l'appellation de «poésie culinaire», qui avaient tous obtenu une réponse chaleureuse, tant de la part du public que des critiques. Auréolé par ce succès médiatique considérable, Fernand Valois brillait maintenant autant dans les différents festivals littéraires que dans les divers *talk-shows* qui s'arrachaient sa présence. Un différend touchant les droits d'auteur avait mis un terme à la fructueuse collaboration entre le chef et le poète, qui s'était joint par la suite à une émission de télévision matinale et poursuivait, depuis, sa besogne littéraire sur les moindres faits divers qui constituaient l'actualité.

Soucieux de racheter ses performances passables de la veille et de supplanter Karl sur le terrain des lettres, Vincent était dans les meilleures dispositions pour le cours de création qui ouvrit cette deuxième journée de classe. Il vit entrer un homme coloré qui s'avançait d'un pas assuré vers les élèves. Supporté par des cuisses et des mollets enrobés, Fernand Valois avait une silhouette trapue et de courte portée. Son menton, soutenu par une robe cutanée chevrotante, tombait légèrement sur le col de sa chemise orange brûlé et empiétait sur un nœud papillon bleu marin. Deux bajoues généreuses entouraient une petite bouche pointue aux lèvres minces. Lorsqu'il eut atteint la queue du piano, il se posta dans la courbe concave du corps de l'instrument et, ayant replacé la monture jaune vif de ses lunettes, il prononça un discours éloquent.

— Si vous vous abandonnez complètement à l'activité créatrice, dit le poète après avoir longuement disserté sur les bienfaits psychologiques de cet exercice, vous comprendrez que le potentiel humain est infini… in-fi-ni! Vous verrez que cette activité est la seule où nous n'avons besoin de rien d'autre que nous-mêmes, où nous sommes pierre et jet, lumière et ombre.

En terminant cette phrase, sa langue claqua sur son palais en produisant un «cloc» sec et bref. Fernand Valois fit une pause. Une bonne part de sa gloire médiatique reposait sur cette capacité à surprendre son auditoire par l'emploi de figures de style à des moments inusités. C'était cette compétence discursive qui le distinguait des autres chroniqueurs matinaux.

— Je m'appelle Fernand Valois, dit-il après une pause de plusieurs secondes, et je serai votre guide dans cette merveilleuse aventure qu'est l'activité créatrice. J'ai décidé d'être poète un jour de mai, quand j'avais vingt ans, continuait-il avec une inflexion de nostalgie dans la voix. Je me rappelle: il faisait un soleil de lumière à l'extérieur; des lilas courbaient sur ma fenêtre – vous savez… les lilas de *La bohème* d'Aznavour… – et tout m'invitait à l'extérieur. Mais je suis entré en moi, oui, oui… Je suis entré en moi pour découvrir que l'extérieur n'était que le reflet des trésors qui s'y trouvaient. Et depuis, oh!

Depuis… Il y a bien trente ans de ça. Depuis, je suis toujours ce jeune homme de vingt ans qui, malgré sa tignasse grisonnante, regarde la vie et les lilas avec ce même amour dans les yeux. Vous aussi, vous pouvez rester à cet âge de l'émerveillement pour toute votre vie.

Puis, en ayant un geste de la main en direction des élèves, il avança d'un pas et déclama d'une voix pompeuse :

— Alors, poètes : à vos papiers ! Prenez les feuilles et les crayons devant vous et créez ! Nous allons faire la littérature de demain !

Cet ordre péremptoire fut suivi d'une paralysie générale. Après un instant, voyant que ses pupilles restaient dans une sorte de torpeur stérile, la plume suspendue au-dessus du papier, le poète promena sa tête de droite à gauche par de rapides saccades, puis il dit :

— Mais allez… qu'attendez-vous ? Il suffit d'écrire… On ne devient pas poète ; on le décide ! Soyez poète ! Écrivez !

— Mais… sur quoi ? demanda Simon.

— Sur n'importe quoi ! ordonna-t-il impérieusement.

— Faut-il faire des alexandrins, des octosyllabes, des quatrains, des vers embrassés ? demanda Vincent.

Le poète, que la question parut surprendre, répondit que la versification était chose du passé et que la substance poétique ne devait plus en aucun cas être assujettie aux normes de la forme.

On se mit donc à la tâche, bien que l'on n'eût aucune idée du sujet dont il fallait traiter. Jef, à la surprise générale, fut le premier à affirmer, après quelques minutes d'un travail intellectuel fort soutenu, qu'il avait terminé l'exercice. Le maître s'avança vers le gaillard, tendit la main et dit :

— Montre.

Il parcourut rapidement les lignes écrites d'une main lour-daude et prononça d'un ton satisfait en retournant vers le piano :

— C'est parfait. Le jeune homme afficha un sourire triomphant.

— Vous allez comprendre, dit le poète, que la poésie est partout.

À cet instant, le pianiste qui avait accompagné les chanteurs pendant le cours de chant vint s'asseoir au piano. Le poète éleva la feuille en la tenant fièrement dans les airs, prêt à réciter.

— Le ballon, clama-t-il solennellement.

Parcourant la surface du clavier comme une vague profonde qui surgissait du corps de l'instrument, une envolée tonique, tierce, quinte succéda à l'annonce du titre. Puis, sous la main du pianiste, de discrètes harmonies accompagnèrent la lecture du texte.

Le ballon est rond.
Il vole quand je le tire et il tombe si personne l'attrape.
C'est comme ça.
Tout dépend de la façon que j'le tire.
Si je pourrais toujours le lancer comme il faut,
Jamais plus y tomberait.

À la lecture qu'en fit le poète, les mots prirent soudainement une autre dimension ; appuyés par des inflexions de voix modu-lantes et étayés par des pauses significatives, ces mots ouvraient sur un sens caché.

Constatant les regards incrédules que lui tendaient ses élèves, le maître commenta sa lecture :

— La première leçon que je voudrais vous transmettre aujourd'hui, et qui est l'une des plus profondes et des plus éternelles, c'est que *tout* est poésie.

Le maître de création avait mis dans ce «tout» une intonation, une accentuation lourde et solennelle.

— Bien que l'exemple ici, reprit le professeur avec un esprit de conciliation débonnaire, soit quelque peu limite, je pense qu'il peut vous servir tout de même à mettre cette vérité en pratique. Pour ce faire, j'exigerai de vous un effort de l'esprit, un abandon de vos réflexes premiers que vous imposent les normes sociales et la réalité bête qui nous entourent. Lorsque vous vous serez départis de ces réflexes nuisibles, vous pourrez voir la substance poétique qu'il y a au fond de chaque chose. Même dans un simple ballon de football.

Puis, reprenant le texte, le maître lut à nouveau les vers fameux :

Tout dépend de la façon que j'le tire.
Si je pourrais toujours le lancer comme il faut
Jamais plus y tomberait.

— Vous ne sentez pas dans ces vers, reprit le poète, le désir éternel de l'homme de bien faire les choses et la fatalité contraignante ? Il y a de la tragédie derrière ces vers, même… Pour peu, on se croirait dans une tragédie de Sophocle…

— *Sa-cra-ment* ! s'écria Jef, j'savais pas que j'pouvais être aussi profond…

— Wow, Jef ! rétorqua Simon. Mais t'es un vrai Vigneault !

— En tout cas, j'ai pas joué au football pendant tout'ces années pour rien !

On applaudit. Puis, une voix hésitante se fit entendre :

— Mais ça ne se dit pas…

Le poète, qui n'avait pas très bien compris l'affirmation à cause des éclats de rire et des applaudissements, demanda de répéter. Les applaudissements cessèrent. Puis, Vincent répéta :

— Ça ne se dit pas…

Le professeur darda un regard inquisiteur en sa direction et dit :

— Que veux-tu dire au juste ?

— Ça ne se dit pas : « la façon que je le tire ». Ici, pour marquer la manière, il convient d'employer la conjonction « dont ». Il y a aussi le « si je pourrais » qui pose un léger problème d'accord.

— Bon sang, Vincent ! soupira Jef avec exaspération. Mais tu parles ben qu'trop bien. On dirait que t'as une grammaire dans la tête. Tu peux-tu parler comme tout le monde ? On dirait qu't'as grandi en France…

Les autres candidats étouffèrent des éclats de rire. Vincent écarquillait les yeux.

— Mais je ne parle pas avec un accent français !… se défendit-il.

— T'être pas, dit Macha, mais tu prononces chaque mot comme il l'faut, com-me-il-le-faut ! C'est tannant à la longue… On s'croirait en train d'écouter Radio-Canadâ à chaque fois que t'ouvres la bouche.

— Et quand même, ajouta Simon, tu n'as pas dit l'autre jour que tu pensais chanter une chanson de Brassens dimanche soir au gala ?

— Oui… et puis ? Qu'est-ce que ça fait ?

— Ben, répondit Simon qui cherchait à dédramatiser la situation, ça fait rien. C'est pas grave. T'es juste le petit Français dans la gang. C'est tout…

Le visage de Simon s'illumina.

— D'ailleurs, dit-il d'une voix moqueuse, j'pense que je viens de trouver ton surnom : le petit Français !... C'est bon, non ?

Il s'était tourné vers les autres candidats qui acquiescèrent en pouffant de rire. Vincent cherchait à invoquer un argument pour défendre son bon usage de la langue quand le professeur de création, s'accoudant au piano et affichant une expression lasse, interrompit la discussion.

— Vous riez de l'attitude de Vincent, dit-il en s'adressant à tout le groupe, mais c'est exactement ce dont je viens de vous parler, l'attitude prévisible du réflexe programmé. Je sais de quoi je parle : j'ai écrit un recueil de poèmes là-dessus ! Comment peut-on arriver à une parole vraie et authentique en employant une parole programmée par les normes syntaxiques et sociales ? Il faut écrire avec ses tripes, pas avec sa tête !

Le pédagogue fixa Vincent du regard.

— Écoute, jeune homme. Les autres ont raison. C'est pas un cours de français, icitte : c'est un cours de création. Ce qui compte, c'est l'expression en soi... La manière *qu'*on s'exprime est secondaire, O.K. ? C'est vrai c'que tu dis. J'ai quand même enseigné dans un cégep à une certaine époque, alors je sais écrire. Mais aujourd'hui, y faut que tu comprennes des vérités supérieures à celles de la norme syntaxique, morphologique, orthographique et tous les autres « iques » que tu veux. Bien parler ne sert à rien si on n'est pas authentique.

Le cours s'acheva sur cette leçon. Pendant l'heure du midi, Vincent éprouva des difficultés respiratoires. Il sentait un point dans sa cage thoracique qui lui donnait une impression d'oppression et de resserrement, comme si la pression atmosphérique compressait sa poitrine. Il sortit à l'extérieur pour prendre l'air et marcha en faisant jouer *Le Clavier bien tempéré* de Bach dans son iPod. Après quelques minutes d'écoute, il se sentit mieux et regagna le groupe.

En après-midi eut lieu le premier cours d'histoire de la chanson. Pour fournir une culture aux académiciens en cette matière, on avait engagé l'animateur de l'émission *Les Voix* diffusée sur la Première Chaîne de Radio-Canada. Antoine Morin était un homme dans la trentaine et affichait une simplicité honnête dans ses manières. Sous des lunettes à monture noire massive, il avait un regard vif et dénué de malveillance. Il était sobrement vêtu d'un jeans et d'une chemise blanche. Il se dit d'abord très heureux d'apporter sa modeste contribution à la formation des prochains artistes et annonça d'emblée son objectif : parler avec eux de l'histoire générale de la chanson.

Vincent entendit d'abord des noms tombés dans l'oubli tels que Leadbelly, Robert Johnson, Bessie Smith, puis d'autres plus connus tels que Hank Williams, Johnny Cash, Elvis Presley et Bob Dylan. Dans une langue simple et claire, le professeur, en rappelant les conditions sociales d'où avait émergé le blues, parla des multiples mouvements sociaux contestataires qui avaient trouvé leur véhicule expressif dans la chanson. Il expliqua que dans les années 1960, le rock était devenu la musique associée à la jeunesse nord-américaine. Le professeur aborda ensuite avec ses étudiants le contexte culturel québécois des années 1960. Vincent entendit alors parler de la Révolution tranquille, mais de sorte qu'il eut l'impression de méconnaître l'histoire de sa propre province. Le professeur parla longuement de la bataille du joual, du rôle qu'y avaient joué des artistes tels que Michel Tremblay, Jean-Paul Desbiens, Robert Charlebois, Yvon Deschamps, Louise Forestier, Mouffe.

Après le cours d'histoire, les étudiants sortirent à l'extérieur pour se dégourdir les jambes. Vincent fut tenté d'aller interroger cet homme qui affirmait qu'il était possible, que l'on avait même réussi à faire de l'art avec le parler québécois. Soudainement, il lui apparaissait clairement qu'il avait toujours renié la culture québécoise, qu'il l'avait toujours regardée comme un produit dérivé de la culture française. Il n'avait que brièvement entendu parler de ce Michel Tremblay pendant son cours collégial de littérature québécoise.

En fin d'après-midi eut lieu le deuxième cours de chant. La professeure, Murielle Dubois, était une femme élancée au physique délicat qui avait un peu plus de quarante ans. On avait peine à croire que d'une si frêle constitution pouvait sortir une voix si puissante. Comme les candidats devaient préparer une performance individuelle pour le premier gala qui allait se tenir le dimanche soir suivant, Murielle Dubois incita ceux pour qui ce n'était pas déjà fait à choisir une chanson. Vincent pensa alors revoir son choix, mais comme il avait travaillé très fort pour préparer sa pièce de Brassens, il décida de ne rien changer à son programme.

Puis, la professeure affirma qu'un bon chanteur ne pouvait se passer d'un minimum de technique. Mais ils pouvaient se rassurer : jamais elle n'imposerait à son groupe d'élèves les exercices exigeants auxquels elle-même avait dû se soumettre pendant toute sa carrière de soliste mezzo-soprano.

— Tu as fait une carrière de chanteuse d'opéra ? demanda Karl d'un air très intéressé.

— Mais bien sûr. Pendant seize ans, j'ai chanté un peu partout. Surtout avec l'OSM, mais aussi à travers le monde avec des orchestres internationaux.

— Quel a été ton plus grand accomplissement ?

— Je ne sais pas si on peut dire que c'est mon plus grand accomplissement, mais quand j'ai chanté *La Reine de la Nuit* à l'Opéra de Vienne, ou *La Forza del destino* à l'Opéra national de Paris, j'ai vraiment vécu quelque chose de puissant.

Il n'en fallait pas plus pour que Karl se lance dans une longue exposition de la place unique qu'occupe Giuseppe Verdi dans l'histoire de l'opéra. Il enchaîna sur Giacomo Puccini qui avait su exprimer au mieux le romantisme italien. Vincent, qui entrevit la possibilité de faire valoir ses connaissances en littérature musicale, vanta plutôt les compositeurs allemands. S'ensuivit une longue discussion entre les deux mélomanes qui portait sur les romantismes italien et allemand.

— Murielle, demanda Karl au terme d'une éprouvante argumentation, j'ai justement dans mon iPod les œuvres complètes de Giuseppe Verdi. Nous pourrions en écouter quelques extraits ?

— Très bonne idée, renchérit Vincent. Moi, j'ai téléchargé l'intégral de Wagner. On pourrait écouter le prélude de *Tristan & Iseult* et comparer si Wagner est moins lyrique que Verdi…

— Je n'ai pas dit « moins lyrique », corrigea Karl qui pointait Vincent avec son lecteur MP3. J'ai dit « moins mélodique », c'est différent.

— Bien, répondit inconfortablement Murielle. Je n'avais pas prévu de diriger un cours d'histoire de l'opéra et surtout pas de débattre de sujets aussi pointus que le lyrisme chez Verdi et chez Wagner. Est-ce que les autres candidats tiennent à poursuivre le débat ?

— Bahhh !… pouffa Macha d'un soupir las. Pour moi, l'opéra c'est juste des chanteuses qui gueulent plus fort les unes que les autres dans des robes de théâtre, alors Verdi, Wagner…

Murielle Dubois regarda les autres candidats qui exprimaient pour la plupart cette même lassitude.

— Bon bien… reprit-elle finalement après quelques secondes d'hésitation. Ça aurait été très instructif d'approfondir cette question et ça va me faire plaisir d'en reparler avec ceux que ça intéresse. Macha, je vais essayer de te convaincre que l'opéra, c'est pas seulement des comédiens qui s'époumonent. Pour l'instant, je crois qu'il faut se mettre à la pratique le plus rapidement possible pour le gala de dimanche qui arrive à grands pas. Alors, on va commencer par faire des exercices de posture et de respiration pour bien dégager votre gorge.

Tous deux légèrement déçus, Karl et Vincent rengainèrent leur iPod en se disant, d'un regard complice, que le débat était simplement reporté à plus tard.

À la fin du cours, alors que Murielle Dubois rangeait ses partitions dans son cartable, Marianne s'approcha et lui dit d'une voix hésitante qu'elle aimerait bien en savoir plus sur l'opéra.

— Mais tu n'as qu'à rejoindre Karl et Vincent, répondit la professeure avec un sourire goguenard. Ils viennent de sortir et je crois qu'ils ont repris leur débat sur Verdi et Wagner.

— Oui, fit Marianne en abaissant le regard, ils ont l'air de connaître beaucoup l'histoire de la musique. Mais… moi, quand ils parlent, je ne comprends vraiment rien… vraiment rien. Je veux dire… c'est un peu gênant… mais j'suis pas comme les autres. J'veux dire, je connais un peu de musique, pis j'suis capable de chanter pas pire, mais pour ce qui est de la vraie musique… celle qu'y est compliquée, ben, je ne connais rien.

Murielle laissa son cartable et s'approcha de Marianne.

— Mais tu n'as pas à avoir honte, Marianne. Si tu le désires, ça va me faire plaisir de te faire découvrir la musique classique. Si tu veux, on pourrait simplement commencer par sélectionner quelques titres. Je vais t'apporter des disques et tu les écouteras tranquillement. Qu'en penses-tu ?

— Oui, fit Marianne en levant un regard émerveillé, j'aimerais beaucoup ça. Mais t'as pas besoin de m'apporter des disques. J'pense qu'y me reste 26 Go de libres sur mon iPod… T'as qu'à me dire des titres d'album, pis j'vais les télécharger. O.K. ?

— O.K., Marianne. C'est entendu. On va faire comme ça. Voyons, par quoi on pourrait commencer ?

La professeure de chant réfléchit un bref instant. Elle lui donna quelques titres de compilation d'airs tirés des opéras de Mozart. Marianne sourit en la remerciant et alla rejoindre le groupe dans la salle à manger.

● ● ●

Le vendredi, qui mit un terme à cette première semaine éprouvante, les candidats eurent droit à un après-midi de repos dans un centre de plein air situé à quelques kilomètres du domaine. Pendant cette sortie, Bellemare avait planifié une rencontre avec le personnel enseignant. La réunion avait lieu dans la régie technique. Bellemare prit la parole.

— J'ai eu l'occasion de discuter avec certains d'entre vous, mais j'aimerais que vous me fassiez part, tous ensemble, de vos impressions sur cette première semaine de diffusion.

— Bien… commença Murielle Dubois, pour ma part, je suis satisfaite de cette première semaine. Les jeunes ont tous un bon potentiel. Mais je me demande ce que va décider le public, je veux dire : qui il va éliminer parmi les cinq gars.

— Tout le monde, Murielle, répondit Bellemare, se pose cette question. N'est-ce pas le but de notre émission : donner au public le pouvoir de décision ?

— Oui, je comprends, Frédéric, mais je crains seulement qu'il n'élimine pas la bonne personne. C'est tout. Ça prend quand même un peu de connaissances en chant pour distinguer le potentiel de chaque candidat, non ?

— Et qui souhaiterais-tu qu'il élimine, le public ?

La professeure de chant réfléchit un moment.

— Marc-André et moi en avons beaucoup parlé. Les gars ont tous des forces et des faiblesses. Jef a une grande puissance vocale, mais il est incapable de faire des harmonies de voix.

— Mais sur scène, il bouge très bien, ajouta le professeur de danse.

— Julien a beaucoup d'émotion dans la voix, continuait Murielle, mais quand il doit pousser, sa voix craque.

— Et sa présence scénique ? demanda Bellemare.

— Limitée, répondit Marc-André, mais on peut travailler là-dessus.

— Vincent et Karl, poursuivait la professeure de chant, sont un peu dans la même situation. Ils ont tous les deux une excellente technique. Ce sont les musiciens qui ont la meilleure formation dans le groupe. Mais ils sont trop… cérébraux. Surtout Vincent. Tout ce qu'il fait semble réfléchi, calculé… Ça n'a pas toujours l'air authentique. Enfin, je peux me tromper. Peut-être que Vincent et Karl seront différents quand ils chanteront devant un public.

— Mais celui qui me semble le plus naturel parmi les gars, ajouta Marc-André, c'est Simon. Il bouge bien, il met en pratique les conseils qu'on lui donne, il ne cherche pas à en faire trop…

— Et il est excellent dans les duos, enchaîna Murielle avec enthousiasme. Ça démontre une bonne maturité artistique. Il sait laisser toute la place à la personne qu'il accompagne, il a de l'oreille, un très bon registre de voix et il laisse vivre ses émotions. Je dirais que c'est le candidat qui présente le plus de potentiel jusqu'à date. Alors, si c'était à nous de choisir un candidat à éliminer, je dirais que ça se jouerait entre Jef, Julien et Vincent.

Bellemare détourna son regard vers les autres professeurs en leur demandant leur avis. Fernand Valois prit la parole.

— Moi, je ne connais pas le potentiel musical de nos candidats, alors je ne peux juger que sur ce que je vois d'eux. Et je n'ai pas aimé que Vincent se permette de me faire des leçons de grammaire ! Vous rendez-vous compte ! dit-il avec emportement. Des leçons de grammaire, à moi ! Non, mais ! Pour qui y s'prend le p'tit Français…

— Moi, continua Chantal Fecteau, je n'ai pas apprécié que Karl ne mette pas mes conseils en pratique. Je sais que sa diction est presque parfaite, comme celle de Vincent, mais il n'est pas réceptif. Comment veux-tu travailler avec une pâte aussi dure ?

— Karl est le plus achevé des candidats si on parle juste de la technique, poursuivait Murielle, mais il a un problème… Je ne sais pas trop comment le qualifier. Je dirais que c'est un problème d'attitude…

— Un problème d'attitude ? demanda Bellemare en fronçant les sourcils. Qu'est-ce que tu veux dire ?

— Bien, ça ne m'étonne pas d'apprendre qu'il ne met pas les conseils de Chantal en pratique. Il se pense au-dessus de tout ça. C'est comme si ce concours, c'était juste une compétition sportive pour lui. Et le talent artistique, il me semble, ne se calcule pas en points accumulés dans différentes épreuves, non?

Bellemare eut une expression intéressée.

— J'vais dire de quoi d'un peu gros, soupira Marc-André. Mais Karl… y m'énerve…

Les professeurs autour de la table dissimulèrent leur approbation en réprimant le sourire qui leur monta aux lèvres.

— Comprenez bien ce que je veux dire, s'empressa d'ajouter le professeur de danse. Ce n'est pas que je ne suis pas ouvert à lui enseigner des choses. Je vais le traiter comme tous les autres. Mais y me tombe sur les nerfs… Et j'peux rien y faire. Est-ce que je suis le seul à éprouver ça?

Les dossiers des chaises émirent des grincements discrets. On entendit quelques soupirs d'hésitation.

— J'avoue que Marc-André a un bon point, dit finalement Gaétan Lachance qui portait son survêtement de sport. Il prit entre ses doigts le sifflet attaché à un cordon autour du cou. C'est drôle. Moi, quand je fais une activité avec les académiciens, ça a rien à voir avec la musique. C'est pour qu'ils soient en meilleure forme pour mieux performer sur scène, mais j'veux dire que ce qu'on fait, ça n'a rien à voir avec des choses sophistiquées. Pis le seul qui part avec une longueur d'avance sur les autres, c'est Jef. Pis y en profite pas pour se faire valoir. Il a aucun intérêt à se comparer à eux sur le plan physique: tout le monde sait qu'il est le meilleur là-dessus. Mais où j'veux en venir, c'est que même là, Karl est… condescendant. Il ne s'implique pas dans les jeux, y parle tout le temps des cours de ski qu'il a pris quand y était jeune. Il n'arrête pas de faire sentir aux autres, par plein d'allusions, que lui, y vient d'un milieu où il y avait du *cash*. Pis ça, ça finit par énerver tout le monde.

— Bon, reprit Bellemare. Merci d'avoir parlé si franchement. Ça sera au public de trancher dimanche. On pourrait être surpris. Je crois que ça va être tout pour aujourd'hui.

Alors qu'on se levait de table, Fernand Valois dit :

— En tous cas, si Vincent ne veut pas travailler, alors qu'il ne vienne pas à mes ateliers, le petit prétentieux. Il ne va quand même pas m'apprendre à écrire de la poésie, merde. Je vais lui mettre mon prix du Gouverneur général sur le nez s'il continue à me corriger comme un professeur de français.

Alors qu'il allait sortir de la salle de conférence, Bellemare fut interpellé par Antoine Morin.

— Frédéric, j'ai une idée qui me trotte dans la tête depuis le premier cours et j'aimerais t'en parler.

Le producteur se retira de l'embrasure de la porte pour laisser le chemin libre. Puis il fit signe à Antoine qu'il avait son attention.

— Bien, fit le professeur d'histoire, j'ai remarqué que les candidats, comme tous les jeunes de leur âge sans doute, ne connaissent à peu près rien à l'histoire du Québec. Je me suis dit que, vu que je dois approfondir l'histoire de la chanson québécoise dans quelques semaines, je pourrais en profiter lors de cette séance pour pallier un peu cette lacune en leur donnant un petit cours d'histoire. Tout simplement leur parler de la Révolution tranquille, de la laïcisation de l'État, du baby-boom… rien de trop poussé…

Frédéric Bellemare porta une main à son menton en réfléchissant. Il dit ensuite qu'il ne voulait pas que son académie ressemble trop à une école, ce qui donnerait un bien mauvais spectacle. Les spectateurs avaient envie de voir des jeunes qui aspirent à devenir des vedettes, non des rats de bibliothèque.

— Si tu juges qu'il te faut leur parler de la Révolution tranquille, continuait le producteur exécutif, alors vas-y. Mais en contrepartie, tu nous autorises à diminuer au montage le temps d'antenne qui t'est garanti par ton contrat. Rassure-toi, tu auras toujours tes quelques minutes par semaine. Mais je ne pourrai pas te garantir l'exacte égalité en termes de temps d'antenne avec tes collègues.

Antoine Morin détourna le regard en se grattant le front. Il réfléchit un instant tandis que les autres professeurs quittaient la pièce en discutant vivement de la personnalité des candidats.

— O.K., fit l'animateur de radio en relevant soudainement la tête. J'accepte.

— Voilà qui est une bonne nouvelle, dit Bellemare d'un ton satisfait. Tu as leur éducation à cœur, c'est bien, fit-il en avançant vers la porte.

● ● ●

Marianne fit glisser son doigt sur la roulette et l'écran s'éclaira en irradiant avec une lumière bleuâtre dans l'obscurité de la pièce. Elle s'empressa de relever sa couverture pour éviter que la lumière ne réveille Virginie qui dormait dans le lit voisin. Demain était jour de gala et les concurrentes, sauf Virginie qui semblait assez détendue, affichaient une nervosité quasi excessive. Marianne sélectionna de nouveau la piste numéro quatre. Elle entendit pour la septième fois d'affilée les premières notes de *Voi che sapete* qui lui procuraient instantanément une sensation de bien-être. C'était presque comme un valium ou les autres pilules que lui avait prescrites son médecin dans les derniers jours d'agonie de sa mère. Tout le stress qu'elle pouvait ressentir, toute oppression au niveau du thorax disparaissait comme par miracle au son de cette mélodie. En entendant la voix aérienne de la mezzo-soprano, elle se sentait transportée ailleurs, comme si tout ce concours n'avait que peu d'importance dans sa vie.

Marianne ne connaissait pas le sens des paroles que prononçait cette voix, mais elle était convaincue que ce ne pouvait pas être des paroles malveillantes. Il y avait trop de bonté et d'amour exprimés dans cette voix pour qu'elle fût malintentionnée. Marianne regarda l'écran du lecteur MP3. Ce morceau devait provenir de *Le Nozze di Figaro*, supposa-t-elle d'après les informations qu'elle y pouvait lire. Qu'importait l'histoire de cette musique, elle allait tout simplement dire à Murielle ce qu'elle avait éprouvé en l'entendant.

Lorsque le bref morceau fut terminé, elle sélectionna une autre pièce pour clavier qu'elle avait remarquée lors de sa première écoute. Quand le morceau fut terminé, elle jeta un œil à son cadran. Il était déjà bien tard. Si jamais tout se termine la semaine prochaine, pensa-t-elle, je vais garder ce lecteur MP3 et je pourrai au moins écouter cette musique tous les soirs avant de me coucher. Puis, elle se dit que si elle était éliminée lors du prochain gala, elle n'allait plus revoir Murielle, ni les autres professeurs qui avaient tant à lui apprendre. Assombrie par cette perspective, Marianne se dit qu'elle devait avoir une bonne nuit de sommeil pour faire bonne impression demain et fournir une performance solide.

Elle arrêta le lecteur de musique et essaya de trouver le sommeil qui lui vint très rapidement.

3

Immédiatement après le gala d'ouverture, Frédéric Bellemare quitta le studio afin de regagner le domaine et de se cloîtrer dans la grange qui était située à la frontière de la forêt. Dans cette bâtisse aux dehors rustiques, revêtue de lattes de bois délavées par la pluie, Bellemare avait fait construire la salle de régie technique. C'était là qu'on s'affairait au montage des émissions qui étaient diffusées quatre fois par semaine, du lundi au jeudi, à une heure de grande écoute.

Après être sorti de sa voiture, il embrassa du regard la maison principale. Il pouvait difficilement contenir la fébrilité qui gagnait ses nerfs. Cela faisait trois ans qu'il travaillait sur ce projet qui représentait un très gros risque financier pour la société de production à laquelle il était associé. Dès qu'il avait pris connaissance du concept d'une compétition musicale sous forme de téléréalité popularisée en France, Bellemare avait flairé l'idée de génie et avait entrepris des démarches pour en acquérir les droits d'exploitation. Déjà, c'était un risque énorme pour la société, car elle disposait d'un budget très inférieur à celui de l'édition française, soit à peu près le dixième. Puis, il avait fallu convaincre un diffuseur d'engager trois heures d'antenne par fin de semaine et quatre fois une demi-heure pendant la semaine, tout cela pour une seule émission de variétés. Mais Bellemare était un producteur persuasif qui, lorsqu'il flairait un bon coup, savait convaincre quiconque de l'occasion à saisir. Il avait la réputation, d'ailleurs, de ne jamais se tromper quand venait le temps de juger de la rentabilité d'un concept. Ce coup-ci, par contre, était le plus osé qu'il n'avait jamais lancé ; une entreprise de taille dans laquelle il engageait des sommes astronomiques dans un marché restreint où allait se jouer sa carrière. Advenant un échec, il serait ruiné. Quelle garantie avait-il que tout cela ne se transforme pas en hémorragie financière ?

Le concept une fois acheté, l'adaptation au public québécois avait été son affaire et il savait que la moindre faille dans la gestion serait fatale. Il avait tenu à veiller personnellement, à chacune des étapes, au développement de l'émission. Le concept avait été adopté dans son entièreté, mais Bellemare avait opéré un simple changement dans la formule originale : il avait voulu que le public fût l'unique instance d'élection des candidats, contrairement aux autres formules telles qu'elles se pratiquaient aux États-Unis et en France, où les candidats éliminés étaient choisis parmi une présélection des membres de l'équipe qui s'assuraient ainsi un certain contrôle sur les évincements. Or, Bellemare avait eu la cohérence d'esprit de pousser l'idée à la limite de son potentiel en octroyant le pouvoir d'élection à l'instance qui seule, en définitive, en avait la légitimité, à savoir le public. Il espérait créer un meilleur effet de suspense, et cette indécision inconfortable, cette incertitude absolue quant à l'évincement du candidat, reposant uniquement sur le vote majoritaire du public, allait pousser les spectateurs à voter plus massivement. Sa garantie de succès résidait dans cette simple modification du concept maître.

Il s'immobilisa et contempla de haut en bas la façade imposante de la maison de pierre qu'éclairaient des rais de lumière projetés depuis le sol. Il pensa alors aux cinquante-six caméras qui avaient été placées partout dans la maison afin que chaque mètre carré de la demeure fût à la portée des lentilles. Au calme du bois et de la pierre était venu se greffer un système nerveux composé de fibres optiques et de lentilles minuscules. On avait filé les murs, garni les buffets et les vases de micros similaires à ceux que la police emploie pour des écoutes électroniques. Cette gigantesque maison seigneuriale, après avoir sommeillé pendant plus de deux siècles dans une immobilité de pierre, était maintenant animée d'une énergie électrique.

Bellemare traversa le jardin d'un pas assuré jusqu'à l'ancienne écurie. À l'intérieur l'attendait son équipe technique rapprochée pour la première conception des émissions du soir qui formaient, pour ainsi dire, le cœur du concept, car c'était ces émissions quotidiennes qui livraient au public la personnalité des concurrents. En entrant dans la grange, Bellemare emprunta le couloir de gauche qui menait à la régie, tandis que celui de droite menait vers les chambres où logeaient les techniciens. Il gravit un petit escalier au bout duquel il rencontra une porte d'acier. Il rabaissa la barre métallique et poussa la porte qui s'ouvrit avec un bruit de succion d'air. Des murs capitonnés par de grands pans de tapis en mousse noir foncé isolaient la régie technique de tout bruit ambiant. À l'intérieur, il régnait un silence de laboratoire.

Bellemare referma la porte derrière lui et son regard rencontra celui de son assistante à la réalisation, Annick, qui se tenait debout sur le petit monticule qui lui offrait une vue d'ensemble sur le mur où s'alignaient trois rangées de moniteurs qui jetaient dans la pièce sombre une lumière incandescente. Devant elle, il reconnut, assis devant la table de montage, Marc, le technicien.

Bellemare salua son équipe d'une parole froide et directe en accrochant son veston gris-fer sur un bras de la patère. Puis, il alla se poster à la droite d'Annick qui l'informa immédiatement des derniers préparatifs.

— Nous avons un petit problème de luminosité dans le hall d'entrée, dit-elle. Yvan est allé sur place pour régler ça. Une lumière est mal calibrée, ce qui risquerait de nous faire perdre la netteté de l'image lorsque les concurrents arriveront.

— Ils seront là dans combien de temps ? demanda Bellemare.

— Le bus sort à l'instant de l'autoroute ; nous avons cinq ou six minutes, au plus.

— Bien.

Bellemare entendit Marc donner des directives dans un micro ; puis, il put voir, sur un des moniteurs qui montraient le hall d'entrée de la maison dans un plan d'ensemble, Yvan, le directeur photo, qui inclinait une lampe suspendue afin de diminuer son éclat. L'effet contre-jour qu'avait eu jusque-là l'éclairage disparut et l'image du hall d'entrée devint nette et distincte, baignée par une luminosité équilibrée.

— Ah ! C'est parfait ! s'exclama Marc en levant les bras dans les airs d'un geste expressif. Puis, il se pencha vers un petit micro qui s'élevait de la table de montage au bout d'une tige métallique, appuya sur un bouton et dit :

— Et la lumière fut... Yvan, t'es un génie.

Puis, le monteur se mit à chanter dans le micro le *hit* de Depeche Mode :

Your own personal Jesus...

On vit alors le directeur photo, sur le moniteur, qui faisait une révérence maniérée. Marc se retourna et sursauta en apercevant Bellemare qui se tenait à l'écart, effacé dans l'ombre.

— Oh ! Je ne t'ai pas entendu arriver. Alors, c'est parti, les jeux sont faits…

Bellemare porta une main à son menton. Puis il dit :

— Est-ce que les dernières retouches du montage de la fin de semaine sont finies ?

— Oui, j'ai terminé ça en fin d'après-midi. J'ai coupé dans les répétitions, mais j'ai gardé un peu plus du premier souper, comme tu me l'avais demandé. On a exactement quinze minutes vingt-deux secondes de matériel. Il nous reste donc un peu plus de six minutes à combler avec les images de la soirée pour la quotidienne de demain.

Marc se retourna et s'inclina sur sa table de montage. Bellemare avait une confiance inébranlable en ce jeune homme. Il savait qu'il avait aspiré pendant quelques années à faire carrière dans le spectacle et il avait eu l'occasion d'entendre un démo où figuraient ses trois ou quatre chansons qui, en toute honnêteté, lui avaient paru pleines de potentiel. Mais alors qu'une maison de disque l'avait approché, Marc avait subitement interrompu sa carrière. À cette époque, Bellemare travaillait comme réalisateur pour une chaîne de télévision musicale. Il avait remarqué le talent vidéo du musicien ; il montait lui-même les clips de ses chansons. Quand le musicien voulut se retirer du *show-business*, Bellemare bâtissait alors sa société de production avec quelques associés et il avait convaincu le jeune homme de se joindre à l'équipe technique. Le travail qu'il avait confié à ce garçon de vingt-cinq ans dans ce projet était de première importance. C'était lui qui opérait le premier tri dans la matière brute de l'image. Il était, comme il se plaisait à dire lui-même, le défricheur : il restait assis pendant des heures et des heures devant ses moniteurs à observer la moindre activité dans la maison, à repérer les moments significatifs, à les épurer et à les trier ; puis, il opérait pendant la nuit un premier montage que Bellemare trouvait, le matin, sur le comptoir de la régie. C'est à partir de ce premier montage qu'il veillait personnellement à la réalisation de l'émission.

• • •

Ce n'est qu'une fois assis, dans le confort moelleux du siège de l'autobus qui ramenait les concurrents au domaine, qu'il tenta de saisir la logique des derniers événements. Dans le véhicule, sur le chemin du retour, il y avait un silence étrange, comme celui qui succède à une défaite. Pourtant, ils étaient encore en lice, rien n'était encore perdu pour eux. Vincent ne comprenait pas. Il revoyait la scène, en boucle, sans cesse rediffusée par le fil de ses pensées : l'expression de Karl lorsqu'on avait entendu l'annonce de son élimination. Vincent s'était dit, avant le spectacle, que ce serait sans doute Jef qui serait éliminé en premier. Mais Karl ? Pourquoi avait-il essuyé le premier les foudres du public ?

Lorsqu'on arriva au domaine, on monta directement dans les ailes respectives afin de se remettre de cette éprouvante soirée. Mais lorsque les concurrents regagnèrent leurs appartements, ils remarquèrent qu'un changement avait été apporté dans l'aile masculine : il ne restait plus que quatre lits. Vincent alla vers le placard où Karl avait rangé ses vêtements. Il l'ouvrit et l'espace vide qu'il contempla lui donna des frissons. Il se retourna et regarda pendant quelques secondes ses trois autres camarades. Puis, il murmura entre ses lèvres : « Je suis le prochain. »

Vincent dormit peu cette nuit-là. Au matin, après quelques heures de sommeil agité, il éprouvait toujours une angoisse aiguë. Pendant le déjeuner, l'animatrice apprit aux neuf concurrents que ce lundi serait jour de congé. On avait prévu des activités sportives en plein air, question de détendre les esprits. Mais les concurrents étaient libres de faire ce qu'ils voulaient pendant l'avant-midi. Après le déjeuner, Simon affirma qu'il avait besoin d'air.

— Tu viens courir, le petit Français?

— Oui, répondit Vincent. Laisse-moi le temps de me changer et je te rejoins à l'entrée de la piste d'hébertisme.

Il regagna sa chambre et alla s'asperger le visage d'eau pour se donner une contenance. Quelques instants après, il était vêtu de ses habits de sport et traversait le jardin. Il passa d'abord devant la dépendance où logeaient les techniciens; puis, il arriva devant la grange. Juste avant de bifurquer vers le sentier qui menait au bois, il vit qu'un homme se tenait debout, appuyé contre le flan de la bâtisse; il reconnut la silhouette de Bellemare. Une cigarette entre les lèvres, d'un mouvement de tête discret, il lui fit signe de venir le rejoindre. Ils ne s'étaient pas parlé en privé depuis la discussion qu'ils avaient eue lors de sa première audition. Avant de prononcer un mot, Bellemare lui fit signe de débrancher le fil de son micro de la boîte émetteur.

— Alors, lui dit-il d'un ton goguenard lorsque les deux hommes se trouvèrent à portée de voix, tu as perdu ton mentor…

— Je ne comprends vraiment pas, répondit Vincent en hochant de la tête, pourquoi ils ont choisi d'éliminer Karl. C'était le meilleur!

— Justement…

Vincent fronça les sourcils d'un air dubitatif.

— Qu'est-ce que tu veux dire?

— Eh bien, répondit Bellemare, la chose m'apparaît assez simple. Tu n'as pas remarqué son air distingué? Je peux t'assurer que c'est ça qui l'a trahi. C'est pas qu'être distingué t'attire automatiquement les mauvaises grâces du public ; mais disons qu'il y a une manière d'être distingué qui ne fait pas sentir la supériorité de ta personne. Karl est un gars suffisant qui a la grosse tête. La cravate, le costard, ses connaissances en littérature musicale, sa maîtrise technique du chant… Murielle n'avait presque rien à lui apprendre. Les gens écoutent cette émission parce qu'ils veulent suivre l'apprentissage d'un candidat, pas pour l'admirer bêtement… C'est un processus évolutif.

— Est-ce que tu veux dire qu'il faudrait que j'agisse différemment, que je sois moins… bon…

— Je crois simplement que tu as mal compris le fonctionnement de ce concours… Bellemare s'avança vers Vincent de quelques pas dans les fourrés. Qu'est-ce qui peut te faire gagner ?

— Mes performances…

— Justement non, répondit Bellemare avant de prendre une longue bouffée de sa cigarette. Il te manque une donnée. Ce n'est pas un truc d'excellence, comme une compétition sportive… c'est un concours où l'affection que tu inspires au plus grand nombre de téléspectateurs te garde dans la course, rien de plus. On s'en fout que le public te trouve bon, qu'il admire ta technique vocale, ta prestance. Tu penses réellement qu'il fait la différence, le public, entre une bonne voix et une excellente voix ? Le public veut se reconnaître en toi ; c'est sa propre image qu'il veut élire. Avant tout, il doit t'apprécier, indépendamment de ton talent. Et sur ce point, je crois que tu es mal parti…

— Que veux-tu dire ? que je serai le prochain éliminé ?

— Pour l'instant, le public effectue ses éliminations en fonction de son antipathie.

— Est-ce que cela veut dire que je dois être plus sympathique, que je dois me faire plus d'amis? demanda Vincent qui semblait dérouté.

Bellemare émit un gloussement sardonique.

— Tu penses qu'on s'élève dans la vie en serrant des mains et en se faisant des amis? Ce n'est pas mon expérience de la vie. Laisse-moi te donner une petite leçon pratique. Ce que tu acquières, tu le prends à quelqu'un; c'est une question de faits, d'arithmétique, non de légitimité. À ce compte, tu ne t'élèveras qu'en t'aidant de ceux qui tomberont sous tes pieds.

Voyant la confusion de Vincent, Bellemare reprit:

— Je te dis simplement qu'il te reste deux semaines d'ici à la prochaine élimination d'un concurrent masculin puisque maintenant, les éliminations vont alterner entre les filles et les gars chaque semaine. Si tu poursuis sur la même lancée, il y a des chances que tu sois notre prochain Karl… Après ça, c'est à toi de voir. C'est tout.

Bellemare jeta son mégot dans les herbes hautes et l'écrasa du bout de sa chaussure. Il tourna les talons et se dirigea vers la grange. En ouvrant la porte, juste avant de pénétrer dans la bâtisse, il prononça avec une défiance moqueuse dans la voix:

— C'est au petit Français de voir.

Avant de regagner la régie technique, Bellemare alla dans la salle de bains étroite réservée aux techniciens. Il s'aspergea le visage d'eau, mouilla une débarbouillette et la passa sur son cou et sa nuque. Il n'avait dormi que trois heures la nuit précédente. Il refit son nœud de cravate, enfila son veston et regagna la régie. En entrant, il fut surpris de trouver Marc toujours assis devant les moniteurs.

— Tu n'es pas allé te coucher, Marc? Je t'ai dit que je prenais la relève.

— Attends de voir ce que je vois sur l'écran et tu vas comprendre pourquoi je fais des heures supplémentaires. Il semblerait que Jef et Macha profitent à leur manière de l'avant-midi de congé…

Intrigué, Bellemare s'approcha et observa au-dessus de l'épaule du technicien.

— C'est quelle caméra, ça ? Ça vient d'où ce plan-là ?

— C'est notre caméra la plus éloignée dans le sentier d'hébertisme, répondit le technicien.

Sur l'écran, on voyait Jef, suivi de Macha, s'avancer dans les fougères. Tous les deux lançaient des regards aux alentours, comme s'ils craignaient d'avoir été suivis. Puis, ils s'arrêtèrent sous un arbre. Macha s'agenouilla et déboutonna le pantalon du jeune homme.

— Ils vont le faire, murmura Marc. Ils n'ont pas vu la caméra… Ils vont le faire. *Oh my God!…*

Le plan de caméra ne laissait aucun doute sur la nature de l'activité en cours. Le technicien et le producteur demeurèrent un instant figés et silencieux devant le spectacle. Puis, Bellemare dit :

— Allez, Marc, éteins ce moniteur.

— Quoi ? On ne va pas utiliser ces images pour la quotidienne ?

— Non, nous ne les utiliserons pas.

Marc fronça les sourcils. Il réfléchit un moment, puis il dit :

— Mais ne doit-on pas montrer les concurrents sous leur vrai jour ? Si Macha et Jef s'en vont fourrer dans l'bois, alors le spectateur a le droit de savoir, non ?

— Réfléchis un peu, Marc. Tu n'es pas un justicier masqué qui cherche le moment de faiblesse dans le comportement des concurrents. Ce que j'attends de toi, c'est que tu me donnes un portrait juste des candidats. Ici, je te l'accorde, Macha et Jef font un geste qui peut être lourd de conséquences. Mais tu dois voir plus loin que ce que te montre l'écran. Le public est assez intelligent pour se faire une idée du genre de fille qu'est Macha d'après ce qu'on lui montre d'elle. Il n'a pas besoin de la voir à genoux dans les fougères pour comprendre qu'elle est une fille chaude. Juste par ses vêtements, par exemple, le public a compris. Et puis, nous n'avons aucun intérêt à verser dans la vulgarité. D'abord parce qu'on se fait déjà suffisamment traiter de voyeurs dans les médias et que ces images donneraient raison à nos détracteurs. Ensuite, parce que notre diffuseur, je te le rappelle, est une chaîne familiale. Si je diffuse ces images, ça fait du bruit rapide, mais je reçois un téléphone du diffuseur et j'ai des problèmes. Donc, tout compte fait, ces images ne nous servent à rien.

Marc, accoudé au bras de sa chaise, réfléchissait aux arguments de son supérieur. Bellemare ajouta :

— C'est ça, Marc, faire de la télé. Une image peut avoir des conséquences qu'on n'a pas prévues. Il faut toujours penser à ça.

• • •

Brigitte déposa ses sacs d'épicerie sur le comptoir de la cuisine. Elle hésita quelques secondes en regardant l'horloge. Il était quinze heures trente-deux. C'était un peu tôt pour déboucher sa bouteille de vin. Puis, elle se dit qu'une longue soirée de correction l'attendait et qu'elle méritait bien un petit encouragement. Elle déboucha son brouilly, se servit un verre et monta à l'étage.

Elle ouvrit son ordinateur et, avant d'entamer ses corrections, elle alla faire sa visite quotidienne sur le site de *L'Académie de la chanson populaire*. Ce site lui permettait de suivre les activités de son fils. Elle y passait parfois des heures le soir pour savoir à quels ateliers Vincent participait. Elle commençait par visionner les capsules qui résumaient les occupations principales de la journée.

Elle cliqua sur la vidéo intitulée «Vincent et Simon sur la piste». Elle vit alors que son fils et Simon avaient passé une bonne partie de l'avant-midi à courir sur la piste d'hébertisme. Elle se dit alors qu'elle n'avait pas aimé que ce jeune homme affuble son fils d'un tel surnom. Le «petit Français»… Quelle insulte! Vincent n'était pas un Québécois qui se prenait pour un Français; il était seulement un garçon cultivé. Puis, alors qu'elle regardait les deux jeunes hommes grimper sur les modules de la piste, elle se remémora le premier souper au domaine. Combien elle avait été surprise de constater les lacunes de Vincent en matière de culture populaire! Ne naissait-on pas dans la culture populaire? Ne baignait-on pas, surtout pendant l'adolescence, dans cette eau ambiante qui englobait la vie? Elle n'avait jamais jugé bon de jouer quelque rôle que ce soit dans l'éducation de Vincent en ce domaine, croyant qu'il en acquerrait seul la connaissance. Mais voilà que par un effet aussi imprévisible qu'improbable, Vincent ne semblait connaître à peu près rien des œuvres qui emplissaient tout naturellement la vie de chacun, ces œuvres que répandaient dans l'air toutes les radios et les téléviseurs du monde. Depuis le début de ce concours, en venait-elle à penser, Vincent passait en quelque sorte un examen pour lequel il n'était pas qualifié.

Elle s'aperçut alors que la capsule était terminée. Elle s'était égarée dans ses pensées. Elle visionna une vidéo sur une course à relais qui s'était tenue en début d'après-midi. Quelques secondes avant la fin, le téléphone sonna. Elle attrapa le combiné de sa table de travail.

— Allô.

— Maman ?

Elle mit quelques secondes avant de reconnaître la voix.

— Vincent ? C'est toi ?

— Oui, c'est moi.

— Ah ! explosa-t-elle de joie. Comme c'est drôle ! J'étais justement en train d'écouter le résumé de la journée sur Internet.

— Tu vas sur le site de l'émission pour suivre ce qu'on fait ? dit-il avec surprise.

— Mais oui, mon grand, assura-t-elle en prenant une première gorgée de vin. C'est mon petit rituel. Chaque jour, en fin d'après-midi, je vais faire mon tour. Ça me permet de voir ce que tu fais. Là, je viens de voir que tu as participé à une course de relais dans la forêt. Tu as fait gagner ton équipe : félicitations !

Vincent, au bout du fil, demeurait silencieux.

— Je suis heureuse que tu m'appelles, reprit Brigitte après quelques secondes. Tu ne m'as appelée que trois fois depuis le début de l'émission. Eh puis ? Comment ça se passe ? J'imagine que tu es au septième ciel après cette première élimination…

— Ouais… Ça va.

— J'ai vraiment aimé le spectacle d'hier soir. Tu sais, mon grand, que c'était la première fois que je te voyais chanter ? Ton interprétation d'*Il n'y a pas d'amour heureux* était tout simplement renversante. Mais je n'ai même pas pu te parler…

— Je sais, maman, répondit Vincent. C'est le règlement : aucun concurrent ne peut voir sa famille pendant la durée du concours.

— Je comprends, répondit Brigitte en dissimulant mal sa déception. Mais quand même : empêcher une mère de voir son fils, c'est un peu barbare… En tout cas ! Je savais que tu allais bien te débrouiller, mais ce spectacle, ouf ! C'était au-delà de mes attentes. C'est vraiment gros, ce concours ! Je ne pensais pas que c'était de cette ampleur-là. Qu'est-ce que tu vas chanter dimanche prochain ?

— Heu… je ne sais pas encore.

Brigitte devinait dans la voix de son fils que quelque chose n'allait pas.

— Qu'est-ce qu'il y a, Vincent ? demanda-t-elle. Tu n'as pas l'air dans ton assiette.

— Non, je ne suis pas très en forme. J'ai mal dormi la nuit dernière.

— Ça devait être l'adrénaline, suggéra Brigitte. Tu n'as pas beaucoup d'expérience et là, on te lance sur une scène immense devant les caméras et la foule. C'est normal si tu ressens un peu de stress.

Vincent restait silencieux. Brigitte lui demanda s'il avait des douleurs à l'estomac, ou bien s'il sentait sa poitrine oppressée.

— Tu sais, lui dit-elle, moi, quand j'ai fait ma soutenance de thèse, je n'ai pas dormi pendant deux nuits avant de passer devant le jury. J'avais des brûlements d'estomac, des migraines. Je n'avais plus d'appétit. Alors c'est normal si tu éprouves les effets du stress.

— Non, fit-il d'une voix alanguie, ce n'est pas le stress. C'est… autre chose.

Brigitte attendit un instant. Finalement, Vincent reprit la parole.

— Je t'appelle, maman, parce que je ne sais pas quoi faire. Je pense que je ne suis pas à ma place ici… Je veux dire : je pense que je n'ai pas ce qu'il faut pour remporter ce concours.

— Comment ça ? s'exclama nerveusement Brigitte. Vincent, tu es excellent quand tu chantes. Ta voix, ta prestance, ta prononciation… Je te le dis : moi-même j'en reviens pas combien tu peux devenir un bon chanteur.

— Je sais que sur scène, ça va. Mais le concours, c'est pas juste une affaire de performance scénique. Je viens de me rendre compte de ça. Karl, c'était le meilleur et… le public s'est empressé de l'éliminer. Tu comprends ?

— Oui, mais Vincent, Karl était hautain et prétentieux. Toi, tu n'es pas comme ça. Non ?

— Maman, reprit Vincent en pesant chacun des mots qu'il disait. Sur plusieurs points, je ressemble beaucoup à Karl et tu le sais. Je… je ne m'intègre pas bien au groupe. Tu sais quel surnom ils me donnent : le petit Français…

Brigitte sentit son estomac se contracter. C'était l'une de ces angoisses de mère qu'elle gardait en elle depuis longtemps, ce réflexe instinctif de venir en aide à sa progéniture. Jusqu'à l'aube de sa majorité, elle avait pu lui apporter son aide dans presque toutes ses sphères d'activités. Aujourd'hui, elle se sentait impuissante. Une mère peut se dévouer pour son enfant, mais cette dévotion n'effacera jamais une vérité généralement admise : un individu est toujours socialement laissé à lui-même.

Elle tenta de respirer plus calmement.

— Qu'est-ce que tu veux dire, Vincent ? Moi, à la télé, lors des émissions quotidiennes, je trouve que tu t'intègres assez bien.

— C'est plus compliqué que ça, maman. Je sais que je peux participer comme tout le monde aux activités, mais… il y a quelque chose en moi qui ne colle pas avec l'esprit de groupe. Je me suis toujours senti… différent des autres personnes de mon âge et ça ne me dérangeait pas. Mais maintenant, dans ce concours, on dirait que ce que je suis, ça peut avoir des conséquences sur mon élimination. Et je ne sais pas quoi faire…

Brigitte attrapa d'une main nerveuse un bloc de papier qui traînait sur la table de travail et en déchira les feuilles une par une.

— Écoute, Vincent. Tu dois juste te concentrer sur tes performances et tout va bien aller. Enfonce-toi dans le travail, pratique tes chansons jour et nuit et tout va bien aller. Tu as toujours été un étudiant extraordinaire, alors tu n'as qu'à faire comme avant… non ?

Vincent garda le silence. Il se dit qu'il n'aurait pas dû aborder cette question. Brigitte ne pouvait pas comprendre et maintenant elle angoissait. Il allait justement lui dire que cette académie n'était pas comme les écoles où il avait si bien performé. On y apprenait le *show-business* et cette discipline n'avait rien à voir avec les cours qu'il avait suivis par le passé. Certes, il y était question de travail, d'effort et d'investissement. Mais il y était surtout question de personnalité, d'image et de sociabilité.

— Oui, tu as raison, maman, fit-il pour la rassurer après un moment. Je vais redoubler d'ardeur et tout va bien aller.

— C'est ça, mon grand. Travaille fort et tout va bien aller.

Vincent lui dit alors qu'il devait raccrocher et Brigitte lui fit promettre de la rappeler le lendemain. Brigitte resta un long moment assise, le regard fixé sur le téléphone. Devant elle, sur sa table de travail, il y avait une vingtaine de boules de papier froissé.

Dans la cabine téléphonique, Vincent resta lui aussi immobile un moment pour réfléchir. Il repassait en boucle dans son esprit la conversation qu'il avait eue en avant-midi avec Bellemare et il aurait voulu que quelqu'un lui dise quoi faire, quel comportement adopter pour chaque situation. Il aurait eu besoin d'un souffleur, comme au théâtre.

Puis, soudainement, un nom refit surface dans sa mémoire. Comme il avait encore plusieurs minutes de téléphone à sa disposition, il prit le combiné et composa le numéro. Après trois sonneries, on décrocha.

— Oui allô.

— Benjamin?

— Oui. C'est qui?

— C'est moi, Vincent.

— Vincent! s'exclama-t-il. Eh! *Man!* C'est cool que tu m'appelles. D'ailleurs, j'te remercie pour les billets de faveur que tu m'as envoyés pour le spectacle d'hier. J'avais une pratique de musique, mais sinon, je serais allé, c'est sûr.

— C'est pas grave. De toute manière, fit Vincent avec ironie, je sais déjà ce que tu penses de ce concours, alors je me doutais bien que tu ne viendrais pas.

— Ben voyons, Vince. T'es un ami, alors on s'en fout ce que j'ai pu dire sur ce concours. Tu sais, j'écoute l'émission tous les soirs pour suivre ton évolution.

— C'est vrai? Ah! Ça doit t'emmerder.

— Ben non, c'est cool. On commence tout'à se dire que tu as bien fait de t'inscrire à ce concours-là. En tous cas, Christophe regrette de ne pas s'être inscrit.

— Ouais, il aurait été excellent dans ce genre de concours. Mais des fois, ça devient un peu lourd.

— Qu'est-ce qui devient lourd? demanda Benjamin. Les cours, les répétitions?

— Non, fit Vincent. Le côté travail, ça va. Ce que je veux dire, ce qui est lourd, c'est tout ce qui entoure le travail. C'est le côté télé. On est filmé et j'ai l'impression que les spectateurs s'intéressent plus à nos faits et gestes qu'à notre travail.

— Ah! pouffa Benjamin d'un rire sarcastique. Ça, *man*, tu peux rien y faire. Prends-le pas mal, mais la rançon d'avoir toute cette diffusion, c'est que t'es pris dans un osti de téléroman! J'en parlais l'autre jour avec Math, pis on se disait que l'émission ressemble à un concours de popularité.

— Sais-tu, Benjamin, que c'est pas bête ce que tu dis. C'est vrai que même de l'intérieur, ça ressemble à ça. Mais justement, dans cette histoire-là, reprit-il avec un ton plus sérieux, j'ai l'impression d'avoir le mauvais rôle. Je ne pense pas être le gars que le public veut voir triompher à la fin.

Benjamin garda le silence.

— Écoute, Vincent, je ne sais pas si tu *fites* là-dedans, mais oublie pas que tu es mieux de rester toi-même, au risque de perdre le concours. Deviens pas une pute comme tous les autres, O.K.? C'est là que tu te brûlerais vraiment.

Vincent eut envie de lui dire qu'il avait une occasion unique à sa portée, qu'il pouvait se faire un nom en quelques semaines et miser sur ce nom pour se bâtir une carrière artistique dont lui-même ne pouvait même pas rêver. Mais il s'abstint. Benjamin, se dit-il, ne pouvait pas vraiment comprendre ce qu'il vivait. Lui, il avait choisi le chemin long et difficile du travail. Il allait trimbaler lui-même ses instruments de musique jusqu'à la retraite.

— Bon, merci Benjamin, fit Vincent pour mettre un terme à la conversation. C'est ça que je voulais entendre. Je dois raccrocher.

— Lâche pas, *man*, l'encouragea son ami.

Ce soir-là, Vincent se mit au lit l'esprit très agité. Pendant de longues minutes, il chercha le sommeil alors que des ronflements apaisés résonnaient dans la chambre. Dans son esprit défilaient des pensées sur lesquelles il n'avait aucune emprise. «Pense à autre chose», se disait-il sans cesse. C'était terminé, pour l'instant. Il n'avait rien à craindre. Il avait deux semaines devant lui pour élaborer une stratégie qui lui permettrait de rester dans ce concours. Mais il n'y arriverait jamais. Il n'était pas assez bon, il ne connaissait pas assez la chanson populaire, il parlait trop bien, il aimait trop les arts majeurs pour mériter une place dans ce concours. Le joual, le joual. Il devrait bien le parler, il y arriverait puisqu'il avait déjà appris le latin. Mais ce n'était pas sa langue, il n'arriverait jamais à jouer la comédie. Il serait démasqué. Il était déjà un imposteur ici, tout comme Karl. Le public savait flairer les imposteurs; ça se sentait comme une charogne, ça transpirait de ses vêtements, cette odeur d'imposteur…

Vincent s'assit dans son lit. Son cœur battait à tout rompre. Il avait de la difficulté à reprendre son souffle. Il manquait d'air. Cette chambre manquait d'air. Et il entendait les respirations continues des autres candidats qui, l'esprit tranquille, rêvaient à leur avenir, entrevoyaient la carrière qui se dessinait presque à leur portée. Mais lui, quelle carrière l'attendait? Il avait abandonné l'école. Il était un décrocheur. Il n'avait pas plus sa place dans le monde académique qu'ici, au domaine. Dans deux semaines moins un jour, très exactement, il allait apprendre son élimination sur la grande scène, comme Karl l'avait apprise la veille. L'animatrice allait annoncer les résultats des votes du public et, devant tout le monde, il allait découvrir qu'on ne voulait plus de lui au domaine, qu'on en avait marre de ce personnage sans relief qui ne parlait que de musique classique. Wagner! Comme il avait été bête d'entrer dans ce débat avec Karl. Non, il était déjà éliminé; sa mort était en sursis, tout simplement. Mais cela ne changeait rien au fait qu'il était condamné, formellement et inévitablement condamné… Il pouvait bien demander des conseils aux pédagogues de *L'Académie*, discuter de son image avec eux, mais aucun ne pouvait vraiment lui venir en aide. Il était seul, complètement seul, dans un long couloir qui le menait à son exécution.

Il avait vraiment peine à respirer. Il avait l'impression que des blocs de béton, comme un étau, enserraient sa poitrine en exerçant une pression de plus en plus forte. L'angoisse le reprenait. C'était un sentiment qu'il n'avait jamais éprouvé avant son arrivée au domaine. Il déposa ses mains contre ses genoux et se pencha pour tenter de mieux respirer. Il sentit instantanément des étourdissements. Il avait la nausée. Il allait vomir ou étouffer s'il ne sortait pas, s'il n'allait pas marcher au grand air.

D'un geste précipité, il enfila ses souliers et sortit de la chambre sans se donner la peine d'enfiler une veste. Il dévala l'escalier bruyamment et se précipita vers la porte arrière qui était barrée. Il sentait ses tempes fouettées par des vagues de sang. Son regard s'embrouillait. Des larmes lui venaient aux yeux.

— Non!… Noooooooon…, gémit-il en tentant d'ouvrir la porte. Laissez-moi sortir, s'il vous plaît… J'ai besoin d'air…

Puis, dans un dernier éclair de lucidité, il pensa à la serrure. Il tourna la clenche et le loquet s'ouvrit. Vincent tira la porte vers lui avec ses dernières forces et il se lança à l'extérieur. Il s'affaissa sur une marche du porche et sentit l'air entrer dans ses poumons par grandes bouffées. C'est à cet instant qu'il constata que ses mains tremblaient sans qu'il arrive à contenir ce tremblement. Son front était en sueur et il était assourdi comme s'il était sous l'eau.

Après quelques minutes, sa respiration redevint régulière. Son rythme cardiaque diminua, mais ses mains ne cessaient pas de trembler. Il pensa aller trouver un membre de l'équipe, mais la honte d'avouer son état de panique le retint. D'un geste qui lui demanda tout son courage, il se leva et alla marcher dans la cour arrière. Les allées du jardin étaient éclairées par des faisceaux lumineux. Les feuilles des plantes étaient humides. Il avait plu récemment. Vincent leva les yeux au ciel. Dans l'obscurité de la nuit, il vit des nuages qui se dispersaient çà et là, laissant entrevoir un fond céleste étoilé.

Debout, la tête levée vers les étoiles, Vincent sentit l'air frais des nuits de septembre entrer profondément dans sa poitrine. Il inspira plusieurs fois en gardant sa tête lancée par-derrière. Il ferma les yeux et, graduellement, ses étourdissements cessèrent. Il rouvrit les yeux. Il inspira à nouveau en regardant les lueurs brillantes. Cette fois-ci, ce fut le parfum des herbes et des plantes humides qui monta dans ses narines. Cette odeur était bonne.

Il marcha en suivant les sentiers du jardin. Arrivé au bout de la longue cour, il fit demi-tour et regarda le domaine qui se dressait au loin. Cette image rappela à son esprit les pensées qui avaient causé sa panique et oppressé ainsi sa poitrine. Mais là, il se sentait bien, comme au sortir d'une crise. Il ressassa les paroles prononcées par Bellemare.

Il savait qu'il devait abandonner, comme le lui avait suggéré Benjamin à mots couverts ; il devait accepter le fait que ce concours n'était pas pour lui, qu'un autre possédait les attributs que recherchait le public. Mais la reddition n'était pas une option. Il avait toujours réussi ce qu'il entreprenait. Pourquoi renoncerait-il cette fois-ci ? Il réfléchit plus ardemment.

Public, masse, spectateurs, foule, nombre : tous ces mots valsaient dans son esprit. C'était tout ce dont il avait besoin pour triompher de ce concours : l'appui du plus grand nombre. Il revit la foule, devant lui, lors du premier gala. C'était elle qui détenait le vrai pouvoir ; c'était elle qui déciderait de son avenir, cette masse sombre de têtes qui, d'un mouvement collectif, pouvait déplacer des montagnes. Ce qui était épars et multiple, comme un essaim de mouches, lui apparut sous les traits d'un seul visage, d'une même identité.

Comment pouvait-il lui inspirer de la sympathie ? Car tout débutait et se terminait avec cet élan spontané qu'il saurait inspirer au public. En toute honnêteté, qu'est-ce que le public connaissait au chant ? Certes, il savait distinguer jusqu'à un certain point la voix fêlée d'un chaudron de celle aguerrie d'un chanteur de variétés. Mais à partir d'un niveau supérieur, comme le lui avait dit Bellemare, faisait-il vraiment la distinction entre le très bon et l'excellence ?

Pour poser son jugement, le public allait donc se rabattre sur des faits repérables, sur un point d'assise commun à tous les candidats : la personnalité. Et les paroles de Bellemare lui revinrent à l'esprit : la personnalité constitue quatre-vingt-dix pour cent du succès d'un artiste aujourd'hui, le talent n'étant qu'une donnée secondaire dans les faits.

Et, en un éclair, il entrevit la conduite qu'il devait adopter à partir de cet instant. Pour gagner ce concours, pour inspirer à la majorité une sympathie spontanée, il allait devoir modifier la perception que les gens avaient de lui en entrant en relation avec les autres candidats. Et il allait aussi devoir modifier celle que le public avait de ces concurrents. Et pour y arriver, il allait avoir besoin d'un espace à l'abri des regards, d'une arrière-boutique, d'une coulisse.

Il tâta le bas de son dos. Il n'avait plus son micro. Sur les écrans, on ne verrait qu'un jeune homme qui décide de faire une promenade avant de se mettre au lit. Il observa dans le détail l'édifice de pierre qui se dressait à quelques centaines de mètres de lui. Le froid de la nuit avait pénétré son gilet et il se raidit en serrant les poings. Dans cette crispation de son être, il eut alors l'impression qu'il allait se mesurer à l'ensemble de cette maison qui se dressait devant lui pour lui imposer sa volonté.

— C'est une compétition après tout, dit-il dans la nuit avec une pointe de défi dans la voix. Il s'avança alors vers le domaine d'un pas décidé. Ses mains avaient cessé de trembler.

4

La pluie les surprit en pleine action. C'était vraiment un mauvais moment. La partie de *touch* football était à égalité, vingt-huit à vingt-huit, et l'excitation était à son comble. Même Gaétan, l'entraîneur sportif, s'était laissé prendre au jeu.

Quand la pluie s'intensifia, certains y virent un intérêt supplémentaire; Jef et Simon étaient de ceux-là. Sur le terrain devenu un champ de bouette, ils se firent des jambettes et furent bientôt trempés de la tête aux pieds. Christine et Macha y trouvaient aussi un certain plaisir. Mais d'autres étaient indisposés par la température et voulaient arrêter la partie pour aller se mettre à l'abri.

— Ça sera pas long, Julien, j'te le promets. Quelques minutes et c'est fini. On peut quand même pas rentrer quand c'est à égalité!

— C'est ce que tu as dit, Jef, il y a quinze minutes quand il a commencé à pleuvoir, pis là y mouille à siaux et on est trempés!

— *Come on Julian*, si tu t'en vas, ça déséquilibre les équipes pis on peut pas continuer. Queq'minutes encore, envoye donc…

Comme les joueurs reprenaient leur position, Julien fut forcé de revenir sur le terrain. Le ballon fut mis en jeu. Julien s'avança nonchalamment et profita de la couverture molle de Marianne pour se dégager. Simon le repéra et lança le ballon dans sa direction. Quand il eut attrapé le ballon, il courut vers

la zone des buts. Puis : *Splashhhhhhhh* ! Ses deux jambes volèrent
dans les airs et il fut projeté violemment contre le sol. Dans sa
chute, il laissa tomber le ballon. Il resta étendu dans le gazon
pendant quelques secondes, relevant lentement son visage de la
mare d'eau où il avait atterri. Simon, plus loin, riait en applau-
dissant. Julien, à genoux dans la bouette, essuya son visage avec
sa manche, puis il vit Jef qui se tenait à ses côtés.

— Excuse-moi, *man*, j'ai glissé en voulant te toucher…

— T'es content, là ! OSTIE DE TABARNAK ! On avait dit
pas de contact, Jef !

— Hey ! Du calme, c't'un accident.

— C'est ça, Jef, me semble que c't'un accident, ronchonna
Julien en se relevant pour quitter le terrain.

Cet après-midi-là, alors que les concurrents disposaient
d'une demi-heure de pause pendant la répétition, Vincent se
déroba à leur compagnie. Il sortit par la porte des cuisines et
dévala la cour arrière en prenant bien soin de longer la lisière
de la forêt. Il passa derrière la maison des techniciens et arriva
à la grange grise. Il déambula quelques instants autour de
l'édifice de bois en affectant un air distrait.

Après une dizaine de minutes d'attente dans les herbes
hautes, il entendit enfin la porte de bois s'ouvrir dans un petit
claquement de lattes. Il vit Bellemare promener un regard
circulaire autour de lui. Leurs regards se rencontrèrent ; le
producteur vint à sa rencontre.

— J'ai pas grand temps, affirma Vincent pour donner un
ton expéditif à leur entretien. J'ai besoin d'un lieu à l'abri des
caméras où je pourrais sonder le vrai caractère des autres
participants ; un lieu où je n'aurais pas à me soucier de qui
m'entend et des effets que mes paroles pourraient avoir.

Bellemare fronça les sourcils.

— Comprends-moi bien, ajouta Vincent : j'y ferai rien de mal, c'est uniquement une question de… liberté de mouvement.

Bellemare fit un petit geste saccadé de la tête qui se voulait une sorte d'assentiment.

— À ma connaissance, répondit-il après avoir réfléchi, il y a eu un problème avec la caméra du vestiaire des hommes dans la rotonde sportive. Nous attendons la livraison d'une nouvelle caméra. Je peux exiger que cette caméra ne soit jamais livrée parce que cette prise de vue est inutile.

— Tu pourrais faire cela ?

— Je suis quand même le producteur exécutif, fit Bellemare en décochant un sourire narquois.

Vincent le remercia et s'empressa de quitter les herbes hautes pour regagner la salle de répétition.

Le lendemain matin, Vincent et Jef se retrouvèrent dans le vestiaire des hommes. C'était une petite pièce à plafond bas, avec une dizaine de casiers métalliques, une toilette et deux douches. Vincent, après qu'il eut fait parler abondamment son partenaire de tennis, lui dit sans ambages :

— Tu ne trouves pas que Julien est un peu bizarre ?

Jef lui fit un regard interrogatif et méfiant.

— Qu'est-ce'tu veux dire par bizarre ?

— Bien…, répondit Vincent qui prenait un air penaud en abaissant son regard vers le plancher. Je veux dire… T'as pas remarqué qu'il n'est pas comme les autres, qu'il est un peu… différent ?

— Ouais, dit l'athlète. Y est un peu efféminé comme gars…

Les deux jeunes hommes se toisèrent. Il y eut quelques secondes de silence, puis Vincent reprit :

— J'pense que c'est un fif.

Le visage de Jef se décontracta et l'air circonspect qu'il avait arboré jusque-là fit place à une expression moqueuse.

— Ouais, moi aussi j'ai remarqué ça, répondit-il.

Vincent, d'après l'antipathie réciproque qu'il avait décelée entre les deux jeunes hommes, s'attendait à une explosion de propos homophobes, mais le footballeur restait méfiant. Voyant que son camarade demeurait prudent, Vincent lui dit qu'il n'y avait aucune caméra dans cette pièce. Il ajouta :

— J'te dis ça, Jef, parce que hier, après la répétition d'après-midi, je l'entendais discuter avec Virginie et Stéphanie pis y disait pas des belles choses à ton sujet…

— Qu'est-ce qu'il disait ?

— Il disait que t'étais une grosse brute pas de cervelle qui connaît rien à la chanson, pis que ta place était sur un terrain de foot, pas ici…

Le visage du sportif se crispa.

— Ah ! l'ostie d'tapette…, maugréa-t-il en tournant prestement sa tête de cent quatre-vingts degrés. Y m'traite de brute sans cervelle, lui ! le fif ! qu'y a rien d'un homme, qui est même pas capable de porter un ballon de football parce qu'y manque de couilles…

— Ouais, mais y serait sans doute aux anges dans les vestiaires après la *game*…

— Tu dis ! Ostie… C'est ben la seule chose que ça sait faire, une tapette : passer ses journées dans des saunas pour sucer des queues. C'est juste bon dans les douches…

— Ouais, rétorqua Vincent. Ça, on est d'accord, Jef.

Ce soir-là, il y eut toute une scène lors du souper. Les candidats s'étaient assemblés, comme à l'habitude, vers dix-huit heures, autour de la grande table d'acajou. Au menu, il y avait de la morue putanesca. On discutait de tout et de rien en se passant les platées. Johanne remarqua l'air renfrogné de Jef :

— Qu'est-ce que tu as Jef, ce soir ? Ça n'a pas l'air d'aller ?

Le sportif grommela quelques excuses. Vincent toussota afin de s'éclaircir la voix, puis il dit :

— Johanne, je voulais te demander, commença-t-il d'un ton léger et candide, est-ce que tu es au courant si le mariage gai a été voté aux États-Unis ? Il me semble que Bush parlait d'un amendement constitutionnel pour limiter le droit des États ? Je te le demande parce que quand on est entré ici, ça prenait toute l'actualité là-bas et vu qu'on n'a pas accès aux nouvelles, je voulais savoir comment toute cette histoire s'est terminée.

L'animatrice, bien naïvement, dit qu'à sa connaissance le projet d'amendement avait été refusé et que la légalité du mariage homosexuel demeurait une question qui relevait des États. Profitant du silence, Jef affirma, avant d'avaler une bouchée de poisson :

— Et c'est ben dommage s'il n'a pas passé. Où s'en va le monde si les hommes se marient avec les hommes et les femmes avec les femmes ?…

Il s'ensuivit un silence inconfortable. Pendant quelques secondes, les mâchoires cessèrent leur travail de mastication et chacun regarda droit devant lui, ou dans son assiette, en cherchant les mots qu'il fallait dire après *ça*.

— Jef, répondit l'animatrice visiblement incommodée, ce n'est pas aussi simple que ça. Il ne faut pas faire de discrimination. C'est normal qu'on ait tous les mêmes droits, non ?

— Ouais, mais j'pense que les homos doivent rester des homos pis qu'il faut pas les traiter comme des hétéros, parce qu'ils ne sont pas pareils… Le sportif décocha un regard corrosif en direction de Julien qui, à l'autre bout de la table, le fixait froidement.

— Attends un peu, Jef, rétorqua Macha qui était assise juste en face de lui. Moi, j'ai plusieurs amis gais pis j'pense que c'est juste normal qu'on les traite comme tout le monde. Ce serait de la discrimination si on leur refusait le mariage.

— Écoute, Macha, j'dis pas qu'il faut les brûler, mais y a une différence majeure entre les hétéros et les homos, c'est les enfants. J'ai peut-être l'esprit étroit, mais jusqu'à nouvel ordre, deux mecs, ça peut pas faire de flots, non ?

— Ouais, mais tu parles du mariage d'un point de vue tellement religieux, Jef. Aujourd'hui, pus personne fait des enfants, même les hétéros se reproduisent plus, alors pourquoi ils auraient la chance de se marier, mais pas les gais, s'ils font pas plus d'enfant qu'eux ?

— Ben voyons, Macha ! s'exclama Stéphanie, c'est pas vrai c'que tu dis là. Les hétéros font encore des enfants. Toutes mes cousines plus vieilles ont des enfants, pis moi j'compte ben en avoir quatre ou cinq. J'veux pas dire par là qu'il faut nécessairement refuser le mariage aux homosexuels, mais j'pense que ton argument tient pas la route.

Macha, qui était assise en face et de biais à Stéphanie, parut hésiter avant de répondre. Elle fronça les sourcils en mordillant sa lèvre inférieure.

— Nous touchons maintenant au nœud du débat, dit Simon en s'invitant dans la discussion : est-ce que le mariage doit nécessairement mener à l'enfantement ou bien est-il uniquement le choix libre de deux personnes qui s'aiment et décident d'unir leur destinée ? Quelle belle question philosophique qui nous porte à nous interroger sur la nature du rapport amoureux. Ça me rappelle un de mes cours de philo.

L'initiative de Simon, qui voulait amener le débat vers une dialectique socratique, tomba à plat. Macha répondit plutôt à Stéphanie avec un calme suspect :

— T'es sérieuse, Steph, quand tu dis que tu veux avoir quatre ou cinq enfants ?

— Oui, tout à fait, Macha ; c'est très important pour moi, les enfants.

— C'est étrange.

— Quoi ? Qu'est-ce qui est étrange, Macha ?

— Ben… je ne voudrais pas que tu le prennes mal, mais je ne comprends pas ce que tu fais ici, maintenant, au domaine. Pourquoi participes-tu à ce concours si c'est si important pour toi d'avoir des enfants ?

— Je me suis inscrite à ce concours pour les mêmes raisons que toi, parce que j'aime chanter et que si j'ai la chance, j'aimerais devenir une chanteuse…

— … et avoir cinq enfants ?

— Qu'est-ce que tu ne comprends pas, Macha ? demanda Johanne depuis l'extrémité de la table. Il y a des tas de femmes qui concilient travail et vie familiale. Stéphanie, comme elles, pourra, si elle le souhaite, avoir une carrière de chanteuse et avoir des enfants en même temps.

— Je ne voudrais pas avoir l'air rabat-joie, mais tu parles comme une politicienne, Johanne. La réalité de la conciliation travail-famille est plus compliquée que ça, y me semble. Même si aujourd'hui, on dit que les femmes peuvent avoir des enfants tout en travaillant et subir aucune conséquence de leur décision, moi j'trouve que c'est pas tout à fait vrai. Pour les carrières dans la fonction publique, j'dis pas. Mais regardez un peu ailleurs, dans le privé, vous allez voir que c'est différent. Pour vous donner un exemple, une fille que je connais, qui faisait de la danse dans une troupe professionnelle, a vu, quand elle a eu son petit, que c'est encore les femmes qui écopent des inconvénients de la maternité. Au début, tout le monde lui disait : «Vas-y, prends un congé de maternité, on te garde ta place.» Ben, ils ont annulé son contrat. Je ne suis pas en train de dire que les femmes ne doivent plus avoir d'enfant; je dis simplement que d'un point de vue professionnel, une grossesse est toujours nuisible. Alors quand j'entends le monde se péter les bretelles en disant qu'on a évolué et que les femmes ont les mêmes chances que les hommes dans leur profession, moi j'pense qu'on nous ment en pleine face.

— Mon Dieu, Macha, mais tu es donc ben pessimiste! s'exclama Stéphanie.

— Je ne suis pas pessimiste, je suis réaliste. S'il y a une chose que j'ai apprise dans la vie, c'est bien à ne pas me mentir. Il faut voir les choses telles qu'elles sont, avec lucidité, si on veut pas se faire péter sa balloune. Pis quand j'entends Stéphanie dire qu'elle va chanter et avoir cinq enfants, j'peux pas m'empêcher de me dire qu'elle va comprendre un jour qu'elle peut pas réaliser ces deux rêves-là. Et même, si tu me permets Steph, j'pense que tu te mens à toi-même quand tu dis que ton désir le plus profond c'est d'avoir des enfants. Je pense que tu crois que certaines choses sont plus importantes, ou disons plus satisfaisantes, qu'avoir des enfants; comme avoir une carrière de chanteuse. Tu viens d'une famille nombreuse?

— Ouais, j'ai quatre frères et deux sœurs répondit-elle.

— Et ta mère, elle travaille?

— Ben non. Elle n'a jamais eu le temps.

— Tu vois, Stéphanie, ce que j'veux dire ? Il y a des femmes qui veulent vivre cette vie-là, mais il y en a d'autres pour qui s'occuper d'une maison, faire à manger et tout ça, c'est insuffisant.

— Donc, pour résumer ce que tu dis, dit Simon, tu penses que les femmes doivent choisir entre faire des enfants ou avoir une carrière ?

— Ou, si elles veulent concilier les deux, nuança Macha, elles ne feront pas beaucoup d'enfants. La moyenne, au Québec, c'est 1,5 enfant par femme, c'est ça ?

— Ben, c'est toujours ça ! dit Jef. Les gais, eux, c'est combien la moyenne d'enfants par couple ?

— Cinq ou six, si on compte l'adoption, blagua Simon.

— Ouais, mais quel genre d'enfant que ça va faire, ça, si y passent leur enfance à voir leurs pères se minoucher ? Y vont devenir des pédales eux aussi, c'est sûr.

— Oh ! dit Simon en mimant l'enthousiasme d'un animateur de jeu télévisé. Malgré les préjugés manifestes de Jef, nous touchons encore une fois à une question de fond : est-ce que l'homosexualité tient de l'inné ou bien est-ce qu'elle tient de l'acquis ? Naît-on gai ou le devient-on ? Vraiment, j'aurais dû continuer en philo à l'université…

— En tout cas, j'sais pas si l'homosexualité est naturelle, mais ce que je sais, c'est que les gais forment des couples un peu moins fidèles que les hétérosexuels, dit Stéphanie.

— Ben voyons ! explosa Macha. Comment peux-tu les juger d'aussi haut ! Moi, des couples gais, j'en connais qui sont ensemble depuis plusieurs années pis qui sont très heureux…

— Mais, tout de même, Macha, rétorqua Stéphanie, si tu en connais autant, tu devras admettre qu'ils ont l'infidélité facile…

— Ouais, peut-être, concéda la jeune fille, mais c'est pareil pour les hétéros. Quel couple n'a pas eu affaire à quelques infidélités ? Ça ne tue personne, quelques infidélités, y suffit d'être franc l'un envers l'autre, non ? *Come on* ! De toute façon, Stéphanie, je suis certaine que tu penses que l'homosexualité est un vice, une déviation de la nature.

— Qu'est-ce qui te fait dire ça ?

— Ben, tu portes une petite croix en or dans ton cou, tes parents ont pas l'air d'utiliser la contraception, pis tu marmonnes toujours queq'chose avant de te coucher. Faque je pense que ton opinion est assez arrêtée sur le sujet.

Stéphanie balbutia quelques monosyllabes, surprise par les accusations de Macha. Son visage prit une expression confuse. Puis, après quelques secondes, elle rétorqua, d'un ton calme et posé :

— Oui, Macha, tu as raison. Je viens d'une famille chrétienne. Je pense que le mariage est une institution sacrée et qu'il faut que cette institution soit réservée aux hétérosexuels, mais je pense aussi, d'un point de vue social, que le gouvernement doit valoriser la fami…

— Ah ! trancha Macha avant que Stéphanie eût terminé d'exposer son opinion, tu penses que l'homosexualité est un péché ? Hein ? Tu penses que les gais vont aller en enfer ?

— Non, non… ce n'est pas ce que je veux dire. Si on n'avait pas jeté la religion par-dessus bord dans les années soixante, on serait pas pris avec les problèmes démographiques qu'on a aujourd'hui.

— Ouais, mais on n'aurait pas de sexe avant le mariage non plus…, dit Simon avec un sourire à la commissure des lèvres.

À ce moment du débat, Vincent, qui avait assisté à la scène en observateur, jugea qu'il était temps d'y faire entrer un nouveau joueur.

— Toi, Julien, prononça-t-il insidieusement, est-ce que tu penses que les couples gais sont plus portés à l'infidélité que les couples hétéros?

Tous les regards dardèrent en direction du jeune garçon dont le visage s'empourprait à vue d'œil et qui peinait à garder son calme. Il s'éclaircit la voix d'un léger toussotement en s'avançant vers la table:

— Non, Vincent, dit-il d'une voix frêle et chevrotante, je pense pas que les homosexuels sont plus infidèles que les hétérosexuels… Il y a toujours eu des homosexuels et il y en aura toujours, donc je crois qu'il est temps de les reconnaître à part entière comme une réalité sociale.

— Ouf! Mais quel débat! lâcha Johanne depuis l'extrémité de la table. Vraiment, c'est un sujet qui soulève beaucoup de passions. Par chance qu'on n'a pas à trancher la question ce soir…

• • •

Dès qu'il entra dans la classe ce lundi matin, il sentit l'attention des autres élèves se poser sur lui. Il alla rejoindre Dave et Michaël, ses deux amis, au fond de la salle de cours, près des fenêtres.

— Bon, Sam, dit Dave en le voyant arriver vers la table, c'est rendu que tu fais la couverture des magazines à l'épicerie… T'es devenu célèbre, ou quoi?

Samuel Thibodeau sourit en bombant le torse.

— Y m'ont offert 3 000 $, tu te rends-tu compte, Dave? 3 000 $ juste pour raconter comment j'ai rencontré Christine. Man, j'ai dit deux trois trucs, pis j'ai empoché l'cash…

Dave tendit la main et Samuel la frappa du revers de la sienne dans une gestuelle qui leur était familière.

— Pis, qu'est-ce tu vas faire avec l'argent? demanda Michaël.

— M'a m'acheter un nouveau snow, ça c'est sûr, fit Samuel en prenant place.

Il observa l'ensemble de la classe. En attendant l'arrivée du professeur, les étudiants se réunissaient en groupe de quatre ou cinq et discutaient. Samuel vit que plusieurs collégiennes le regardaient à la dérobée en discutant.

— Mais j'comprends pas, dit Michaël. Tu l'avais pas laissée, Christine, à la fin de l'été?

Samuel haussa les épaules en regardant toujours vers les tables voisines.

— Non, Mike, c'tait juste un break. Christine pis moi, on est encore ensemble même si ça a été difficile cet été. C'est le vrai amour de ma vie, *man*. On se connaît depuis qu'on a 14 ans.

Il fit une pause et réfléchit.

— C'te concours-là, j'pensais pas que ça allait la rendre célèbre de même. Tout l'monde me parle juste de Christine pis de L'Académie. A va peut-être gagner, tsé. En tous cas, est ben partie pour ça. Ma mère, a suit l'émission tous les soirs, pis moi aussi.

— T'as-tu vu, dit Dave, vendredi passé, l'engueulade entre Macha pis la bonne sœur?

— Ben oui, dit Samuel. C'te fille-là, une chance qu'elle a été éliminée hier. C't'une freak qui va à l'église tous les dimanches... Bon débarras.

Samuel vit que Julie, la blonde qu'il avait remarquée depuis le début de la session de cégep, le regardait fixement depuis quelques instants. Il lui fit un sourire. Le professeur de biologie entra dans la classe et commença à prendre les présences.

• • •

Même si l'acide lactique brûlait les muscles de ses cuisses, il se sentait capable de poursuivre ainsi pendant encore plusieurs kilomètres. Jamais, peut-être, ne s'était-il senti si débordant d'énergie. Sous ses pas défilait le terrain escarpé et accidenté de la piste d'hébertisme. C'était le cinquième tour qu'il terminait et il se sentait bien, vraiment bien. L'air entrait dans sa poitrine et il avait l'impression d'avoir dix cœurs, vingt poumons, quarante jambes tant ses forces lui semblaient décuplées.

Dans son iPod qui l'accompagnait maintenant partout, la discographie des Beatles avait remplacé les œuvres complètes de Wagner ; *Sgt. Pepper's Lonely Hearts Club Band* avait surclassé le *Ring*. Mais c'était surtout les débuts du groupe qu'il appréciait, ce rock'n'roll inspiré des années cinquante avec des pièces énergiques et rythmiques aux harmonies vocales abondantes ; c'était ce rock qu'il venait de découvrir, issu des Elvis Presley, Chuck Berry, Buddy Holly, Jerry Lee Lewis, qui lui donnait cette énergie débordante dans ses membres.

Well, she was just 17,
You know what I mean,
And the way she looked was way beyond compare…

Et il trouvait le souffle pour chanter sur la voix de Paul McCartney pendant qu'il courait, les sons poussés par ses cordes vocales envahissant sa boîte crânienne. Ne résonnaient dans ces bois en cet après-midi de fin septembre que le bruit régulier de ses pas battant la terre des sentiers et les éclats de sa voix brisée par l'essoufflement et le déchirement de ses cris.

Son corps devenait une sorte de machine qui carburait au rock. Il avançait à un rythme régulier et son esprit divaguait en pensées. Il comprenait maintenant que le rock s'était abreuvé du blues, du country, du folk. Tout cela, il le devait aux cours d'histoire de la chanson d'Antoine Morin. Le premier avait porté sur les *protest songs* américaines des années 1960 et le second, sur l'invasion britannique.

Well... shake it, shake it, shake it, shake it, baby now...
Shake it up baby...
Shake, it, shake it, shake it, baby now...

La voix éraillée de John Lennon, épuisé au terme d'une session d'enregistrement de neuf heures, était merveilleuse parce que sur le point de faillir.

Vincent commençait à se dire que la décennie 1960, par l'explosion d'une culture populaire de masse, avait changé le visage du monde. Antoine analysait des chansons comme d'autres analysaient des poèmes: elles étaient bien sûr la représentation d'une voix subjective, mais elles représentaient surtout une collectivité. En cette époque de révolution sociale, les *rock stars* avaient été les grands mages qui avaient dicté aux masses la marche à suivre. Pour comprendre le XXe siècle, Vincent en venait à se dire qu'il fallait, inévitablement, étudier la culture populaire. Ses vrais poètes, ses vrais artistes, les hommes qui avaient eu une influence concrète sur le cours de l'histoire par la portée de leur production artistique étaient majoritairement des artistes populaires.

Help! I need somebody, help!
Not just anybody, help!
You know I need someone, help...

Lorsque cette chanson joua pour la quatrième fois dans ses oreilles, Vincent s'arrêta. Il connaissait maintenant les paroles par cœur et devait apprendre à la jouer à la guitare. Non pas seulement par calcul, mais parce qu'il éprouvait quelque chose d'extrêmement intense à son écoute.

Quand il eut terminé son jogging, Vincent alla prendre une douche et se dirigea ensuite vers la salle de musique. Il traversa d'abord le salon où Macha, Christine et Simon téléchargeaient de la musique pour se reposer après les cours de la journée. Arrivé dans la salle de musique, Vincent attrapa la guitare *Les Paul* sur un pied, alluma l'ampli *Vox* et ouvrit l'amplificateur de voix. Il alla prendre place devant l'ordinateur, ouvrit la connexion Internet et chercha sur *Google* des partitions de *Help!* Il trouva quelques partitions musicales, mais elles ne lui permirent pas de reproduire le son des Beatles. Il se rappela alors les leçons qu'il avait tirées de son apprentissage très rapide de la guitare rythmique pour le spectacle de Jean Leloup. Benjamin lui avait répété à maintes reprises lors des pratiques qu'il devait changer son approche des chansons ; la bonne approche n'avait rien à voir avec sa formation classique. Vincent reprit donc, en cet après-midi, les tablatures qu'il lui avait fournies et passa en revue toutes les structures d'accords. Quelque chose changea dans son appréhension de la musique populaire. Du langage formel que représentait la partition musicale, il passa au langage beaucoup plus souple des partitions à accords. Pour apprendre une chanson, il n'avait plus besoin d'autre chose que des accords et de ses oreilles.

Quand il parvint à jouer *Help!* avec une certaine aisance, il goûta à cette ivresse qu'il n'avait pas éprouvée depuis le spectacle de Leloup. Après quelques minutes, il s'aperçut que Simon se tenait dans le cadre de la porte, attiré par la musique. Il lui dit de prendre une guitare et de venir le rejoindre pour faire les *back vocal*. Bientôt, la musique rock résonna dans toute la maison avec une telle force qu'on pouvait l'entendre jusque dans le jardin.

En soirée, les deux musiciens reprirent leurs instruments et abordèrent le répertoire des années cinquante. Malgré les plaintes des autres concurrents et les mises en garde de l'animatrice contre le manque de sommeil, ils jouèrent jusqu'au petit matin tous les classiques d'Elvis et de Chuck Berry; ils les jouèrent jusqu'à s'en fendre la peau des doigts et à en perdre la voix.

5

Marianne avait beaucoup hésité avant d'aller voir Fernand Valois après qu'il lui eut suggéré des lectures à sa demande. Alors que sa découverte de la musique classique dirigée par Murielle allait de soi et lui laissait l'impression de faire des progrès considérables – elle en était venue à écouter son premier opéra complet avec un DVD de *La Traviata* et avait pleuré sur l'air de *Un Di, Felice* –, ses premiers pas dans la littérature s'avéraient beaucoup plus difficiles qu'elle ne l'aurait cru.

Lorsqu'elle approcha la salle de cours de création quinze minutes avant le début de la séance, elle entendit des éclats de voix. Le rire franc et sonore de Fernand Valois résonnait dans la pièce. Elle s'avança sur le seuil de la porte et vit que le professeur de création était déjà en conversation avec Vincent. Les deux hommes, nonchalamment appuyés contre le piano à queue, semblaient avoir une discussion amicale.

— Non, j'ai vraiment mis des efforts considérables dans ce poème pour briser l'emploi transitif des verbes, disait Vincent. Je dis des efforts, ce n'est pas vrai; je me suis simplement laissé porter par la sonorité des mots pour composer ce poème.

— Mais ça s'entend ! disait un Fernand Valois enthousiaste. La répétition du verbe *transporter* sans rien pour le compléter, c'est… c'est… c'est de l'Art… du vrai Art, mon cher !

— Ah! rétorquait Vincent d'un mouvement humble de la tête. Mais non, ce n'est qu'un début. Je dois juste continuer à écrire tous les soirs avant d'aller dormir. C'est là que ça monte en moi, cette voix, ces mots sans rien d'autre que leur habit sonore...

Le visage de Fernand s'allongea dans une expression béate.

— Mais... c'est que tu parles en poésie, maintenant... Le Verbe monte en toi... Oui, oui... Rien de moins... On ne t'appellera plus le petit Français, Vincent, mais le nouveau Miron!

Et les deux hommes échangeaient des compliments complaisants. Remarquant la présence de Marianne, Fernand dit à Vincent qu'il avait d'autres élèves à rencontrer. Les deux hommes se serrèrent la main et Vincent se dirigea vers Marianne en lui disant que le maître était à sa disposition. Marianne, intimidée par la conversation qu'elle venait d'entendre, eut un sourire inhibé. Fernand lui dit de venir le rejoindre.

— Et puis, ma chère petite, est-ce que tu as bien lu les poésies que je t'ai prêtées?

— Oui... oui, fit-elle en s'avançant d'un pas lent. J'ai lu les trois livres.

— Et puis? Qu'est-ce que ça t'a fait?

Le regard de Marianne fuit autour d'elle en parcourant les divans et les fenêtres.

— Ben... Pour être totalement honnête, dit-elle après un moment, j'avoue que je n'ai pas compris grand-chose. Ça doit être à cause que je ne suis pas une grande lectrice, mais... mais les poèmes, j'arrivais pas à comprendre ce qu'ils racontaient.

— Mais non, mais non, fit le poète avec un geste ample de la main. Ce n'est pas ce que ça raconte qui compte, c'est ce que ça te fait, ce que tu ressens quand tu les lis qui importe. Allez! Il doit bien y en avoir un qui t'a plu plus que les autres?

— Eh… oui, dit-elle en montrant un des trois livres qu'elle tenait entre ses mains. Vous m'aviez dit de lire les derniers poèmes de ce livre et j'ai essayé de les lire, mais… c'était tellement difficile de comprendre ce que ça voulait dire que j'allais abandonner. Pis j'ai décidé de commencer au début du livre, comme une histoire. Pis là, j'ai bien aimé ce que j'ai lu. Surtout le premier, en fait, celui dans lequel le poète parle des orphelins.

Marianne ouvrit le recueil et trouva la page qu'elle cherchait.

— Celui qui s'appelle «Les étrennes des orphelins». Des étrennes, c'est des cadeaux, c'est ça?

— Oui, répondit Fernand, c'est bien ça.

— Bien, ce poème-là, j'pense que je l'ai compris. J'ai fouillé dans le dictionnaire pour beaucoup de mots, mais j'ai finalement compris.

— Mais il ne faut pas que tu t'attardes juste à l'histoire qu'il y a dans un poème, recommanda le professeur. Un poème, ce n'est pas narratif! C'est sonore. Ce sont les signes qui parlent, pas les mots! Ne cherche pas le référent, ma petite, vois derrière le mot!

Le visage de Marianne s'étira dans une expression de confusion. Elle faisait un effort soutenu pour essayer de comprendre ce que Fernand entendait par sonorité, narratif, signes, référent; mais tous ces mots, dans sa tête, se mêlaient pour ne former qu'un brouillard obscur dans lequel son esprit s'égarait.

Remarquant son regard fuyant, Fernand reprit d'un air consciencieux:

— *Les Illuminations*, donc, tu n'as pas aimé ça ?

Marianne hocha honteusement la tête de gauche à droite.

— Mais non, mais non, reprit-il avec ménagement. Ce n'est pas grave, ma chère. Ce qui importe, c'est que tu trouves ta voix, quelque chose qui te fait vibrer. J'imagine, si tu n'as pas aimé Rimbaud, que les poésies de Saint-Denys Garneau ou celles d'Éluard ne t'ont pas parlé beaucoup, alors ?

Marianne eut une moue embarrassée.

— Bon, bien, fit Fernand avec une énergie soudaine, voilà un défi pour moi ! On va te trouver quelque chose, tu vas voir.

Et le professeur pencha le front en l'appuyant contre la paume de sa main. Il réfléchissait.

— Ah ! s'exclama-t-il après un long moment de réflexion en relevant son visage vers elle. Il te faut quelque chose de narratif, un roman avec une histoire, mais qui te permettrait de voir le travail d'un poète. Je sais ce que je vais t'apporter demain. Tu vas voir, c'est le seul roman de toute la littérature française qui est digne d'intérêt.

Marianne le remercia timidement et alla s'asseoir sur le divan en attendant l'arrivée des autres élèves. Elle en profita pour réviser les exercices de création que le professeur leur avait imposés. Après quelques minutes, elle remarqua qu'un cartable traînait sur une table basse. Elle regarda en direction de Fernand Valois qui lui faisait dos en lisant un document. Sa curiosité l'emportant sur la conscience qu'elle avait d'agir sous l'œil des caméras, Marianne ouvrit le cartable et reconnut l'écriture de Vincent. Il avait une graphie très fine et régulière. Elle jeta un œil au professeur et comme il lui faisait toujours dos, elle se mit à le feuilleter. Il y avait des pages et des pages de texte. Vincent ne semblait pas éprouver les mêmes difficultés qu'elle pour ce genre d'exercice. En fait, il n'éprouvait aucune difficulté à satisfaire les exigences de Fernand Valois. Depuis sa métamorphose sociale, Vincent s'était donné pour mandat d'être réceptif pour chaque enseignement proposé par le programme pédagogique du domaine. C'est ainsi que sous les recommandations de Valois, chaque soir, avant de se mettre au lit, Vincent couchait des vers sur le papier. Et il fut le premier surpris de constater que cette activité lui prenait très peu de son temps. C'était, en quelque sorte, une activité hygiénique qui ne lui demandait pas vraiment plus de concentration que l'usage de la soie dentaire. Chaque matin, il remettait ses poésies à Fernand qui s'émouvait devant une fécondité créatrice qui lui rappelait sa propre période de productivité artistique.

Marianne entendit des éclats de voix. Elle repoussa le cartable sur la table du salon et se concentra sur ses deux pages de texte. Simon et Vincent, qui étaient en pleine conversation, entrèrent dans la pièce. Elle entendit la voix de Simon.

— Je t'avais ben dit que *Nevermind* est l'un des plus grands albums de tous les temps.

— T'as raison, Simon, répondait Vincent. Mais la qualité de cet album-là vient beaucoup du travail de réalisation. Il y a tellement peu d'instruments que ça prenait un travail de mixage et de *mastering* particulièrement efficace pour faire sonner autant les chansons. Ça se voit sur *Incesticide* qui n'a pas ce son-là. Ils n'ont pas fait la même erreur avec *In Utero* qui sonne comme *Nevermind*.

Marianne vit Simon et Vincent prendre place sur le divan en poursuivant la discussion à propos d'autres groupes grunge tels que Pearl Jam, Soundgarden, Sonic Youth. Vincent prenait ces noms de groupe de musique en notes dans son cartable et disait qu'il allait les télécharger dans son iPod immédiatement après le cours de création.

Marianne, pendant l'heure et demie qui suivit, s'efforça d'assimiler les multiples procédés d'écriture qu'expliqua le professeur. La diminution du nombre d'étudiants avec les éliminations hebdomadaires favorisait son apprentissage. Marianne posait de plus en plus de questions pour comprendre ce que les professeurs attendaient d'elle. L'élimination toute récente de Jef, se disait Marianne, avait permis de détendre l'atmosphère au domaine qui s'était considérablement tendue à la suite du souper où l'on avait débattu des droits civiques des homosexuels. Après ce fameux soir, Macha avait pris Stéphanie en grippe, relevant chacun de ses faits et gestes, liguant les autres concurrents contre cette fille qui était de la «vieille école». Puis, c'étaient Julien et Jef qui avaient eu de nombreux différends. Lors du gala précédent, Jef s'était vu montrer la sortie et l'atmosphère, en ce début de la quatrième semaine de diffusion, s'était instantanément allégée au domaine.

Le cours d'histoire musicale de l'après-midi portait sur la chanson québécoise des années 1960, mais comme il en avait convenu avec Bellemare quelques semaines auparavant, Antoine Morin se permit de faire une séance comportant une longue séquence consacrée à la Révolution tranquille. Marianne, qui ne se souvenait que très vaguement d'avoir entendu cette expression pendant le cours d'histoire de secondaire 4, qu'elle n'avait d'ailleurs pas réussi, fut surprise d'apprendre, lors de cette introduction, que plusieurs révolutions avaient déjà secoué d'autres pays bien avant le Québec. Antoine parla très brièvement et de façon elliptique de la guerre d'Indépendance américaine, puis un peu plus longuement de la Révolution française. Un jour, on avait coupé la tête d'un roi? Sur la place publique? Mais qui avait pu commettre un tel crime au nom de la liberté? Les incohérences de l'Histoire la choquèrent. Après un préambule aussi sanglant, elle s'attendait à se faire raconter que le premier ministre du Québec, quelque part pendant la décennie 1960, s'était fait éviscérer devant le Parlement de Québec. Elle fut rassurée d'apprendre que cette révolution n'avait rien de sanglant; davantage, elle s'était fait sans heurt, paisiblement presque. Elle entendit des expressions qui lui semblèrent d'abord très abstraites telles que structure étatique, laïcisation de l'état, révolution sociale. Mais comme il y avait moins d'élèves que les semaines précédentes, elle osa demander des précisions chaque fois qu'elle ne comprenait pas une expression, et Antoine Morin, dans une langue sobre et concrète, parvint à lui faire comprendre la portée tangible de ses mots.

Devant des analyses que Marianne, en toute honnêteté, n'était pas certaine de comprendre intégralement, Vincent, lui, semblait émerveillé. Il se lança avec le professeur d'histoire dans une discussion et fit référence, au passage, à un homme, un certain Tocqueville, qui avait écrit sur ou participé à des révolutions, Marianne n'en était pas certaine. Il devait être un Patriote, pensa-t-elle, comme ce Papineau dont Antoine avait brièvement parlé. Du moins, Vincent et Antoine semblaient se comprendre, si bien qu'après le cours ils étaient toujours en discussion quand Marianne les aborda.

— Puisque ça fait aussi souvent que tu nous en parles, disait Vincent, je dois lire cette pièce. Je crois que je vais manquer quelque chose si je ne la lis pas.

— Bien, je vais t'apporter un exemplaire la semaine prochaine, répondait Antoine Morin. Et tu vas voir, Tremblay affirme peut-être quelque chose de fondamental sur notre culture, quelque chose qui serait de l'ordre de l'impossibilité pour l'individu de s'affranchir du groupe. Le groupe est toujours plus fort que l'individu chez Tremblay, il me semble.

Marianne allait les laisser discuter quand Antoine la remarqua.

— Est-ce que tu voulais me parler, Marianne? demanda-t-il.

— Je ne voulais pas interrompre votre discussion, fit-elle en esquissant un geste de retrait.

— Mais non, Marianne, fit Vincent. N'hésite pas, parce que sinon à chaque fois que tu vas vouloir demander quelque chose à Antoine, tu vas me trouver collé à lui!

Antoine sourit timidement en abaissant la tête.

— Ben, commença-t-elle avec hésitation, je me rappelle pas très bien de mon cours d'histoire de secondaire 4, ça fait que y a plein de choses que tu as dit, Antoine, tout à l'heure, que j'aimerais mieux comprendre.

— Oui, dit le professeur, comme quoi?

— Ben, la Révolution française, par exemple. Tu en as parlé super vite, mais je voudrais comprendre pourquoi on a tué le roi. Pis c'est quoi ça, une république?

Antoine, qui venait de remarquer Johanne dans le cadre de la porte, regarda sa montre.

— Écoute, Marianne, ça va me faire plaisir de te parler un peu plus de la Terreur, mais là, Johanne vous attend pour vous amener souper dans un restaurant, quelque part à Montréal. En discutant avec vous, tout à l'heure, j'ai bien vu que Vincent était pas mal calé en histoire française. Il connaît Tocqueville sur le bout de ses doigts! Je te propose de lui poser tes questions pendant le voyage et je suis convaincu qu'il pourra y répondre, hein Vincent?

Très galamment, Vincent s'offrit pour éclairer Marianne sur l'histoire des révolutions démocratiques françaises. Quelques minutes plus tard, les candidats étaient assis dans le confortable autobus qui les transportait partout et Marianne apprenait que les élections n'existaient pas de tout temps. À une certaine époque, une poignée d'hommes, qui appartenaient à une même classe sociale, dirigeaient la nation française et jouissaient de privilèges. Lorsqu'ils arrivèrent au restaurant, Vincent l'entretenait du mode de vie aristocratique et de l'architecture de la Renaissance française pour faire comprendre à la jeune femme ce qu'avait été l'Ancien Régime. Ils prirent place au bout de la table pour poursuivre leurs échanges. Et pendant toute cette soirée, les candidats jetèrent des regards intrigués vers ces deux élèves qui prononçaient des noms étranges tels que Robespierre et Danton, et des mots tout aussi étranges tels que Restauration, monarchie de Juillet et Second Empire.

• • •

Ce fut le cliquetis d'un clavier d'ordinateur qui le tira du sommeil ce matin-là. Dès qu'il eut ouvert les yeux, Bellemare se dressa sur son séant en faisant craquer les os de son cou. Puis, il attrapa le rideau de flanelle et le tira d'un geste vif. La lumière du matin envahit la petite pièce qui lui servait de chambre : il y avait tout juste l'espace suffisant pour loger une personne. À droite de l'inconfortable lit de fer sur lequel il s'étendait chaque soir, trop étroit pour sa carrure d'épaule et pas assez long pour la grandeur de ses jambes, il y avait une petite commode dans laquelle il avait rangé ses effets personnels. À gauche, il y avait un placard étroit à l'intérieur duquel étaient suspendus les quatre costumes qu'il possédait, tous de teintes sobres.

En se levant, Bellemare s'appuya contre la cloison qui s'incurva sous son poids. Dans cette ancienne écurie, on avait d'abord abattu toutes les divisions grossières qui étaient marquées par des murs de bois et des poutres massives. Puis, dans l'aire dégagée de la bâtisse, on avait érigé ces cloisons creuses que traversaient presque tous les bruits extérieurs, même le clapotement d'un clavier d'ordinateur.

Après qu'il se fut levé, il alla au petit évier pour s'asperger le visage d'eau. Puis, il enfila une chemise et prit son veston accroché sur la patère. Lorsqu'il ouvrit la porte de sa chambre, il comprit la cause du bruit qui l'avait tiré de son sommeil : à quelques mètres plus bas, la porte de la régie était ouverte – sans doute pour aérer la pièce sombre et hermétique où ne filtrait aucun bruit provenant de l'extérieur. Bellemare descendit les trois marches qui le séparaient du niveau du sol et il s'avança vers l'imposante porte d'acier entrebâillée et pénétra dans la régie.

À l'intérieur, il vit que Marc était seul devant la console. Après avoir toussoté pour manifester sa présence, il demanda :

— Pourquoi la porte était-elle ouverte ?

Sans détourner son regard des moniteurs, Marc répondit :

— Annick vient de sortir ; elle a dû la laisser ouverte parce qu'elle se plaint de manquer d'air depuis deux jours.

Après s'être assis dans un siège près du technicien affairé, Bellemare demanda si le premier montage pour la quotidienne était terminé.

— Ouais, répondit le monteur, il ne reste que quelques détails. J'enlève une dernière séquence, un petit balayage, puis c'est à toi de jouer.

En se penchant vers l'écran, Bellemare observa le visage de Marc qui était éclairé par le halo lumineux que dégageaient les moniteurs. C'était un visage exsangue avec une expression livide : les yeux du jeune homme étaient injectés de sang, les paupières étaient légèrement bouffies ; ses lèvres blêmes et sèches étaient entrouvertes. Le garçon n'avait vraisemblablement pas dormi de la nuit, comme les autres nuits depuis le début de la diffusion quotidienne de l'émission. Généralement, Marc se couchait vers neuf heures du matin pour se relever vers quatorze heures. Pendant qu'il se reposait, Bellemare visionnait le montage préliminaire que le monteur avait produit la veille. Puis, vers quinze heures, Marc revenait à sa table de montage pour recevoir les directives de Bellemare et il fallait que l'émission fût prête à dix-sept heures afin que Johanne enregistre les séquences de narration qui présentaient les moments-clés au grand public.

— On a été gâté hier, affirma Marc. Tu vas voir : Macha nous a encore servi toute une performance lors du dîner.

Normalement, Bellemare restait dans l'entourage de la régie afin de garder un œil sur ce qui se passait à l'intérieur du domaine. Mais, la veille, il avait dû s'absenter pour assister à une réunion avec le conseil d'administration de la société de production. Il avait pu constater lui-même l'engouement grandissant que suscitait l'émission. Les chiffres des dernières cotes d'écoute venaient de tomber : on avait frôlé les deux millions de téléspectateurs le dimanche précédent, soir au cours duquel Jef avait été éliminé. Sur le plan de la rentabilité, l'émission était déjà un franc succès et Bellemare avait été complimenté plus d'une fois. On avait seulement manifesté une certaine réserve quant à la polémique qui entourait l'émission. La tirade homophobe de Jef n'avait guère été appréciée ; dans les médias, on avait reproché à la production d'avoir inséré cette séquence.

— Voilà ! affirma Marc. C'est terminé. Moi, je vais m'en griller une petite et après, je me couche pour les cinq prochaines heures, O.K. ?

Bellemare fit un geste évasif de la main. Puis, alors que le jeune homme montait les escaliers vers la porte, il lui dit :

— Beau travail, Marc.

Une fois rendu à l'extérieur, Marc fut happé par la lumière matinale ; puis il éprouva de sérieux élancements dans la nuque qui descendaient entre ses omoplates. Ses yeux d'abord lui causèrent une douleur aiguë ; c'était toujours ainsi lorsqu'il sortait de ces nuits éprouvantes. À l'intérieur de la régie, comme hors du temps et de l'espace, il en venait à oublier que les jours tournaient à l'extérieur. Il attrapa son paquet de cigarettes dans la poche de sa chemise et s'en alluma une. Il s'assit sur le pas de la porte pour atténuer ses étourdissements.

À l'intérieur, Bellemare commençait le visionnement. Le téléphone posé sur la table de son sonna. Il décrocha. C'était Johanne qui lui disait que Christine devait lui parler d'une affaire privée. Bellemare lui dit de la diriger vers la régie.

Cinq minutes plus tard, trois coups discrets étaient frappés à la porte. Bellemare fit entrer la jeune candidate. Christine fut d'abord intimidée par le lieu.

— C'est donc ça une régie, dit-elle en levant les yeux sur les écrans qui formaient un mur lumineux. Elle s'avança et regarda les images. C'est incroyable, murmura-t-elle. Les autres devraient voir ça. J'pense qu'on a tous fini par oublier qu'on est filmés 24 heures sur 24.

Bellemare tira une chaise et lui dit de s'asseoir.

— Johanne m'a dit que tu dois me parler d'une question privée ?

— Heu… Oui, fit la jeune fille en replaçant les pans de sa robe sur ses cuisses. En fait, c'est un détail, mais j'avoue que je ne sais pas trop comment *dealer* avec. En parlant avec ma mère hier soir au téléphone, elle m'a dit que mon ex-chum a donné une entrevue dans un magazine et qu'il raconte comment on s'est rencontrés et tout. Mais… je me demande juste… est-ce que je devrais rectifier les choses devant les caméras pour corriger ce qu'il a dit?

Bellemare prit un air songeur.

— Je ne suis pas certain de comprendre. Est-ce que c'est encore ton copain… Comment il s'appelle?

— Sam… Samuel… Samuel Thibodeau. Heu… Non, on n'est plus ensemble. Mais c'est pas clair. On a décidé de prendre un *break* juste avant que j'arrive ici. Pis là, lui, y dit dans l'entrevue qu'on est encore ensemble, qu'il m'attend impatiemment pis qu'il ne m'a jamais autant aimée…

— Et toi, demanda Bellemare, est-ce que tu veux te remettre avec lui?

— Non! dit-elle en écarquillant les yeux. Pour rien au monde. C'est bien fini, lui et moi. Je suis rendue ailleurs. C'est pour ça, tu… vous… comprenez, que je voudrais rectifier les choses.

Le producteur réfléchit un instant.

— À mon avis, tu devrais attendre à la fin du concours pour mettre les choses au clair avec ton ex-copain. Si tu le fais en ondes, ça peut avoir l'air d'une rupture, et dans ce cas, ça pourrait te nuire pour les galas. Et si tu fais ça par téléphone, ça pourrait avoir le même effet. Il pourrait dire à des journalistes que tu l'as laissé. Non, il me semble que la meilleure solution est d'attendre à ta sortie de l'émission. À moins, bien sûr, que tu sois tombée amoureuse de quelqu'un d'autre ici?

Christine se mordilla la lèvre supérieure et glissa ses mains sous ses cuisses.

— Mais il fait froid ici, dit-elle en grelottant.

— C'est la climatisation, répondit Bellemare.

Christine regarda à nouveau les écrans. Elle vit que Vincent et Simon faisaient leur jogging.

— Bien, je ne sais pas si je suis amoureuse, dit-elle après un moment. On verra. Mais en tous cas, je pense qu'on va être capables d'attendre avant de…

La jeune candidate eut un rire timide en baissant la tête.

— Je comprends, répondit le producteur. Maintenant, s'il n'y a rien d'autre que je puisse faire pour toi, Christine, je vais retourner à mon travail. Ça va ?

La jeune femme opina rapidement de la tête en se levant de la chaise et se dirigea vers la sortie. Lorsqu'il fut seul, Bellemare reprit le visionnement. Après un déjeuner anodin au cours duquel il avait été question essentiellement des choix musicaux pour le gala du dimanche, on passait aux cours de la matinée. Bellemare observa les agissements des concurrents. Lors du cours de création, il remarqua la complicité évidente entre Vincent et Simon. Ces deux-là étaient maintenant inséparables. Il n'y avait pas un moment libre entre les activités du domaine pendant lequel ils ne prenaient leur guitare et jouaient ensemble.

Cette complicité était la preuve que Vincent avait su s'adapter. Plus qu'une simple adaptation savamment calculée, l'évolution de Vincent tenait de la métamorphose : sa personnalité était en proie à un changement sur presque tous les plans, autant social qu'artistique. Alors qu'il regardait les moments du cours de création que Marc avait jugés intéressants, Bellemare se remémorait l'enchaînement des événements qui avaient marqué la transformation de Vincent.

Lors du gala au terme duquel Jef avait été éliminé, Vincent avait interprété *Help !* et *Johnny B. Goode.* Ces chansons avaient été de véritables succès. Vincent avait offert des performances d'une haute intensité. Par ses déplacements et son énergie, il avait occupé l'espace scénique comme jamais il ne l'avait fait auparavant. Sa voix aussi était différente. Vincent ne semblait plus se contenter de chanter juste ; il chantait enfin avec appétit, de tout ses poumons et à gorge déployée, comme si toute la salle lui appartenait.

Mais c'était surtout après le spectacle télédiffusé que quelque chose s'était produit. Lors de la chanson de conclusion pendant laquelle le générique défilait sur les écrans dans les foyers, Vincent et Simon avaient attrapé des guitares pour s'accompagner. Lorsqu'ils avaient été hors d'ondes et que le régisseur de scène avait fait signe aux musiciens de cesser de jouer, Vincent et Simon avaient entamé *With a Little Help from My Friends*. Les quelque huit mille spectateurs présents dans l'immense studio d'enregistrement avaient acclamé la célèbre chanson des Beatles. Bellemare se souvenait très bien de l'expression qu'avait le visage du régisseur de scène lorsqu'il s'était tourné dans sa direction pour lui demander ce qu'il devait faire. Bellemare, tout à fait conscient des implications concrètes que comprenait sa décision – il allait devoir payer au tarif supplémentaire les musiciens et toute l'équipe technique en plus de devoir régler la question des droits d'auteur –, lui avait fait signe de laisser faire. C'est alors que quelque chose de tout à fait extraordinaire s'était produit.

Les musiciens du *house band*, après quelques hésitations, s'étaient joints à la chanson. Puis, comme résonnaient les dernières notes de la pièce, Vincent avait enchaîné avec *Rock Around the Clock*. Les musiciens s'en étaient donnés à cœur joie. Les solos défilaient les uns après les autres : piano, guitare, *bass, drum*. Et la foule en redemandait. Bellemare la regardait et constatait que pour la première fois de la soirée, quelque chose était vraiment en train de se passer. Après ce succès de Bill Haley, Vincent avait pris le micro pour s'adresser à la foule :

— Je pense que personne a envie d'aller se coucher!…

La foule lui avait répondu par des applaudissements ravis.

— Alors on va se faire plaisir, juste entre nous. Un petit jam de rock'n'roll, comme dans l'bon vieux temps, ça vous dit?!

Puis, se tournant vers les coulisses, il avait invité les autres académiciens à se joindre à lui. Et s'en était suivi un concert improvisé au cours duquel s'étaient succédé les succès d'Elvis Presley, de Chuck Berry, de Cliff Richard, des Beatles. Portés par l'énergie que déployaient Simon et Vincent, les musiciens du *band* n'avaient eu aucune difficulté à trouver les tonalités des pièces. Et tout cela avait duré plus d'une heure et demie. Bellemare avait assisté à l'événement depuis les coulisses où, à une distance d'à peine quelques mètres, il avait pu observer l'ivresse et la présence scénique de Vincent. Pour la première fois, il venait d'entrevoir l'homme de scène en lui, ce filon qu'il avait cru déceler quelques mois auparavant lorsqu'il avait pris la décision très risquée de sélectionner, avant même qu'il eût complété les diverses étapes de sélection, ce garçon un peu misanthrope qui s'était isolé de la cohue de candidats lors des auditions, pour lire. C'était cette attitude qui l'avait intrigué d'abord, qui lui avait permis de le repérer. Bellemare avait tôt fait d'observer, lors des étapes de sélection ultérieures, combien le garçon ne présentait pas les qualités sociales requises pour une telle émission. Il avait pensé alors que Vincent s'intégrerait difficilement au groupe; et il savait déjà que l'intégration était le premier gage de permanence dans cette émission. Voilà que, contre toute attente, Vincent s'était fondu dans le groupe. Il tenait maintenant le micro devant eux, s'improvisait directeur musical, était à la tête du groupe de chanteurs.

Depuis la coulisse, Bellemare avait posé un regard ravi sur son jeune poulain. Certes, il était charismatique et savait animer, pour la première fois, la foule en délire devant lui; mais surtout, il était beau. Sa jeunesse ne semblait plus empêtrée par cet air hautain et vieillot qui le caractérisait à son arrivée au domaine. Par ses gestes expansifs et expressifs qui révélaient une énergie et une force débordantes, par l'enthousiasme qui empourprait ses joues, par un pétillement nouveau dans son regard, Vincent correspondait à l'image séduisante de la jeunesse.

À la fin du concert improvisé, Bellemare avait remarqué que Simon et surtout Vincent avaient gagné le respect des musiciens. Les musiciens professionnels qui formaient le *house band* en avaient vu des spectacles. Sans être blasés, ils admettaient eux-mêmes que les moments d'enthousiasme musical se faisaient plus rares avec les années. Or, voilà qu'ils venaient d'en vivre un. Ils avaient apprécié la spontanéité des jeunes chanteurs qui jouaient les classiques du rock avec l'exaltation des premières découvertes, comme s'ils s'étaient retrouvés, pendant un court moment, en 1962 au Cavern Club. Après le concert, Vincent avait longuement parlé avec Stéphane, le guitariste du *band*. Il voulait tout apprendre des suites d'accords, des harmonies, des *pattern* de solos de guitare, de la rythmique du rock'n'roll – le *picking* comme il disait. Il devait absolument apprendre à jouer du blues parce que Stéphane lui avait dit après le *show* que le rock était construit sur les progressions d'accord du blues. Il se promettait de garder contact avec Stéphane après son passage à l'académie.

Alors qu'il repassait dans son esprit les étapes de cette métamorphose de la personnalité, l'attention de Bellemare fut attirée par la scène du dîner qui commençait de façon extra-ordinaire. On voyait d'abord les sept concurrents prendre place à table; après quoi Jean-Paul, le garçon de table toujours ganté de blanc, annonçait un menu particulier, une incartade dans le régime très strict auquel les concurrents s'astreignaient depuis quelques semaines déjà.

Dès que le serveur eut soulevé le couvercle de son chariot, une odeur suave s'était répandue et la caméra dissimulée dans le pot à fleurs qui faisait office de centre de table donnait un point de vue particulier sur une concurrente.

Bellemare s'accouda à la table de son montage et fronça les sourcils, intéressé.

Après que Jean-Paul eut déposé une assiette devant elle, le visage de Macha se figea dans une expression d'hébétude. Elle ferma les yeux et inspira profondément. Les arômes envoûtants du fromage fondu, des patates frites et de la sauce brune pénétrèrent dans ses narines.

— Oh! mon Dieu! De la poutine! s'exclama Christine. Ça fait si longtemps que j'avais envie d'en manger.

Macha rouvrit les yeux. Elle vit alors ses camarades enfoncer leur fourchette dans la consistance molle et onctueuse des frites imbibées de sauce brune; elle vit ces mêmes frites engouffrées à pleine fourchette dans les bouches, dégoulinantes de sauce grasse.

Elle eut une pensée, un geste de retenue. Mais il était trop tard: jamais elle ne résisterait à cette odeur. Elle pencha alors la tête en attrapant ses ustensiles et, dans un oubli complet de soi et du monde, elle s'adonna à ce plaisir délectable, mangeant sans goûter réellement, ne sentant que cette douce sensation du gras caressant ses parois buccales.

Les convives tournèrent l'un à la suite de l'autre leur tête vers Macha qui mangeait, les yeux mi-clos, les joues arrondies par les bouchées gigantesques que ses mains, mécaniquement, y enfonçaient, la nourriture non pas mastiquée, mais avalée d'un trait. En moins de deux, dans un élan de goinfrerie échappée, elle avait vidé son assiette dont elle parcourait le fond avec son doigt qu'elle léchait ensuite pour savourer le moindre millilitre de sauce.

— Ouais, Macha…, prononça Simon d'un ton presque réprobateur, t'aimes ça, la poutine…

La jeune femme releva la tête et, recouvrant pour ainsi dire la raison, prit conscience du geste qu'elle venait de faire. Ses mains et les pourtours de sa bouche étaient tachés de sauce. Elle promena son regard nerveux sur les visages de ses camarades qui mangeaient proprement. Elle prit le revers de sa main pour s'essuyer la bouche ; une traînée de sauce tacha la manche de sa chemise.

— Moi, bredouilla-t-elle, j'peux pas me retenir… Ouf ! c'est trop bon de la poutine, non ?

Elle interrogeait du regard les autres convives, espérant qu'ils confessent éprouver la même passion pour les nourritures grasses. Mais non : on jetait sur elle des regards narquois, presque condescendants.

— Bah ! Voyons ! grommela-t-elle. C'est juste une petite poutine… Faut bien se faire plaisir dans la vie, non ?

Bellemare, dans la régie technique, souriait devant la scène. À cet instant, Marc revenait dans la régie pour quérir ses premières réactions avant d'aller se coucher.

— Puis, dit-il, est-ce qu'on va diffuser ça ?

— Et pourquoi nous en priverions-nous ? demanda calmement Bellemare qui fixait toujours l'écran où Macha cherchait à détourner l'attention.

— Bien, disons que c'est évident qu'on dit adieu à cette fille si on diffuse ce segment ce soir. Elle a l'air d'une vraie cochonne…

— Marc, dit le producteur en faisant lentement pivoter son siège dans sa direction, les concurrents sont responsables de ce qu'ils font. Notre boulot consiste à débusquer le significatif, non à traficoter les faits. Tu vois, l'autre jour, c'était pas pareil quand Jef et Macha faisaient des cochonneries dans les fougères. Cette fois-ci, c'est une scène inoffensive, comique même, mais qui nous en apprend autant sur Macha que la scène des fougères. Si Macha ne sait pas se contenir quand on lui présente une poutine sous le nez, elle doit vivre avec, c'est tout.

— Oui, oui, je comprends, opina le monteur. Macha vient d'être étiquetée dans le rôle de la grosse cochonne. Alors, quel plan on va prendre? Je dois dire que j'ai une préférence pour celui du bouquet de fleurs.

— Moi aussi, répondit Bellemare, je préfère son efficacité à celui très général que les autres caméras offrent. On est vraiment dans sa bouche… Est-ce que tu sais quelle chanson notre diva a choisie pour le gala de dimanche.

— *Bye bye mon cowboy…*

Les deux travailleurs de l'image échangèrent un regard narquois.

— Je crois que notre chère Macha sera la prochaine à nous quitter…

— Ça me semble évident, répondit Marc. Mais y a une autre affaire. Dans l'après-midi, tu verras, il y a une scène étrange. Simon et Christine sont allés faire une promenade dans les bois et ils ont débranché leur micro portable à un moment. Ils ont été un peu plus *wise* que Macha et Jef. Je ne sais pas ce qu'ils se sont dit. Mais puisqu'on n'a pas de son, on ne peut rien tirer de cette séquence.

— Tu es certain que c'est eux qui ont débranché leur micro?

— Oui, on les voit très bien faire. Une caméra les a captés.

— Bon, ronchonna Bellemare, je vais voir ce que ça donne. Mais je vais demander à Johanne de rappeler aux candidats de ne pas débrancher leur micro.

Sur ce, Marc alla se coucher.

• • •

Tous les soirs de gala, Brigitte ne pouvait s'en empêcher : elle devait voter. D'abord, elle participa seulement lorsque Vincent était en danger. Lors de l'élimination de Jef, elle avait passé la soirée pendue au combiné de son téléphone et accrochée à la souris de son ordinateur. Son compte téléphonique qu'elle consultait en ligne indiquait qu'elle avait dépensé 147 $ en votes. Que lui importait ? Il fallait que Vincent reste dans la course.

C'était devenu un accompagnement quotidien. Lorsqu'elle sortait d'un cours, elle ne pouvait se retenir de consulter les activités du domaine sur le site de *L'Académie*. Et le soir, c'était un visionnement quasi ininterrompu. Depuis que le site Internet offrait la possibilité de suivre en temps presque réel, avec un différé de quelques minutes, les allées et venues des concurrents, Brigitte passait ses soirées devant son écran d'ordinateur. Elle en était venue à connaître les candidats comme l'on finit par s'attacher, seulement par accoutumance, aux personnages d'un mauvais feuilleton. Brigitte savait que c'était un attachement irrationnel, un lien qu'elle ne pouvait s'expliquer, mais qui était d'une grande force. Ce n'étaient plus des personnes qu'elle voyait sur son écran d'ordinateur ; c'étaient des êtres mi-réels, mi-fictifs.

Elle trouvait Julien et Virginie froids et distants, alors que Simon et Vincent étaient aimables et chaleureux. Elle s'était prise d'une grande affection pour Marianne, d'abord lorsqu'elle

avait pris connaissance des malheurs qu'elle avait courageu-
sement affrontés, mais surtout depuis qu'elle s'intéressait à
l'Histoire et à la littérature. Elle détestait par contre Macha, de
tout son être, comme l'on hait une personne parce que le timbre
de sa voix nous est insupportable. Et ce soir, elle voulait la voir
quitter le domaine.

Lorsque vint le temps de voter pour l'évincement de la
prochaine candidate, Brigitte fut prise d'une fièvre ardente. Elle
vota par téléphone et par Internet. Ce fut un marathon de plus
d'une heure. Elle n'eut presque pas conscience des prestations
des académiciens tant elle était absorbée par le processus
d'élection. Macha devait disparaître.

Lorsqu'elle apprit son élimination, Brigitte eut l'impression
que c'était elle qui avait sauvé les autres candidates d'une élimination hâtive. Ce dimanche soir là, Brigitte s'endormit avec le
sentiment d'avoir fait un geste nécessaire.

6

Lorsque Vincent arriva au premier étage ce matin-là, il entendit des voix dans la salle à manger. Simon, Christine, Virginie et Marianne bavardaient déjà depuis une demi-heure. Les regards étaient tournés vers les grandes fenêtres sur lesquelles ruisselait la pluie qui s'abattait depuis les petites heures du matin. L'automne commençait à poindre et l'air frais des premiers jours d'octobre s'était répandu en peu de temps. Christine, assise au bout de la table, soupira.

— Ça me déprime les journées de pluie. On ne pourra pas faire notre jogging ce matin.

— Bah! répliqua Simon, il y a de très bons tapis roulants dans la rotonde sportive. Moi, ça me convient.

— Mais c'est quand même pas aussi bien qu'une promenade en forêt, souligna Christine.

Pour seule réponse, Simon se contenta d'offrir un large sourire à la jeune fille. Il fit alors remarquer l'absence de Julien.

— Il n'est pas encore levé? demanda Virginie. C'est étrange, il est pourtant si matinal d'habitude.

— Ben, tantôt, répondit Simon, il dormait profondément quand je suis descendu. Je lui ai tapé sur l'épaule pour le réveiller, mais il n'a pas bronché.

— On a un cours de danse dans quinze minutes… souligna Christine. On a besoin de lui. On ferait mieux d'aller le réveiller.

Vincent dit qu'il resterait pour aider Jean-Paul avec la vaisselle. Marianne proposa de l'accompagner. Christine, Virginie et Simon montèrent à l'étage afin de réveiller le dormeur.

Lorsqu'ils arrivèrent dans l'embrasure de la porte, ils entendirent une respiration profonde accompagnée d'un léger sifflement. Christine, qui se tenait la première à l'entrée du dortoir des hommes, jeta un coup d'œil à l'intérieur. Il n'y avait plus que trois lits disposés à égale distance l'un de l'autre. Dans le lit central, il y avait comme une boule de couvertures. La jeune fille, passant la tête plus avant dans la pièce, murmura de sa voix d'enfant : « Julien… Julien… Tu dors ? Julien ?… »

Il n'y eut pour toute réponse que ce même sifflement de poitrine. Alors, elle s'avança à pas feutrés, suivie de près par Virginie et Simon. Puis, alors qu'ils atteignaient le pied du lit, Simon bondit subitement et atterrit sur les jambes du dormeur. Sans énergie, celui-ci secoua ses membres avec un grelottement soudain. Comme les éclats de rire qui avaient été provoqués par le geste de Simon s'estompaient peu à peu, l'alité émit un grognement sourd et profond, puis il eut une violente quinte de toux, comme un déchirement de la gorge et de la poitrine. Les trois amis se figèrent et Christine, prise de compassion, demanda :

— Julien, est-ce que ça va ? Est-ce que tu es malade, Julien ?…

Julien se retourna enfin et tenta de lever la tête, ce qui sembla lui donner bien du mal ; ce fut un spectacle lamentable. Il leur tendit un visage souffrant et meurtri par la maladie. Deux cercles olivâtres entouraient les globes oculaires qui étaient gonflés et rouges ; le nez du garçon était aussi d'un rouge cramoisi ; les lèvres étaient sèches et le visage était lézardé par les plis de l'oreiller sur lequel il avait dormi. Ce fut alors un concert d'apitoiements.

— Mais ça prend des médicaments, affirma Virginie.

— Des médicaments… mais c'est d'un médecin qu'on a besoin maintenant, répondit Christine d'une voix affectée. Puis, elle ajouta en lui caressant affectueusement le visage :

— Tu fais pitié, Julien. On va te soigner et tu seras remis sur pied pour le spectacle de dimanche. Tu vas leur montrer que t'as une énergie pas croyable…

À l'étage inférieur, Vincent était demeuré en compagnie de Marianne. Il revint de la cuisine avec deux bols de café au lait.

— Depuis que Jean-Paul m'a expliqué comment faire, dit-il en déposant un bol devant Marianne, je suis vraiment accro au café au lait. Tout est dans l'art de faire une bonne mousse épaisse et crémeuse sans faire bouillir le lait.

Marianne prit une gorgée et dit que le café au lait de Vincent était même meilleur que celui qu'avait pris l'habitude de leur préparer le vieux garçon de table. Puis, elle eut un petit geste de la bouche comme si elle allait parler, mais elle se retint. Vincent, qui l'avait remarqué, lui demanda ce qu'elle voulait lui demander.

— Bien… fit-elle d'un air hésitant, j'aurais un service à te demander, Vincent. Ça me gêne vraiment beaucoup de te demander ça et je voudrais que tu me promettes que si je t'en parle, tu n'en parleras à personne.

Vincent, intrigué, promit une absolue discrétion.

— Bon, voilà. J'aimerais que tu corriges mes textes de chanson que Fernand nous a demandé d'écrire.

Vincent pouffa de rire.

— C'est juste ça ?! Moi qui pensais que t'allais me faire une confidence vraiment compromettante.

Marianne sourit inconfortablement, puis ajouta :

— Ça peut te paraître stupide, mais j'ai vraiment de la misère avec mon français. Pis là, tantôt, on va imprimer des copies de nos textes, pis tous les autres vont voir que je sais pas écrire, pis ça, je veux vraiment pas que ça arrive.

Vincent pensa un instant lui faire remarquer qu'elle venait sans doute d'informer tous les spectateurs de ses difficultés en français, mais il décida de ne rien dire. Il était toujours surpris de constater combien les autres candidats en venaient à oublier la présence des caméras, alors que lui en avait conscience presque à chaque instant.

— Bah !… Fais voir tes paroles, dit-il. Je suis certain que c'est pas si pire que tu le dis.

Marianne tendit deux feuillets à Vincent qui en commença la lecture. Rapidement, l'expression de légère moquerie qu'il arborait fit place à une mine préoccupée. Les problèmes de langue de Marianne étaient beaucoup plus sérieux qu'il ne l'aurait cru. La jeune femme avait manifestement fait un effort. Vincent pouvait voir qu'elle avait corrigé l'orthographe de plusieurs mots après les avoir cherchés dans le dictionnaire. Mais beaucoup de substantifs demeuraient écrits presque au son. Les accords grammaticaux étaient quasiment tous fautifs et la syntaxe était plus que déficiente.

Vincent, après un long moment de silence, releva un regard qui dissimulait mal sa stupéfaction.

— Ouais, dit-il, tu as bien fait de venir me voir. C'est vrai que le français n'est pas ta force.

— Je sais, fit la jeune femme avec un mouvement de la main qui trahissait sa honte. C'est l'horreur quand j'essaie d'écrire. À chaque fois que je dois écrire quelque chose, j'ai tellement peur que quelqu'un voie mes problèmes. Je ne veux pas passer pour une analphabète.

Marianne lui parut profondément marquée par cette faiblesse. Devant une telle contrition, Vincent se fit plus compréhensif.

— Voyons, Marianne. Ne t'inquiète pas. Ça va rester entre nous, je te le promets. Je vais te corriger ça pendant la pause tout à l'heure et tu vas avoir des paroles sans faute pour le cours de cet après-midi.

Marianne se dit soulagée. Elle remercia abondamment Vincent et s'empressa de justifier ses lacunes en français en expliquant qu'elle avait dû abandonner l'école avant d'avoir terminé son secondaire 4.

— C'est vrai, dit Vincent, je me souviens de la vidéo qu'ils ont diffusée pendant le premier gala pour te présenter au grand public. Tu as perdu ta mère, je pense ?

Marianne lui raconta alors la suite des événements qui l'avaient amenée à prendre en charge ses deux demi-sœurs et à quitter l'école pour travailler à temps plein dans un hôtel.

— Tu sais, Vincent, dit-elle, selon ce que Steve me raconte de ce qu'il lit dans les revues quand je lui parle au téléphone, je dois ma place dans le concours surtout parce que les gens voient en moi une sorte de femme forte qui s'est débrouillée toute seule pour se sortir du trou. Steve m'a dit que les kiosques de revues dans les épiceries sont couverts de magazines qui expliquent en long et en large mon histoire. Lui et les jumelles sont pris pour donner des entrevues à toutes les semaines. Tous les journalistes pensent que je suis la Shania Twain du Québec. Ben, m'a te dire que tout ça c'est ben loin de la réalité. Si y pensent, les journalistes, que la vie est belle sans diplôme pis sans éducation, ben y s'mettent le doigt dans l'œil, pis pas à peu près à part de ça. Pis j'aurai pas peur de leur dire quand je sortirai d'ici. Moi, ma vie, si j'pouvais la refaire, je ferais tout ça ben autrement. Regarde, toi, par exemple : tu comprends tout ce que racontent les profs tout de suite. Tu écris comme un prof, t'as l'air d'avoir lu à peu près tous les livres importants de la littérature. T'as une vraie culture. Moi, ben, pour comprendre la musique pis les livres importants, ça me demande des efforts pas possibles.

Vincent s'appuya contre le dossier de sa chaise et prit un air concerné.

— C'est vrai, ce que tu dis, Marianne. C'est vrai que j'ai bénéficié d'une éducation privilégiée. Mais les livres, la culture, la musique et tout, c'est pas aussi simple que ça pour moi.

Vincent fit une pause en parcourant la pièce d'un regard circulaire.

— Je suis de plus en plus à l'aise avec la gang, reprit-il. Ce n'est pas que je n'étais pas bien, au début, mais disons que j'étais nerveux, les premiers temps. Tsé, Marianne, moi, la vie de groupe, ça n'a jamais été mon fort. Je n'ai pas été élevé pour faire ce genre de chose. C'est tout le contraire de Simon, par exemple, qui est capable de plaire et de faire rire n'importe qui. Disons que j'ai même longtemps jugé sévèrement les autres personnes de mon âge. Mais avec vous, c'est différent… J'ai l'impression de me faire des amis pour la première fois de ma vie.

— T'as jamais eu d'amis au secondaire pis au cégep ? demanda la jeune fille avec incrédulité.

— Non, pas vraiment… Bien, j'en ai un. Il s'appelle Benjamin. Mais tsé, j'étais plutôt le genre de gars qui lit *Les Vies parallèles* de Plutarque le samedi soir pendant que tout le monde va voir *Titanic* au cinéma.

— Ben voyons, Vincent! s'exclama Marianne, tout le monde a des amis…

— Non, tu auras de la difficulté à me croire, insista-t-il en prenant une gorgée de café, mais je te jure que je n'avais aucun ami. Ils ne m'intéressaient pas… Je n'aimais même pas le cinéma, le rock ou les *Canadiens* de Montréal; j'étais complètement indifférent aux autres gens de mon âge. Ma seule vie sociale, c'était quand ma mère recevait à souper des collègues de l'université. Là, on avait des discussions qui m'intéressaient. Et c'est sûrement pour ça que je me suis senti mal à l'aise au début, ici. J'étais un peu… décalé.

Vincent détourna son regard vers les grandes fenêtres rendues opaques par les rivières de pluie et qui lui renvoyaient un reflet trouble de sa personne. Il fronça les sourcils. Soudainement, il avait un air pénétré, et il dit:

— Je connaissais le latin et une foule de détails sur la plus grande république de l'Histoire, mais je ne savais pas partager un moment avec des personnes de mon âge… C'est l'ironie de ma vie: être si cultivé et si ignorant à la fois. Je considérais les autres comme des barbares, quand c'était moi le sauvage dans cette histoire. Des fois, j'ai l'impression d'avoir appris l'essentiel en votre compagnie plutôt que pendant toutes ces années passées à jouer les singes savants. Non, vraiment, mon histoire, jusqu'à ce jour, n'a rien d'enviable.

Vincent laissa échapper un soupir. Ces paroles lui étaient venues spontanément. Pour une rare fois, se dit-il, j'ai oublié les caméras. Mais qu'avait-il vraiment à cacher? Il ne savait plus. Il y eut quelques secondes de silence au terme desquelles il se retourna vers Marianne qui posait sur lui ses grands yeux verts.

— C'est vrai que vu de même, fit-elle après un moment, ton histoire est peut-être pas aussi parfaite que je le pensais. Mais quand même, tu connais tellement de choses sur le passé que tu peux comprendre beaucoup plus vite que moi. Pis ça, c'est quelque chose qu'on pourra jamais t'enlever. Regarde, par exemple, le livre que j'essaie de lire depuis deux semaines. Fernand m'a prêté un roman, *Madame Bovary*. C'est supposé être le plus grand roman de la littérature française. Ben, y a pas une ligne que je lis que j'dois pas aller dans le dictionnaire pour comprendre le sens d'un mot.

Le visage de Vincent s'illumina.

— Hé! Marianne, c'est formidable que tu lises ce roman! Ma mère me l'a fait lire il y a quelques années. C'est vraiment un chef-d'œuvre. Tu sais, ce dont j'te parlais au restaurant, l'autre jour? La bourgeoisie? Ben, dans le roman de Flaubert, c'est Homais qui représente le bourgeois content de lui-même. Flaubert fait une critique de la démocratie libérale à travers ce personnage-là.

Marianne fronça les sourcils. Elle savait très bien de quel personnage il était question, mais elle ne comprenait pas en quoi il représentait la critique d'une classe sociale. Vincent lui expliqua plusieurs subtilités qui lui permirent de comprendre l'ironie de l'auteur.

— Je n'avais vraiment pas vu ça, dit-elle après quelques minutes de conversation. Y faut qu'on en reparle en tout cas. Je vais poursuivre ma lecture, mais je veux que tu continues de m'expliquer ce que cette histoire veut dire. Pourquoi Emma, elle se plaint de tout? Ça, j'comprends pas. Elle a un mari qui est médecin, une petite fille, une maison. Elle a tout pour être heureuse et elle trouve le moyen de se plaindre. En plus, elle va vers Rodolphe, un monsieur qui a l'air d'être un vrai crosseur. Je ne comprends pas pourquoi une femme agirait comme ça. C'est comme Christine avec Simon…

Vincent sursauta. Marianne eut un geste de recul comme si elle avait parlé trop vite.

— Ce n'est pas ce que je voulais dire. Christine n'a rien à voir avec Emma Bovary. C'est juste qu'elle devrait clarifier un peu les choses avec son ex avant d'entreprendre quelque chose avec Simon.

— Simon et Christine sont en couple ? s'exclama Vincent.

Marianne posa un doigt sur sa bouche.

— Parle moins fort, faut pas crier ça sur les toits. Puis, elle se pencha au-dessus de la table afin que ses paroles ne soient pas captées par les micros ambiants. Mais non, y sont pas en couple. Disons que Christine et moi on jase des fois avant de s'endormir. Elle m'a dit hier qu'ils se sont promis de ne rien faire tant qu'ils seraient sur le plateau de l'émission, mais ils se sont avoué leurs sentiments. Christine ne veut rien ébruiter parce qu'elle a encore des liens avec son ancien chum… Tu vois, c'est quand même délicat. Il a donné des entrevues pour des magazines, pis là… Ça paraîtrait mal si elle le laissait pour Simon. Mais moi, j'pense qu'elle devrait au moins parler de tout ça avec Simon pour pas qu'il y ait de malentendu, tu comprends ? Lui, y est au courant de rien.

Elle se rassit alors contre le dossier de sa chaise en posant à nouveau un doigt sur sa bouche afin qu'il garde le silence sur cette histoire. Sur ces entrefaites, le groupe de gardes-malades revint de sa tournée.

— Il est souffrant, diagnostiqua Christine. Une grosse grippe d'homme. Vous devriez le voir. Il a les yeux tout bouffis pis y tousse comme s'il avait une pneumonie.

— Il a dit, ajouta Virginie, qu'il est malade comme ça à chaque automne : ça le prend toujours à ce temps-ci de l'année, aux changements climatiques, et ça dure quelques jours.

Pendant toute la journée, Vincent observa Christine et Simon. Maintenant que Marianne lui avait mis la puce à l'oreille, il lui semblait évident que ces deux-là étaient amoureux. Comment n'avait-il pas remarqué ça ?

Ce soir-là, Vincent éprouva des difficultés à trouver le sommeil. Pour la première fois depuis la première semaine, il ressentait une sensation d'oppression au niveau de la poitrine. Il s'assit dans son lit et jeta un œil du côté de ses voisins. Julien, fortement médicamenté, ronflait à gorge déployée et Simon, un peu plus loin, dormait profondément. Vincent, lui, éprouvait des difficultés respiratoires. Comme il l'avait fait par le passé dans une pareille situation, il décida de se lever pour aller marcher dans le jardin.

L'air frais d'octobre lui fit grand bien et ce refroidissement de sa personne lui permit de voir plus clair. S'il était à ce point inquiété par l'aventure amoureuse entre Simon et Christine, c'est qu'il craignait qu'elle ne lui coûte sa place au domaine. La vérité était simple. Simon était devenu un ami. C'était son compagnon de musique. Il adorait faire du rock avec lui. Mais il ne devait pas oublier que quoi qu'il fît, ils étaient en compétition l'un contre l'autre. Vincent se rappela ce que Benjamin lui avait dit au téléphone. « Tu es dans un téléroman, mon vieux, un simple téléroman. » Cette boutade, aujourd'hui, lui apparaissait dans une nouvelle lumière. Les spectateurs allaient sans doute voter de sorte à avoir un couple finaliste ayant tissé des liens plus qu'amicaux. Qui ne désirait pas voir couronnés deux candidats amoureux ? Julien, sans doute, serait éliminé prochainement. Il ne resterait plus que lui et Simon.

— Mais je ne peux pas lui faire ça !

L'écho de sa voix résonna dans le jardin. Il savait pourtant ce qu'il avait à faire. Il était intervenu une première fois sur le cours des événements en précipitant l'élimination de Jef.

Pourquoi ne ferait-il pas la même chose encore une fois? Et il jeta un œil du côté de la rotonde sportive. Il était pourtant devenu un candidat, au même titre que tous les autres. Le petit Français ne lui collait plus à la peau; une mue étrange l'avait emporté. Pourquoi ne laissait-il pas le public décider de son sort? Ses pensées étaient fortifiées par l'évidence de son sens moral, mais son regard revenait toujours à la rotonde sportive qui demeurait libérée du poids des caméras. Il pouvait y faire et dire ce qu'il voulait. Seule sa conscience enregistrerait ses paroles et ses actes.

Lorsqu'il revint vers le domaine, une pluie brumeuse commençait à tomber. Vincent savait très bien ce qu'il lui restait à faire.

• • •

Les deux jeunes hommes prirent des imperméables qui étaient suspendus aux crochets d'une patère, puis ils s'élancèrent à l'extérieur. Lorsqu'ils atteignirent la rotonde, ils étaient trempés par l'averse. Ils allèrent d'abord vers les tapis roulants. Puis, après une heure de conditionnement physique, ils se douchèrent dans le vestiaire avant d'aller assister au cours de chant. Lorsqu'ils sortirent des douches, vêtus d'une simple serviette blanche qui cerclait leur taille, ils allèrent s'asseoir sur un banc.

— Ouais, dit Vincent, ça ben l'air que Julien va avoir de la difficulté à se rendre jusqu'à dimanche.

— Penses-tu qu'ils vont lui donner une chance et faire sauter son tour en fin de semaine?

— Mais ça serait complètement injuste pour nous… Penses-y, Simon. Dans la vie, quand t'es chanteur, tu dois livrer la marchandise, en santé ou pas.

— Oui, mais Vincent… C'est tout de même pas de sa faute s'il a pogné une grippe… Ça aurait pu arriver à moi, ou à toi…

— Oui, et il aurait fallu qu'on vive avec ça, c'est tout. Tu sais, Simon, t'es un gars très intelligent et vraiment sympathique, mais tu sembles oublier parfois que c'est un concours toute cette histoire. Il faut quand même que tu gardes les yeux ouverts…

— Qu'est-ce que tu veux dire au juste ?

— Bien… j'dis simplement que tu ne te méfies pas assez des autres…

— Tu veux dire, des autres candidats…

— Oui. Mais laisse faire, ça doit être moi qui me méfie un peu trop.

Puis, Vincent esquissa un mouvement vers son casier où étaient rangés ses vêtements. Simon lui attrapa le bras.

— Qu'est-ce que tu essaies de me dire, Vincent ? J'vois bien que tu as quelque chose derrière la tête, alors tu devrais me le dire tout de suite.

— Écoute, Simon, fit Vincent en se rassoyant. Je sais que ça va peut-être te paraître étrange et je déteste me mêler des affaires des autres. J'ai toujours cru que dans la vie c'est chacun pour soi. Mais là, toi, t'es mon ami pis je me sens dans l'obligation de t'avouer que j'ai des doutes…

— À propos de quoi ?

— De Christine. Est-ce que tu es sûr qu'elle t'a tout dit ? Je veux dire : pourquoi avez-vous décidé de ne rien faire tant que vous êtes sur le plateau ?

Simon lui lança un regard interrogatif.

— Comment ça tu sais ça, toi ?

— Marianne m'en a parlé. Elle s'est échappée, c'est tout. Y a pas de mal.

— Ben, on a jugé que ce n'était pas le temps avec toutes ces caméras braquées sur nous. On attend d'avoir un peu d'intimité, c'est tout.

— En es-tu sûr ?

— Quoi ! est-ce que je suis sûr ? explosa nerveusement Simon. Sûr de quoi ? Qu'est-ce que tu veux me dire ? Envoie ! Crache le morceau, Vincent !

— Quand j'ai parlé avec Marianne, hier, pendant que vous étiez montés voir Julien, elle m'a laissé entendre que Christine ne veut rien entreprendre avec toi parce qu'elle a quelqu'un à l'extérieur.

— Bah !… tu ne connais pas Christine, Vincent, fit Simon en rejetant ses allégations du revers de la main. C'est la fille la plus honnête qu'y a pas. Elle ne serait jamais capable de mentir.

— Oui, peut-être. Mais tu ne dois jamais oublier que c'est un concours et qu'on est tous concurrents. Je veux gagner ce concours, tu veux gagner ce concours et Christine aussi veut le gagner. C'est comme ça et il faut assumer que toute action peut être intéressée. Moi, je n'ai aucun intérêt à te dire ça, sinon celui de te faire voir la vérité. Dimanche, ce sera Julien qui tombera ; ça, tu le sais aussi bien que moi. Mais tu dois assumer la possibilité que Christine n'est peut-être pas aussi honnête que tu le penses, qu'elle t'a peut-être menti et qu'elle essaie de dissimuler votre aventure parce qu'elle a quelqu'un d'autre.

— C'est absurde, Vincent ! Si c'est comme tu dis, elle jouerait la comédie avec moi simplement afin que son autre chum ne s'aperçoive pas de notre liaison.

— Oui. Mais il y a une autre possibilité. Christine peut agir ainsi avec toi par calcul.

Simon, dans une expression de confusion, fronça les sourcils.

— Peut-être, reprit Vincent, qu'elle cherche à créer chez le spectateur l'espoir d'une liaison entre vous deux. Tu sais, le *happy end*? Les gens dans leur salon n'espèrent que ça: un dénouement heureux. Et tant que deux candidats agissent comme s'il y avait une histoire entre eux, ils ne seront jamais éliminés, ça, tu peux en être certain.

Simon, qui jusqu'ici l'avait écouté calmement, eut une expression d'exaspération:

— Tu dérailles complètement, Vincent. T'es paranoïaque.

— Peut-être, répondit son ami. Moi, je ne fais que partager mes observations avec toi; tu les prends ou tu ne les prends pas, c'est tout. Tu peux continuer à jouer le jeu ou bien tenter d'aller au fond des choses.

— Ce qui veut dire…

— Ce qui veut dire te promener autour de l'isoloir du téléphone quand Christine passera son coup de fil et tendre l'oreille.

Simon parut songeur. Il abaissa la tête et plongea son regard dans son sac de sport à ses pieds. Puis, après un moment, il releva la tête en disant avec méfiance:

— En tout cas, pour un gars qui connaît si bien le public, je trouve que tu t'exposes pas mal avec cette conversation.

— Non, Simon, c'est sans danger. Il n'y a aucune caméra dans cette pièce, je peux t'en assurer. Pis nos micros sont débranchés. Il n'y a aucune chance que cette discussion soit rapportée. Fais-moi confiance. Tu vois que c'est uniquement pour ton bien que je te dis tout ça.

Vincent enfila son t-shirt et sortit. Lorsqu'il franchit le porche de la rotonde, il tomba nez à nez avec un technicien.

Vincent se demanda si ce technicien avait entendu la conversation qu'il venait d'avoir avec Simon.

Dans la semaine qui suivit l'élimination de Julien, Simon perdit l'entregent qui le caractérisait. Ses plaisanteries se firent plus rares, son attitude n'était plus celle du camarade désinvolte : il affichait maintenant un air préoccupé, absent même à certains moments. On attribua ce changement à l'élimination de Julien face à laquelle le jeune homme s'était indigné : il était injuste, à ses yeux, de discréditer un chanteur parce qu'il souffrait d'un mauvais rhume. Mais, comme le public gardait pour lui ses interrogations éthiques, rien n'avait pu sauver le chanteur éliminé.

L'occasion de vérifier les allégations de Vincent se présenta lorsque Christine affirma, un soir pendant le repas, qu'elle allait téléphoner dans l'isoloir. Après que la jeune fille se fut levée pour aller dans la cabine, Simon attendit quelques instants, puis se leva en disant qu'il devait aller aux toilettes. Le jeune homme s'en alla en direction des toilettes, mais bifurqua vers la salle de téléphone. Il marcha d'un pas pressé. Quand il arriva près de la salle, il entendit le murmure de Christine. Très discrètement, il s'approcha. Même si des caméras filmaient à l'instant sa manœuvre répréhensible, Simon appuya son oreille contre la cloison de l'isoloir. Il ne pensait plus aux caméras ni même à sa place dans ce concours de chanson populaire. Il entendit alors la voix étouffée et sourde de la jeune fille qui disait :

— … quand il pleuvait, mais bon, c'était quand même pas trop pire… Mais j'm'ennuie de toi. J'ai tellement hâte qu'on puisse parler de tout ça, seule à seul. Ça commence à être lourd, tout ça, tsé. J'suis tannée de tout ce climat de : « je peux faire cela, je peux pas faire ceci… » C'est bien beau, mais chus écœurée de toutes ces caméras braquées sur moi en permanence et j'ai hâte d'être complètement moi-même…

Il releva la tête de la cloison sur laquelle il s'était incliné pour mieux entendre. Il n'y avait plus aucun doute dans son esprit maintenant : Christine avait un autre amoureux à l'extérieur. Même si les motivations de la jeune fille demeuraient obscures, il se savait trompé et ne voulait pas en savoir davantage. L'air renfrogné, Simon s'empressa de regagner la salle à manger afin que son absence n'éveille aucun soupçon. Quand il reparut dans la pièce, son regard assombri rencontra celui de Vincent.

Dès le lendemain, on put observer combien Simon pouvait être autant jovial que déplaisant. Christine se leva la dernière, ce matin-là, et s'assit à table en bâillant.

— Tu as mal dormi ? demanda Simon avec froideur.

— Oui, fit la jeune fille, je dors mal depuis quelque temps. Je ne sais pas pourquoi.

— Le mensonge est une cause d'insomnie.

Christine posa sur Simon de grands yeux interrogateurs. Pourquoi était-il si acariâtre envers elle ? Décontenancée, elle balbutia quelques onomatopées. Puis, elle se ressaisit et dit :

— Mais de quel mensonge parles-tu, Simon ?

Pour seule réponse, le garçon lui décocha un regard accusateur et défiant qu'elle ne put s'expliquer. Virginie, qui avait assisté à toute la scène, s'interposa alors :

— Mais voyons, Simon, qu'est-ce que tu as ? Tu n'es plus le même depuis quelque temps ! Quelle mouche t'a piqué ?

— Aucune mouche m'a piqué, Virginie. Je vois clair pour la première fois, c'est tout.

Puis, Simon se leva sans terminer sa salade de fruits. Les quatre concurrents qui étaient attablés s'interrogèrent du regard.

— Mais qu'est-ce qui se passe, Christine? demanda Marianne. Qu'est-ce que tu lui as fait?

— Je ne comprends pas… répondit la jeune fille. On dirait qu'il m'en veut…

Puis, alors qu'on se levait de table, Marianne vint près de Vincent et lui demanda s'il avait parlé à Simon de la situation de Christine. Vincent murmura qu'il n'avait rien dit, mais qu'il croyait qu'un ami de Simon l'en avait informé lors d'une conversation téléphonique.

En après-midi, Vincent et Simon se retrouvèrent dans la rotonde sportive pour faire leurs exercices. Quand ils furent dans le vestiaire, Simon raconta à Vincent ce qu'il avait entendu.

— T'avais vu juste, Vincent. J'me suis fait avoir comme un débutant, disait-il avec une voix désenchantée en essuyant son corps avec une serviette. Je peux pas croire qu'elle m'a manipulé comme ça.

— Ah… je comprends ce que tu dois ressentir, Simon, dit Vincent pour réconforter son collègue. C'est vraiment moche. Je regrette presque de te l'avoir dit.

— Non, tu as bien fait, dit-il avec un détachement soudain. Je préfère toujours savoir la vérité. Disons que j'ai été naïf. J'ai cru que les gens pourraient être naturels et sincères malgré toutes ces caméras autour de nous. Au fond, c'est pas sain ce concours-là. S'ils veulent vraiment que le public choisisse une vedette de la chanson, pourquoi est-ce qu'ils nous filment 24 heures sur 24? Le public pourrait se contenter de voir nos cours de chant et nos performances… Mais là, parce qu'on nous observe comme des animaux en cage, nous, ben, on perd le contrôle…

— J'suis d'accord avec toi, Simon, acquiesça Vincent en haussant les épaules. Y a très peu de place pour les vrais sentiments, ici, au domaine. Faut vraiment être bête pour croire qu'on peut être naturel avec des caméras qui nous filment sans cesse.

— Tu sais, Vincent, reprit le jeune homme trahi, depuis que tu m'as mis la puce à l'oreille sur Christine, je me demande pourquoi je me suis inscrit à ce concours. Je me demande si je suis vraiment fait pour mener une vie de chanteur populaire… Je me dis qu'au fond, ça doit pas être si cool que ça d'être une personnalité publique. Ça doit être comme ici, au domaine, exactement comme ce qu'on vit maintenant. Tout le monde a sans arrêt les yeux rivés sur toi, attendant que tu fasses une pirouette ou que tu te plantes. Pis, comment veux-tu être sûr, quand t'es une personnalité publique, que les gens les plus proches de toi sont parfaitement honnêtes?

— Je sais, ça peut être terrible. Mais tu ne dois pas te laisser abattre, Simon.

— Que veux-tu que je fasse?

— Concentre-toi sur tes performances vocales. Là-dessus, t'as le contrôle. Et si l'occasion se présente, rends à Christine la monnaie de sa pièce. Sois intransigeant avec elle. Montre-lui que tu es au-dessus de ses manigances et que tu es maintenant hors de portée.

Simon suivit le conseil de Vincent et fut impitoyable avec Christine. Il ne manqua pas une occasion de la tourmenter par une réponse assassine ou une question insidieuse. Christine avait beau le questionner du regard, l'implorer même de la suivre dans les bois afin qu'ils discutent de tout cela: rien ne pouvait le faire fléchir. Le jeune homme avait pris le parti de la maltraiter assidûment sans qu'elle pût comprendre la teneur de sa rancœur. Devant cette pression continuelle, et ce harcèlement inintelligible, les nerfs de Christine cédèrent.

Le jeudi matin, après cinq jours de brimades, elle éclata en sanglots.

— Mais tu es fou, Simon! T'as complètement pété les plombs! J'pourrai jamais vivre avec un type qui vire du tout au tout sur un coup de vent! Adresse-moi plus la parole! M'entends-tu? Parle-moi pus!

Et la jeune fille s'était affalée sur le divan du salon. Simon se tenait face à elle, debout et impassible comme un bourreau. Il avait sa revanche.

Alors, il lui dit froidement:

— Si j'ai agi ainsi avec toi, Christine, ce n'est pas parce que j'ai des sautes d'humeur. Je sais que tu m'as menti, Christine, que tu m'as caché que tu as quelqu'un d'autre à l'extérieur. Je n'arrive pas à m'expliquer pourquoi tu as fait ça. J'en viens à me dire que je ne te connais pas vraiment, qu'au fond tu es rien qu'une menteuse.

— Mais j'ai simplement voulu éviter les problèmes, s'exclama la jeune fille avec un visage éploré. Je ne voulais pas que mon ex pense que je le trompe parce que c'est pas clair entre nous. Je ne voulais pas qu'il fasse une sortie dans les journaux. Je voulais régler ça après. C'est toi que j'aime, Simon…

Elle enfouit son visage dans ses mains et sanglota.

Marianne vint pour consoler la jeune fille. Elle s'assit sur le divan près d'elle et la prit dans ses bras.

● ● ●

— Tu veux vraiment mon opinion? Elle a eu ce qu'elle méritait. *That's it.* Une fille qui joue double-jeu comme ça, ça mérite pas qu'on s'apitoie sur son sort.

Benjamin ronchonna. Encore une fois, il expliqua à Christophe son point de vue. Le public s'était laissé prendre par les apparences. Benjamin était convaincu que Christine n'était pas une menteuse. Il le sentait, voilà tout. Il comprenait qu'elle ait voulu attendre à la fin du concours pour mettre un terme à sa relation avec son ex. Mais de là à l'évincer du concours, il trouvait excessive la réaction du public.

Christophe lui répondit qu'il ne comprenait rien au *show-business* et alla prendre deux bières dans la caisse qui était près de la porte. Les instruments de musique reposaient par terre dans le local de pratique. Mathieu et le nouveau guitariste du *band* étaient allés fumer à l'extérieur pendant la pause.

— En tout cas, reprit Benjamin, on peut dire qu'on est rendus des vraies matantes…

— Je sais, *man*, lui répondit le chanteur après avoir pris une gorgée de bière. Maintenant, je ne peux pas me coucher sans jeter un œil sur ce qui s'passe sur le site. En tout cas, si tu m'avais dit, quand je l'ai connu, que Vincent finirait dans un concours de télé pour devenir chanteur, j't'aurais ri au nez, *man*… Ça c'est sûr, j't'aurais ri au nez.

Benjamin prit une gorgée de bière en pensant à Vincent.

— Tsé, Christ, dit-il, Vincent, c'est peut-être le gars le plus intelligent que j'connais. *No offense*… Y est tellement calé dans tout… Pis là, c'est comme si y s'était mis dans tête d'apprendre en quelques semaines ce que nous, on apprend depuis qu'on est petits… Les Beatles, Nirvana, Pearl Jam… *name it*, c'est des livres pour lui. Son cerveau est une *fuckin'* de grosse éponge.

Il prit une autre gorgée en songeant au jeune homme timide qu'il avait connu à une autre époque.

— Au début, j'pensais qu'il allait se faire broyer en queq'jours, une semaine top. Mais là… Y s'passe de quoi que j'comprends pas. D'après moi, ça s'peut qu'y gagne. J'suis sérieux, Christ. Notre petit Français, y va gagner…

Christophe s'envoya une grande rasade de bière dans le gosier.

— Entéka, dit-il alors que les autres musiciens revenaient dans le local, je sais pas si y va gagner, mais si y gagne, y est mieux de se souvenir que c'est nous qui y avons appris à faire du rock…

7

Les quatre candidats avaient pris place sur les divans du salon. Johanne avait tiré une chaise et s'était assise en face d'eux, devant l'écran de télévision. Elle les avait d'abord questionnés sur les films qu'ils avaient visionnés la veille. Vincent et Virginie avaient beaucoup à dire sur le sujet, tandis que Simon, taciturne depuis le départ de Christine, et Marianne s'étaient contentés d'écouter en silence.

— Moi, dit Virginie, ce sont les dialogues qui m'ont impressionnée. Il a un art de la réplique dans ses scénarios... C'est presque trop bien écrit pour être vrai, mais ça donne justement une touche théâtrale à ses films.

— Je suis absolument d'accord avec Virginie, opina Vincent. Mais moi, à part les dialogues tout simplement époustouflants, je trouve qu'il a une façon harmonieuse de mêler les registres dramatiques. Je veux dire, le comique côtoie le dramatique. Dans les films d'Arcand, on passe d'un humour grivois à une scène poignante entre une mère et sa fille héroïnomane. Et ça marche super bien. Ça me fait un peu penser, poursuivit-il, mais dans un tout autre registre, aux *Belles-sœurs* de Michel Tremblay. Antoine revient toujours à cette pièce-là quand il nous parle de la Révolution tranquille, alors je lui ai demandé de m'en apporter un exemplaire.

— Et puis? demanda l'animatrice.

— Bien, répondit Vincent qui tentait de contenir son enthousiasme, ça a été un choc pour moi… un vrai choc. Tu comprends, Johanne, ma mère, qui est prof d'Histoire à l'université, m'a élevé en me lisant *Les Métamorphoses* d'Ovide pour m'endormir quand j'étais jeune. Par là, je veux dire que les œuvres marquantes de la culture occidentale, je connais quand même un peu. Mais une grande œuvre de chez nous, qui parle de notre province et qui fait de l'art, de la tragédie grecque avec notre langue populaire, ça, je ne savais pas que ça existait. Et pour être tout à fait honnête, après avoir écouté *Le Déclin* et *Les Invasions barbares*, hier soir, j'ai l'impression que Denys Arcand est dans la même catégorie que Michel Tremblay. L'histoire se souviendra sans doute de cet artiste comme l'un des plus grands qu'ait produit le Québec. Je donnerais cher pour lui serrer la main.

Johanne eut l'air ravi.

— Tu sais quoi, Vincent ? Bien, tu vas avoir l'occasion de rencontrer ce grand cinéaste parce qu'il a accepté de venir faire une visite pour vous parler de ses films.

Le visage de Vincent s'allongea dans une expression d'incrédulité. Johanne se leva et Vincent vit entrer dans la pièce un homme élancé et vêtu élégamment d'un veston sobre et d'un chandail col roulé noir. Le cinéaste, qui était présent au domaine pour promouvoir son dernier film, fut courtois avec chacun des candidats et échangea quelques idées sur les réalités du cinéma. Il avait le calme et l'allégresse de l'artiste au faîte de sa maturité, conforté dans son art par une gloire médiatique sur laquelle il semblait surnager. Il ne semblait pas se soucier vraiment des bruits que la rumeur faisait autour de son dernier film qui venait tout juste d'être retenu dans la sélection officielle de l'Oscar du meilleur film étranger, comme le rappela Johanne. Un Québécois allait enfin pouvoir représenter la province lors de la prestigieuse cérémonie et, qui sait, peut-être allait-il revenir avec le trophée? Le cinéaste souriait indolemment devant cet engouement.

Vincent, qui avait particulièrement bien saisi les propos du diptyque cinématographique, pressa le cinéaste de questions sur sa thèse de la fin d'une civilisation et de l'avènement d'une période de grande noirceur. Il avait surtout été impressionné par la tirade sur le phénomène collectif de l'intelligence et du creux dans lequel l'époque actuelle se trouvait. L'historien de formation sourit et accepta poliment d'échanger quelques idées avec le jeune homme, mais comme le propos de leur discussion devint rapidement hermétique, étant donné les références à l'Empire romain, l'invité suggéra habilement de réserver ces échanges pour une autre occasion.

Lorsqu'il partit après vingt minutes, le cinéaste fut interrogé sur sa rencontre et avoua avoir été impressionné par la pertinence des questions des élèves. Lorsqu'on le questionna sur les deux hypothétiques finalistes que le public devait choisir le lendemain lors d'un gala qui allait retrancher deux des quatre candidats, le cinéaste parut embêté et affirma qu'il ne les avait pas entendu chanter et que, par conséquent, il ne pouvait se prononcer sur la question. Mais il avoua que s'il avait à voter dans l'immédiat, il accorderait sa faveur à Virginie et à Vincent pour la variété de leurs aptitudes.

— Tout de même, dit-il en s'éloignant lentement de la caméra avec un rictus, je ne m'attendais pas à discuter des idées de Fukuyama ce soir…

Dans le salon, les candidats échangèrent pendant un moment de la chance qu'ils avaient eue de rencontrer le réalisateur des *Invasions barbares*. Puis, comme chacun allait regagner l'étage supérieur, Vincent interpella Marianne et lui dit qu'il s'adonnait depuis quelques semaines à une enquête auprès de ses collègues pour élargir ses horizons musicaux. Il collectait les noms d'artistes de la chanson qui étaient les favoris et allait ensuite les télécharger sur son iPod. Marianne réfléchit un instant et lui dit que du peu qu'elle connaissait, il n'y avait jamais rien eu d'aussi bon que l'album *Tu m'aimes-tu?* de Richard Desjardins.

Il la remercia en lui disant qu'il allait l'écouter et il se dirigea à l'étage. Le gala du lendemain allait être décisif pour les quatre derniers candidats et on devait se reposer. Mais Vincent savait qu'il passerait devant Simon. Toute cette histoire avec Christine avait joué finalement en sa faveur. «Quand je serai en finale, se dit Vincent en se mettant au lit ce soir-là, je ne ferai aucune manœuvre pour gagner. Que ce soit Virginie ou Marianne avec moi, je vais jouer honnêtement.»

● ● ●

Jean-Paul regarda par la fenêtre de la cuisine. En ce début du mois de novembre, il ressentait le changement de température jusque dans ses os. Il se frictionna les mains pour atténuer l'effet de ses rhumatismes. Le service devenait toujours un peu plus pénible à cette période de l'année. Il se dit qu'il devait prendre un cachet contre la douleur.

Johanne entra dans la cuisine.

— Ah! Jean-Paul, fit-elle en s'immobilisant dans l'embrasure de la porte. Je pensais que j'étais toute seule.

— Bonjour Johanne, répondit le vieil homme d'une voix calme. Pendant que nos quatre académiciens sont en ville pour la générale du gala de ce soir, moi, j'en profite pour mettre un peu d'ordre dans cette cuisine. Il faut bien faire l'inventaire du garde-manger.

— Mais comme tu es travaillant, dit l'animatrice en allant vers le réfrigérateur. Je pense que je ne t'ai jamais vu te reposer, ou prendre une journée de congé. Tu as toujours quelque chose à faire.

Elle ouvrit la porte du réfrigérateur et attrapa la pinte de lait.

— Bah… J'ai passé presque toute ma vie dans la cuisine d'un restaurant. Et il y a toujours quelque chose à faire, tu sais. Et ça finit par devenir une habitude.

L'animatrice alla à la machine à café. Elle regarda les boutons et sembla hésiter.

— Est-ce que je peux t'aider ? demanda le garçon de table.

— Heu… Sûrement. Je veux me faire un bol de café au lait. Vincent m'en a fait un il y a quelques jours et c'était vraiment bon. Mais je ne sais pas trop comment fonctionne la machine.

— Laisse-moi faire, dit le vieil homme en prenant la pinte de lait que l'animatrice tenait dans une main.

— Merci, Jean-Paul. Je dois enregistrer tout l'après-midi des clips pour le gala de ce soir. On est encore dans le rush. Pis là, les techniciens sont mélangés pour je ne sais plus quelle raison. Alors ils m'ont dit de prendre un *break*.

L'animatrice s'appuya contre le comptoir et regarda travailler le vieux garçon de table. Il mettait un soin dans chaque détail. Lorsqu'il lui tendit son bol de café et qu'elle admira le dessin qu'il avait fait avec la mousse du lait et la crème du café, elle lui dit qu'il aurait dû être artiste.

— Artiste, moi ? dit-il en riant. Je laisse ça à nos chers candidats. Ce sont eux, les artistes de demain.

Elle prit une gorgée de café.

— Qui penses-tu sera éliminé ce soir ?

— Ce n'est pas à moi de le dire. Je ne m'y connais pas là-dedans. Je ne suis pas un mélomane.

— Mais moi non plus, dit Johanne, je ne suis pas une spécialiste en musique. Comme la plupart des téléspectateurs. Mais il faut bien voter, non ? Et tu n'as pas une préférence ?

— Bien, fit Jean-Paul en attrapant un torchon pour nettoyer l'îlot, j'ai entendu Murielle et Chantal discuter il y a quelques jours, et elles s'entendaient pour dire que Virginie avait un potentiel plus varié que Marianne. Semblerait-il qu'elle est très bonne dans tous les aspects, autant pour le registre de la voix que pour l'interprétation et la présence scénique. Moi, tout ce que je sais, c'est que je suis ravi quand elle chante. Mais je n'aime pas jouer au jeu des comparaisons.

— Si tu fais abstraction de ce qu'en disent les professeurs, tu dois bien avoir une préférence sur le plan de la personnalité ? Qui t'est le plus sympathique ?

Le garçon de table s'immobilisa pour réfléchir.

— Depuis le début du concours, je trouve que Simon est le plus agréable des candidats, si je dois absolument me prononcer. J'aime bien Vincent, c'est certain. Mais Simon a le don de se faire aimer par n'importe qui. Et même s'il n'a pas le moral depuis un temps, il demeure gentil et poli. Du moins avec moi. Ça, j'imagine que ça compte ?

Le vieil homme fronça les sourcils et eut une expression sombre. Il reprit son torchon et recommença à nettoyer l'îlot avec de grands gestes.

— Qu'est-ce qu'il y a, Jean-Paul ? demanda Johanne en remarquant son expression faciale.

— Bof…, les caméras partout, être filmé en tout temps… je ne suis pas sûr finalement que ce soit une bonne chose. Il cessa de nettoyer. On dirait que plus personne a un moment de repos. C'est comme dans un restaurant. Il faut aller à la cuisine dans une soirée pour pouvoir prendre un répit des clients. On ne peut pas toujours garder la pose! Bien là, c'est comme si on faisait tout dans la salle à manger, devant les clients, comme s'il n'y avait plus moyen d'aller se détendre quelque part... Ça serait une étrange façon de procéder.

Johanne eut un rire amusé.

— Mais, il y a des restaurants branchés, il me semble, qui font à peu près comme ça.

— J'ai entendu parler de ces restaurants-là, fit-il en reprenant son mouvement avec le torchon. Mais ne me demande pas ce que j'en pense de ces nouvelles idées en restauration, tu me trouverais trop conservateur...

L'animatrice le regarda travailler en réfléchissant.

— Je sais, continuait Jean-Paul, que c'est un peu absurde de tout ramener à la restauration. Je dois seulement être trop vieux pour comprendre ce qui se passe avec cette émission de... téléréalité. Alors je me contente de faire mon travail et de m'en tenir à ce que je connais le mieux. À ce que je sache, les gens ont encore besoin de manger, même quand ils passent leur vie devant une caméra, hein? Alors pour ça, je peux me rendre utile. Le reste, je laisse ça aux autres.

— Mais non, Jean-Paul, dit Johanne d'une voix empathique après avoir bu la dernière gorgée de son café, tu n'es pas trop vieux pour tout ça. Ils sont chanceux, nos académiciens, d'avoir un homme comme toi, qui possède un vrai savoir-vivre.

Elle voulut déposer son bol dans le lave-vaisselle, mais Jean-Paul lui fit signe de le lui donner.

— Et bientôt, tout ça sera fini, ajouta l'animatrice en se dirigeant vers la porte. Nous pourrons chacun retourner à nos vies.

— Mais ça fera un vide, quand ils reviendront de ce gala, dit Jean-Paul en nettoyant le bol dans l'évier. Ils ne seront plus que deux. J'en reviens pas. Il me semble qu'il y a quelques jours à peine, ils étaient une dizaine autour de la table et qu'il y avait tout le temps du va-et-vient. J'ai bien peur que ça devienne très calme à partir de demain. Ça me rappelle étrangement quand mes enfants sont partis de la maison. Un matin, la maison était remplie de bruits, et le lendemain, c'était le calme plat.

— Mais ça t'en fera moins à faire…

Le vieux garçon sourit d'un air résigné. Johanne dit qu'elle devait retourner à la régie pour poursuivre les enregistrements. Elle le remercia pour son café et disparut. Jean-Paul, resté seul, essuya le bol avec un linge à vaisselle et le rangea à sa place, dans l'armoire près de la machine à café. Puis, il prit une guenille et nettoya le tube vapeur. Il retira ensuite le porte-filtre et alla le passer sous l'eau. Il laissa quelques instants l'eau froide couler sur ses mains endolories. Il leva les yeux vers la fenêtre de la cuisine qui donnait sur la forêt et resta ainsi quelques minutes, à regarder la cime des épinettes bouger au gré du vent.

● ● ●

Lorsque la dernière styliste quitta enfin sa loge, après qu'elle l'eut priée de la laisser seule, Marianne s'accouda sur le comptoir de la vanité où reposaient des tampons démaquillants et des produits cosmétiques. Elle enfouit son visage dans ses mains encore humides de nervosité et tenta d'inspirer profondément pour se détendre.

Du corridor provenait une rumeur sourde ; les coulisses grouillaient de techniciens, de régisseurs. C'était un tapage de meute assourdissant, un bruit incessant qui succédait à la fin du spectacle et où chacun vaquait à ses occupations. Elle aurait dû maintenant se trouver au quai d'embarquement de l'autobus. Mais elle voulait respirer et soupeser les derniers événements.

Elle se redressa et attrapa les agrafes de sa robe ; elle en dégrafa quelques-unes et put alors respirer plus librement. Une bretelle tomba de son épaule.

À ce moment, elle entendit trois coups frappés contre la porte de sa loge. Elle allait demander qu'on la laisse tranquille quand la voix derrière la porte dit :

— Marianne, c'est moi, Vincent. Est-ce que je peux entrer ?

Elle alla ouvrir. Vincent, après avoir refermé la porte, jeta un regard sur la pièce. C'était une petite loge individuelle avec une penderie de mélamine, un grand miroir allongé, un divan capitonné et une vanité devant laquelle Marianne prenait place.

— Est-ce que tout va bien, Marianne ? En sortant de scène, tu avais un drôle d'air. Tu n'avais pas l'air contente de te retrouver en grande finale.

— Non, ce n'est pas ça, répondit-elle.

Elle soupira en hochant de la tête. À ce moment, une femme entrouvrit la porte de la loge et leur dit qu'ils étaient attendus dans cinq minutes au quai d'embarquement. Quand la porte fut refermée, Vincent appuya sur la poignée pour activer le mécanisme de la serrure. Puis, il alla s'asseoir dans le divan, croisa une jambe sur l'autre et prit une pose attentive. Encouragée par ce geste, Marianne poursuivit :

— C'est étrange, mais ça vient tout juste de me frapper, là, quand je me suis retrouvée toute seule dans ma loge, il y a à peine quelques minutes. Je vais passer en grande finale. J'aurais jamais pensé que ça pouvait se terminer comme ça. Au début, j'étais convaincue, vraiment convaincue que Virginie allait se rendre en finale, ou Christine. Mais moi ? J'aurais jamais cru.

— C'est vrai, dit Vincent, que la performance de Virginie, ce soir, a été surprenante. Elle n'était pas très énergique. On aurait dit qu'elle ne voulait pas gagner. Simon, ben, laisse-moi te dire que depuis son histoire avec Christine, il n'avait plus vraiment envie de participer à ce concours. Je ne veux pas avoir l'air trop naïf, mais par-delà notre talent respectif, je pense que toi et moi, on doit un peu à la bonne fortune notre place en finale.

— Peut-être, fit Marianne. Mais si ça s'est passé comme tu dis, alors c'est encore plus étrange pour nous. Je ne sais pas pour toi, mais maintenant, ma vie peut changer complètement. Je veux dire : je regarde ma vie sous un angle complètement différent.

Vincent posa un regard attentif sur elle. Marianne attrapa des lingettes démaquillantes et se retourna vers la glace de la vanité. Puis, elle retint un geste, parut hésiter un instant, et lui dit enfin :

— Je ne veux pas avoir l'air de la fille qui veut faire pitié, mais je pense que c'est difficile pour toi de t'imaginer ce que peut être la vie quand tu manques de tout, quand ton but devient de survivre, simplement. Ben moi, je n'ai jamais espéré grand-chose de la vie. J'ai toujours eu des désirs assez simples. Je veux dire : me trouver un travail correct pas trop compliqué ; m'occuper de mes demi-sœurs et leur donner toutes les chances pour qu'elles étudient et se trouvent un bon travail ; m'acheter une petite maison en banlieue, un bungalow avec peut-être une piscine ; avoir un mari travaillant pis vaillant et avoir deux enfants. Je me souviens de m'être dit quand maman est morte que si j'avais tout ça, ben j'allais mourir heureuse avec le sentiment que malgré tout, la vie avait été bonne envers moi.

Marianne nettoya son visage.

— Pis maintenant, reprit-elle après quelques secondes en fixant la glace devant elle, ben, tout ça vient de changer. On dirait que pour la première fois, je pourrais avoir plus que ça de la vie. Peut-être que je vais me ramasser avec une carrière de chanteuse, peut-être que je vais avoir les moyens de payer des études à mes sœurs, peut-être que je vais pouvoir même me payer un retour aux études, pis avoir une maison, pis Steve…

Elle s'interrompit soudainement. Elle fixait toujours son reflet dans la vanité si bien que Vincent eut l'impression qu'elle s'adressait davantage à elle-même qu'à lui.

— Tsé, mon père ne travaillait pas vraiment. C'était ma mère qui le faisait vivre, qui nous faisait vivre avec son maigre salaire de caissière au *Metro*. Pis finalement, y est parti, un soir, de même, sans raison. Y s'est poussé avec une pitoune qu'y avait rencontrée au bar du coin. Pis ma mère, elle m'a toujours répété : « Marianne, quand tu vas rencontrer un homme plus tard, assure-toi qu'y est travaillant et vaillant. C'est ça le plus important. Un homme qui va être là pour sa famille pis qui va mettre du pain su'a table. » Pis un gars travaillant, c'est ça que j'ai trouvé. Un gars qui se lève à cinq heures tous les matins pour aller travailler, un gars qui répare toutes les bébelles dans l'appartement, un gars qui ne demande qu'à s'effoirer devant la télé en soirée pour écouter le hockey… Un gars simple…

Elle cessa de parler à nouveau. Elle attrapa des pinces dans ses cheveux. De longs pans de sa chevelure ondulante tombèrent sur ses épaules dans un mouvement extensible.

— Pis là, tout ça peut être différent. Mais les gens… le public…

Elle fixait toujours la glace, le regard tendu devant elle comme si elle s'égarait dans ses propres pensées.

— Y sont pas stupides, les gens. S'ils votent pour moi, c'est parce qu'ils veulent voir la pauvre 'tite fille d'un quartier pauvre qui a la chance d'offrir à ses proches une vie de luxe. Y veulent pas entendre parler que je voudrais changer toute ma vie, la virer de bord en bord. Y veulent que je reste simple. Y comprendront pas que dans la vie, quand tu as de la misère à manger, ben c'est chacun pour soi et que dès que tu as une occasion d'améliorer ton sort, ben que tu dois la saisir… Faque, je sens que je vais devoir continuer à leur donner la belle 'tite Marianne qui fait pitié et pour qui y ont voté depuis le début de ce concours.

Vincent eut un léger sourire accompagné d'un haussement d'épaules. Il la regarda. Cette fille, aussi peu éduquée qu'elle fût, avait pourtant une faculté de regarder la vérité en face sans complaisance ni apitoiement qui démontrait une grande clairvoyance. Il comprenait exactement ce qu'elle vivait à l'instant pour l'avoir éprouvé quelques semaines auparavant. Comme cela était inusité: il n'était donc pas le seul à se composer en partie une personnalité factice et à supporter une telle tension psychologique.

— Je suis très bien placé, Marianne, pour comprendre ce que tu vis. Tu sais, quand je t'ai dit que j'ai changé depuis que je suis arrivé ici, ça voulait dire que j'ai été forcé de changer, parce que sinon je ne serais plus ici, j'aurais été éliminé. Tu comprends? Moi aussi, Marianne, je dois faire un peu semblant, comme toi.

Il se leva et marcha jusqu'à la psyché. Il s'y mira et ajusta le col de sa chemise et, après avoir épousseté le vêtement par des gestes saccadés du revers de la main, il tendit fermement les rabats de son veston. En se mirant dans la glace, Vincent eut un moment de doute. Il se dit que cet homme qu'il voyait dans la glace, cet homme nouveau qui tournait le dos à celui qu'il avait été avant d'arriver au domaine n'était peut-être rien d'autre que son moi véritable. Il avait peut-être vraiment changé dans cette nécessité de devenir autre, de se créer un être social qui correspondait aux règles de la conduite en société. Puis, il rejeta ce doute et poursuivit pour se convaincre lui-même.

— Comme toi, je leur donne le Vincent qu'ils veulent avoir. Ma mère aura sans doute de la misère à me reconnaître quand je sortirai d'ici. Dans un sens, j'ai renié celui que j'ai toujours été. Mais on n'a pas le choix, poursuivit-il avec une énergie nouvelle en se retournant vers elle. On n'a pas le choix d'agir ainsi. Ce sont les circonstances qui nous y poussent, Marianne.

— Je sais que je n'ai pas le choix, et c'est pour ça que je suis pas certaine d'être heureuse de passer en finale. Tant que j'étais une concurrente parmi d'autres, je remettais à plus tard le moment où je serais forcée de choisir. Mais là, ce soir, je passe en finale et je prends conscience des conséquences que ça aura sur ma vie. Là, à partir de ce soir, je ne peux plus reculer. Tout ça… ça devient tellement… réel.

À ce moment, un régisseur de plateau tenta d'ouvrir la porte et se buta contre la serrure. Après une seconde tentative, la voix derrière la porte dit qu'ils devaient se presser. Vincent la regarda. Elle avait une mine désappointée. Il la considéra avec empathie. Des mèches de sa chevelure ondulaient le long de son visage avec une grâce volumineuse. Elle avait croisé ses jambes et sa jupe, légèrement relevée, laissait entrevoir ses cuisses longues et blanches. Une bretelle de sa robe ballottait mollement sur son bras et l'échancrure du vêtement ainsi relâchée découvrait le galbe généreux de sa poitrine. Elle releva ses grands yeux verts sur lui. Avec cet air désenchanté, Vincent lui trouva un très grand charme.

— Il ne faut pas que tu t'en fasses, Marianne, dit-il avec une compassion sincère. Tu auras le temps de penser à tout cela en sortant d'ici. Pour l'instant, profite de ce qui t'est offert et essaie de te détendre, et dis-toi que tu n'es pas toute seule à vivre cela.

Ils échangèrent un sourire et Vincent quitta la loge.

Lorsqu'ils furent assis, quelques minutes plus tard, dans le calme du bus qui les ramenait au domaine, Marianne et Vincent demeurèrent silencieux pendant un moment. Derrière eux, quelque peu en retrait, se tenait un caméraman, lui aussi silencieux et discret, si bien que les deux finalistes en vinrent à oublier sa présence. Après quelques minutes, Marianne dit :

— Je ne crois tout simplement pas ce qui vient d'arriver. J'étais certaine à cent pour cent que Virginie serait choisie par le public. Je lui avais concédé la victoire avant même que le gala commence.

— Si tu es ici, en ce moment, répondit Vincent, c'est que le public a jugé que tu étais meilleure que Virginie. C'est tout ce qui compte. Ton succès, tu ne le dois qu'à toi-même. Je ne sais pas ce qui s'est passé cette semaine, mais tu étais différente ce soir, tu chantais avec une telle aisance.

Dans un regain de gêne, Marianne inclina la tête.

— Pour une fois, dit-elle avec cynisme, j'ai laissé les stylistes faire leur travail. Moi, les robes décolletées et moulantes, ça n'a jamais été mon fort. J'me suis jamais bien sentie avec ça.

Marianne regarda, à travers les fenêtres du bus, les champs en bordure de l'autoroute qui s'effaçaient dans une noirceur infinie. Des lumières isolées à l'horizon annonçaient des villages.

— Ce soir, reprit-elle plus sérieusement, j'ai chanté juste pour moi. C'est comme si j'étais complètement détachée de tout ça, le spectacle, le concours. J'avais oublié le monde et le parterre. Je ne me voyais plus chanter, je chantais, point à la ligne.

— Depuis le début, reprit Vincent, j'ai toujours eu l'impression que tu te retenais, que tu ne te laissais pas aller. Mais ce soir, tu as vraiment été excellente, Marianne. J'ai eu des frissons. Vraiment. Et je peux te dire que je doute de mes chances face à toi la semaine prochaine.

Marianne se tourna vers lui en affectant une moue d'indignation.

— Voyons, Vincent, il ne faut pas voir les choses comme ça. Nous ne sommes pas en compétition, toi et moi. On est ici pour s'amuser, c'est tout.

— Tu as raison, répondit-il.

● ● ●

Le lendemain matin, à la première heure, alors que les deux finalistes dormaient toujours, Bellemare réunit, comme d'habitude, l'équipe de l'émission pour la planification de la semaine. Lorsqu'il pénétra dans la salle de réunion de la régie, il constata que l'équipe était animée par les événements de la veille. On discutait de la performance décevante de Virginie et de celle, convaincante, de Vincent.

— Si j'avais eu à parier, disait Murielle, j'aurais misé sur Virginie. Marianne est excellente dans les pièces intimes et émotives, mais elle est moins à l'aise dans un répertoire qui demande de l'énergie et de l'entrain. Virginie, elle, peut tirer son épingle de toutes les situations.

— Je pense que le choix de chanson y est pour beaucoup dans sa défaite, ajouta Chantal. En choisissant *Le monde est stone*, Virginie jouait dans les plates-bandes de Marianne. C'était comme si elle voulait que le public les compare sur le même type d'interprétation.

— C'est exactement ça, Chantal, poursuivait Murielle. J'ai essayé de le lui faire comprendre. Mais Virginie tenait à chanter cette chanson-là, alors qu'est-ce que je pouvais faire ?

— Elle n'avait pas un peu fait ça, auparavant, quand elle risquait d'être éliminée ? demanda Antoine Morin. Il me semble que le soir où Macha a été éliminée, Virginie a chanté une chanson très rock avec une chorégraphie énergique ?

— Tu as raison, dit Marc-André. Je me souviens que Macha avait mis le paquet, ce soir-là, pour montrer que c'était sa niche à elle.

— Elle en avait tellement mis, ajouta Murielle, qu'elle n'avait pas bien maîtrisé sa voix. Mais ça, c'était Macha : ben de l'énergie, un coffre à la Ginette Reno, mais aucun contrôle d'elle-même quand elle se laissait aller. Virginie, elle, avait réussi à fournir de l'énergie sans sacrifier la justesse et la qualité de sa voix. Virginie, c'est comme un mélange entre Stéphanie, qui n'arrivait pas à occuper l'espace mais qui avait une excellente voix, et Macha, qui occupait tout l'espace mais sans avoir la technique vocale.

— À vous entendre, dit Bellemare après avoir pris place à table, Virginie vous manquera beaucoup.

— Bien, on ne parle que de ses aptitudes artistiques, répondit Murielle. Personnellement, je n'ai pas l'impression de l'avoir vraiment connue. Elle était plutôt discrète comme personne.

— C'est bien vrai, dit Johanne. Je crois qu'il n'y avait aucune histoire à raconter sur elle. Dans un sens, tôt ou tard, ça allait lui nuire. Marianne, même si elle ne fait rien pour attiser l'intérêt du public, il faut dire que son histoire en soi la met sous les projecteurs.

— Mais si quelqu'un m'avait dit la première semaine, reprit Marc-André, que Vincent allait devenir une bête de scène comme ça, je pense que j'aurais misé 20 $ contre cette prédiction. C'est le candidat qui a le plus évolué, ça ne fait aucun doute, si on regarde d'où il est parti et où il est maintenant.

— Je suis bien d'accord, opina Murielle. Je crois que je n'ai jamais eu un élève aussi doué. Il assimile l'information avec une rapidité étonnante. Au début, il chantait avec sa tête ; maintenant, il chante avec son ventre. Ça fait toute une différence.

— Oui, oui, renchérissait Fernand qui ne parlait plus de Vincent qu'en des termes très élogieux. Tu as raison, Murielle. Il était un peu coincé à son arrivée, mais on l'a bien mis à notre main. Moi aussi j'avais vu le talent en lui. Les têtes fortes sont souvent les meilleurs poulains. C'est du beau travail qu'on a fait. Il a ce qu'il faut pour aller très loin celui-là.

Bellemare toussota pour imposer le silence. Les regards se tournèrent dans sa direction.

— Bon, dit-il d'une voix calme, nous voilà dans les derniers milles. Je tiens à féliciter chacun d'entre vous pour l'excellent travail que vous avez accompli. Tous ensemble, nous avons non seulement contribué à la formation de nos jeunes chanteurs, mais nous avons aussi livré un spectacle de qualité qui a trouvé son public. Je tiens à vous dire que, si tout va bien, nous envisageons un bonus substantiel pour chacun de vous.

Un petit murmure de contentement parcourut l'équipe. Encouragé par l'heureuse nouvelle, Gaétan, le professeur de conditionnement physique, dit avec énergie :

— Alors, qu'est-ce qu'on a au programme cette semaine ?

— Rien, répondit sèchement Bellemare.

Il y eut des regards interrogatifs. Puis, comme leur directeur n'apportait aucune explication, Murielle demanda :

— Que veux-tu dire par « rien » ? Est-ce que ça signifie que c'est à nous de planifier nos agendas avec les concurrents ?

— Non, fit Bellemare. Je veux dire que nos deux finalistes ne feront à peu près rien cette semaine. Nous réduirons leurs activités musicales au minimum : quelques cours de chant et de danse pour préparer la grande finale, mais rien en dehors de cela. Ils devront s'occuper.

— Mais s'ils ne font rien, demanda Fernand en replaçant la monture jaune de ces lunettes, ça risque pas de faire un bien piètre spectacle pour les quotidiennes ?

Le poète fit claquer sa langue dans sa bouche. Bellemare eut une faible expression d'enthousiasme, vite réprimée, avant de dire :

— Ne vous en faites pas avec les quotidiennes. Je crois que sur ce point nous ne manquerons pas de matière.

8

En se réveillant ce matin-là, Marianne ouvrit les yeux sur le portrait de Steve et des jumelles qui était sur sa table de nuit. Elle prit le cadre dans ses mains et le regarda pendant un instant. Comme sur toutes les photos qu'elle avait vues de lui, Steve avait un demi-sourire. Il s'était forcé même, cette fois-ci. Les jumelles, par contre, souriaient à pleines dents. Il y avait si longtemps qu'elle ne les avait pas prises dans ses bras, de même que Steve. Elle les avait entrevus, la veille. Ils étaient assis au premier rang. Mais une scène les séparait. Du coup, il lui semblait qu'elle menait une nouvelle vie depuis qu'elle vivait au domaine. Il y avait bientôt trois mois qu'elle résidait dans cette maison et elle commençait à oublier qu'une autre vie l'attendait à l'extérieur, une vie de responsabilités, de famille, de labeur. Pendant un instant, elle souhaita que cette vie n'existât plus, que seule l'existence au domaine fût sa véritable vie. Puis, elle éprouva une grande culpabilité. Comment pouvait-elle être à ce point égocentrique quand les jumelles avaient perdu leur mère à huit ans, quand Steve avait accepté de sacrifier beaucoup de ses libertés pour s'occuper de ces deux préadolescentes? Non, il ne fallait plus qu'elle ait ce genre de pensées. Sa vie allait reprendre son cours normal dans une semaine. Le séjour de trois mois au domaine n'était que des vacances bien méritées après trois années éreintantes.

Elle remit le cadre sur la commode et se leva. Elle fit quelques pas dans la grande pièce où elle vivait seule maintenant. Elle alla aux fenêtres et tira les rideaux. La lumière du jour pénétra dans la chambre. Elle s'accouda contre les parois de l'embrasure et ouvrit un carreau ; l'air frais de novembre pénétra d'un souffle et fit frissonner sa gorge et sa poitrine. Elle regarda longuement la cour arrière. Puis, elle rêvassa en contemplant l'horizon. Elle pensa à la discussion qu'elle avait eue avec Vincent, la veille, dans la loge. Elle s'étonnait elle-même de s'être livrée si directement à lui. Elle n'aimait pas particulièrement échanger sur ce qu'elle éprouvait. La discussion, selon son expérience, avait toujours été un luxe qu'elle n'avait pu s'offrir. Les choses étaient ce qu'elles étaient, alors à quoi bon parlementer ou babiller ? Et pourtant, cette fois-ci, elle se sentait libérée d'un poids immense. Le simple fait de dire ce qu'elle ressentait l'avait grandement soulagée.

Elle regardait à l'horizon lorsqu'elle vit Vincent surgir de la lisière des bois. Elle distingua d'abord sa silhouette, puis à mesure qu'il s'approchait du domaine en joggant, elle remarqua qu'il chantait à tue-tête en écoutant son iPod. Depuis les dernières semaines, elle ne pouvait se souvenir de l'avoir vu sans son lecteur MP3. Il ne se déplaçait jamais sans l'avoir dans la poche intérieure de son veston ou dans le creux de la main. Il était constamment en train d'écouter de la musique. Lorsqu'il atteignit le jardin, Marianne enfila un gilet de laine, des bas chauds et descendit à la cuisine.

Lorsqu'elle arriva dans le portique, Vincent venait d'entrer dans la maison et enlevait ses espadrilles. Il était essoufflé et ses vêtements étaient trempés de sueur. Elle lui demanda à quelle heure il s'était levé.

— Sept heures, dit-il après avoir enlevé ses écouteurs.

— Bon yeu! Vincent, fit-elle en se dirigeant vers le réfrigérateur. Mais tu ne dors jamais, toi? Même les lendemains de spectacle? On s'est couchés à une heure du matin pourtant...

— Bof... répondit-il en enlevant ses bas. Je ne me sens pas fatigué. J'ai tellement d'énergie, c'est pas possible. Pis en plus, Antoine m'a fait découvrir le punk la semaine dernière, et ça, pour courir sur la piste d'hébertisme, y a rien de plus énergisant. Je viens de faire six tours.

Vincent enleva son gilet et son t-shirt. Marianne, en revenant de la cuisine avec deux verres de jus d'orange, posa les yeux sur son torse nu. Les exercices assidus auxquels il s'était astreint portaient leurs fruits. Son corps se développait. Il n'avait pas les formes disproportionnées qu'avait le corps de Jef; c'était une musculature saine, produite par un travail physique soutenu et non des entraînements ciblés.

— Ah! merci, fit Vincent en tendant la main vers le verre de jus d'orange. Marianne sortit de sa torpeur et lui remit le verre.

— Tu devrais écouter ça, Marianne, le punk, fit-il après avoir pris une longue gorgée de jus. *Never Mind The Bollocks, Here's the Sex Pistols*, l'album de The Clash et, aux États-Unis, *Rocket to Russia* des Ramones. Les trois albums sont sortis en 1977 et le punk était né. C'est incroyable. De quoi donner raison à Arcand qui dit que l'intelligence est un phénomène collectif. Moi, avec ça dans les oreilles, je pourrais courir un marathon. Mais surtout, *London Calling* des Clash, deux ans plus tard. Du début à la fin, c'est vraiment excellent.

Marianne fit la moue en disant qu'elle n'avait pas apprécié les extraits qu'Antoine leur avait fait entendre la semaine précédente.

— Est-ce que tu sais ce qu'on a au programme, aujourd'hui?

— J'ai croisé Johanne, hier soir avant de me coucher. Elle m'a dit qu'on avait la journée de congé.

— Ah, c'est bien, fit Vincent en se dirigeant vers l'escalier. Je vais prendre une douche. Ensuite, on déjeune ensemble?

Marianne accepta. En l'attendant, elle alla dans le salon et en profita pour fouiller dans la bibliothèque. Elle attrapa un escabeau et jeta un œil aux livres. Elle remarqua, dans les rayons supérieurs qui lui avaient toujours paru décoratifs, une collection de classiques de la littérature française. Dire que pendant tout ce temps, alors que Fernand Valois lui apportait des livres qu'elle avait jugés pour la plupart illisibles, elle avait sous les yeux ce qu'il lui fallait pour nourrir sa curiosité intellectuelle. Marianne feuilleta quelques ouvrages, releva des titres que Vincent avait cités au fil de leurs discussions. Puis, elle tendit l'oreille. Elle entendait une voix. C'était Vincent qui chantait *Janie Jones* sous la douche. Elle sourit en écoutant sa voix éraillée chanter à pleine gorge le succès des Clash.

Elle revint à la table de la cuisine en y déposant cinq volumes. Quelques minutes plus tard, Vincent vint la rejoindre et activa la machine à espresso pour faire deux bols de café au lait. Jean-Paul apparut dans le cadre de la porte et demanda si Vincent et Marianne voulaient qu'il leur prépare un déjeuner. Vincent dit que ce n'était pas nécessaire et insista pour le faire lui-même, initiative que le vieux garçon de table salua. Vincent remarqua alors les livres que Marianne avait ramenés de la bibliothèque et qu'elle avait déposés sur table.

— Tu t'es trouvé de la lecture pour la semaine, à ce que je vois?

Marianne releva la tête en souriant.

— Oui, j'ai finalement terminé *Madame Bovary*. Ça m'a pris presque trois semaines, mais j'ai réussi. Pis comme Johanne ne semble pas là pour nous dire quoi faire, bien, je vais en profiter pour lire quelques romans.

Vincent s'approcha pour voir les titres qu'avait choisis Marianne. Il y trouva des romans de Madame de La Fayette, Laclos, Stendhal, Maupassant, Camus.

— Wow, Marianne! fit-il en relevant les yeux. C'est tout un programme de lecture, ça! Je vois que tu m'écoutais quand je faisais mon savant en étalant devant toi mes connaissances littéraires…

Marianne eut un sourire complice.

— Ne dis pas à Fernand que j'ai préféré tes suggestions aux siennes. Mais j'aime mieux quand c'est toi qui m'expliques que lui. Fernand, il utilise tellement de mots bizarres que j'ai l'impression qu'il parle une autre langue que la mienne.

Vincent lui demanda ce qu'elle allait lire en premier et Marianne lui répondit qu'elle lirait les romans en ordre chronologique. Vincent lui donna alors quelques informations sur la galanterie française et la société de la Cour d'Henri II pour qu'elle ne fût pas trop déroutée par le roman de Madame de La Fayette. Aiguillée par ces précisions, Marianne prit son volume et alla dans le salon.

À l'extérieur, le ciel se couvrait et un vent froid d'automne se levait. Marianne s'emmitoufla dans une couverture en polaire et commença sa lecture. La matinée de la jeune femme passa ainsi, dans une longue période sans interruption de détente pendant laquelle elle s'absorba dans un roman sur la vie de la Cour française. Avec l'habitude, lire devenait pour elle de moins en moins difficile. Son cerveau s'était habitué aux tournures syntaxiques soutenues et il ne lui arrivait plus que très rarement d'oublier le sujet d'une phrase. Sa mémoire, aussi, semblait plus exercée. Elle n'oubliait plus le contenu des pages qu'elle venait de lire et savait maintenant cerner l'élément central de l'action que décrivait chaque chapitre du roman. Elle avait aussi appris à se servir d'Internet pour consulter des fiches sur les auteurs et les événements historiques dont il était question dans certains romans.

Après avoir lu pendant tout l'avant-midi, Marianne prit un dîner léger et alla ensuite marcher en forêt. Cela lui fit un grand bien. Elle se retrouva seule et se dit qu'il était bon de n'avoir plus à se soucier que d'elle-même. En revenant de sa marche, elle se fit couler un bain et s'y installa confortablement pour y poursuivre sa lecture. Il y avait si longtemps qu'elle n'avait passé une journée comme celle-là, une journée pendant laquelle son confort personnel avait été son unique préoccupation. Elle avait l'impression d'être seule au monde; il n'y avait plus de spectacle à préparer, il n'y avait plus ni concours ni candidats, et surtout il n'y avait plus de famille : il n'y avait qu'elle et elle seule maintenant. Son existence se recentrait sur elle-même et cela était un grand bonheur.

Au-dehors, un vent incisif faisait battre les branches des arbres contre les carreaux de verre de la salle de bains. Marianne ajustait la température de l'eau du bain et s'absorbait dans les aventures galantes du duc de Nemours. Quel homme il était, tout de même ! Il tournait le dos à la couronne anglaise parce qu'il nourrissait toujours l'espoir d'une relation avec la princesse de Clèves. Mais pourquoi donc le refusait-elle alors même que sa situation de veuve lui permettait de former une nouvelle union ? Et elle se souvenait de ce que Vincent lui avait dit des mœurs galantes. Marianne, selon son expérience fort différente des réalités conjugales, pouvait tout de même comprendre que l'amour ne fût pas une donnée dont on tenait compte pour former des unions à cette époque. Elle avait toujours eu l'impression que les gens se berçaient d'illusions sur les unions libres. Qui pouvait vraiment affirmer s'être marié par amour? Marianne avait remarqué que le choix des gens en cette matière, aussi libéré de toute restriction qu'il fût, demeurait quand même assujetti aux circonstances. Chacun trouvait plus ou moins son compte avec un compagnon choisi parmi les possibilités qui s'offraient. Il y était rarement question d'amour. Chacun recherchait plutôt une bonne entente avec son conjoint. À des degrés différents, se disait Marianne, c'était toujours une sorte de transaction dans laquelle chacun pesait le pour et le contre, les avantages et les inconvénients qu'offrait cette union. Et Emma Bovary? Mais non, c'était une autre époque... Mais pas si différente d'aujourd'hui. Il fallait qu'elle discute de cette question avec Vincent. Toutes ces lectures lui donnaient beaucoup à penser. Après son bain, elle descendit au salon et attrapa un autre roman. Elle fut agréablement surprise de constater qu'elle avait dévoré un roman en moins d'une journée.

En fin d'après-midi, elle entendit le son du piano. Vincent devait sans doute pratiquer une chanson. Elle se replongea dans sa lecture d'un roman épistolaire, qui lui demandait, par sa forme, une certaine concentration. Quelques pages plus tard, son oreille fut à nouveau attirée par les sons provenant de la salle de musique. Elle connaissait cet air. La ligne mélodique que Vincent pratiquait au piano, elle la connaissait, elle l'avait entendue quelque part. Elle déposa son livre sur ses cuisses et fredonna les paroles de la chanson.

Elle se leva et se dirigea vers la salle de musique. Vincent reprenait la chanson depuis le début. Elle s'immobilisa dans le cadre de la porte et joignit sa voix à celle de Vincent.

Vendu l'prélart
Cassé mon bail
Rendu dehors
Chien pas d'médaille

Un p'tit effort
Envoyé Ti-Caille…

Vincent cessa de jouer en se tournant vers elle.

— Désolé, fit-il en souriant. Je ne connais pas encore le reste de la chanson. Je viens tout juste de m'y mettre.

— Alors tu as écouté *Tu m'aimes-tu?*, lui demanda-t-elle en s'approchant du piano.

Vincent lui raconta alors comment il en était venu à écouter l'album de Richard Desjardins. En début d'après-midi, il était parti en randonnée pédestre avec Gaétan, le professeur d'éducation physique, pour gravir une montagne située à une dizaine de kilomètres du domaine. Deux caméramans les avaient accompagnés, mais comme Vincent avait décidé d'emprunter un sentier très escarpé, il avait atteint le dessus de la montagne 40 minutes avant les autres. Et là, avec une vue imprenable sur les Laurentides, il avait pris son iPod et écouté l'album de Desjardins en entier. Rarement, confessa-t-il, il avait été à ce point touché par une poésie et une musique. À son retour, il s'était précipité dans la bibliothèque et n'avait trouvé qu'une seule partition de Desjardins, celle de *L'homme-canon*. Mais il comptait bien demander à Johanne de lui trouver la partition intégrale de l'album.

Les premiers jours de cette dernière semaine au domaine se succédèrent sur ce même rythme. Vincent et Marianne eurent bien quelques cours ici et là, mais leur formation était pour ainsi dire complète et chacun devait maintenant trouver sa propre voix en proposant quelques chansons qu'il allait interpréter lors de la finale. À vrai dire, ni l'un ni l'autre n'avait vraiment le concours en tête. Marianne, pour sa part, passait ses journées dans le salon, se calant sous une couverture chaude pour lire des romans. Elle restait assise pendant des heures, se chauffant près du foyer, et offrait ainsi aux téléspectateurs un spectacle bien ennuyant. Tous les soirs, Marianne retrouvait Vincent pour souper en compagnie de Johanne. Mais les deux candidats discutaient si aisément entre eux et de sujets si étrangers à l'animatrice qu'il fut bientôt décidé de les laisser seuls.

Est-ce que le vicomte de Valmont et la marquise de Merteuil avaient déjà été amants avant de s'unir pour venger un affront commun ? Est-ce que Valmont avait vraiment aimé la présidente de Tourvel ? Pourquoi parlait-on dans la préface d'une aristo-cratie sclérosée ? À une époque, pouvait-on s'élever dans les ordres religieux par pure ambition comme Julien Sorel ? Napoléon avait vraiment été un homme important ? Mais pour tirer sur son amante, il fallait être fou ! Et cette mademoiselle Rousset, elle avait bien plus de courage et de patriotisme que les autres voyageurs ! Était-ce vraiment à cause du soleil que Meursault avait tiré sur l'Arabe ?

Vincent répondait au mieux de ses connaissances aux multiples questions de Marianne. Alors que les journées de la jeune femme étaient entièrement destinées à la lecture, celles de Vincent étaient, au grand plaisir des spectateurs, beaucoup plus remplies. Non seulement il chantait constamment, jouait de la guitare et du piano, mais il apprenait aussi à cuisiner, sous la direction du chef et de Jean-Paul pour qui il s'était pris d'affection. C'est en se dirigeant vers la serre pour y retrouver le jardinier du domaine que Vincent croisa un homme qui fumait une cigarette sur le porche de l'ancienne écurie. Il recon-nut le technicien qui avait peut-être assisté incognito à l'entre-tien qu'il avait eu avec Simon, deux semaines auparavant, dans la rotonde sportive. Il alla à sa rencontre.

De prime abord, le technicien lui semblait un peu plus âgé que lui. Il devait avoir la fin vingtaine. Celui-ci vit que Vincent venait dans sa direction. Avant que Vincent eût commencé le dialogue, le technicien dit avec une pointe de moquerie dans la voix :

— On ne poursuit pas la formation culinaire aujourd'hui ?

— Non, pas aujourd'hui, répondit-il d'un ton débonnaire. Il fait bien trop beau pour s'enfermer dans une cuisine. Vaut mieux profiter du temps avant que l'hiver ne vienne.

Puis, il lui tendit la main :

— Je crois que nous n'avons pas encore eu la chance de faire connaissance. Je suis Vincent.

— Pas la peine de te nommer, répondit le technicien à brûle-pourpoint en lui serrant la main : ça fait plus de deux mois et demi que j'épie sur mes moniteurs le moindre de tes gestes. Je m'appelle Marc, je suis le monteur de l'émission.

— En quoi ça consiste au juste la fonction de monteur ?

— Bien, fit le technicien après avoir inhalé une bouffée, c'est moi qui opère un premier tri dans les moments significatifs qui ont lieu au domaine. C'est moi qui traficote les faits pour que vous paraissiez toujours à votre meilleur.

— Ah ! fit Vincent, alors j'imagine que c'est à toi que je dois une partie de mon succès. Car sans toi, j'aurais sans doute eu l'air con à certains moments…

La modestie lui sembla particulièrement bien jouée. Mais le technicien rétorqua :

— Ouais, disons que je suis un peu la maquilleuse qui corrige vos imperfections, on peut voir ça comme ça.

— Et ça fait longtemps que tu fais ça ?

Le technicien sourit.

— À peine deux ans. Moi aussi, j'ai fait une petite carrière de chanteur populaire avant.

— Ah bon ! s'exprima Vincent afin de l'encourager à lui en dire davantage.

— J'ai remporté « Cégep en spectacle » quand j'avais vingt ans, pis deux ans après, j'ai remporté le concours de chanson de Petite-Vallée. Après, ben j'ai fait Granby avec un *band*. J'étais lancé sur la bonne voie, tsé.

— Mais pourquoi t'as arrêté ?

Marc haussa les épaules en regardant vers les fourrés.

— Ch'sais pas trop. Le stress, la pression des autres, l'impression de se faire toujours épier. Sais pas. Y en a qui semblent faits pour ça, mais moi, chus vraiment pas fait pour ça.

— Si t'as remporté tous ces prix, tu dois bien avoir du talent…

— J'imagine. Mais le problème est pas là. Pour se donner en spectacle comme ça, je veux dire pour gagner sa vie en donnant des spectacles, y faut ou bien être ben naïf ou bien être simplement con.

— Qu'est-ce que tu veux dire ? demanda Vincent dont l'amour-propre était piqué.

— Ben, répondit le technicien en inhalant une autre bouffée de sa cigarette, j'vois beaucoup de gens qui s'lancent dans la carrière artistique plus pour frimer que pour être de vrais artistes. Les génies du spectacle, les vrais artistes, sont naïfs, selon moi, au sens positif du terme, s'entend. J'en ai rencontré des gars qui ne doutaient pas une seconde, qui fonçaient tête baissée dans leur carrière, sans jamais demander l'avis de personne, et cette attitude les empêchait de tomber dans le panneau. Les autres, les cons, ils sont là juste pour frimer, ils ne font pas vraiment de la musique. Ils s'en servent comme piédestal, uniquement. Eux demandent l'avis de tout le monde. Ceux-là, j'en ai trop vu pendant mes débuts. J'ai appris à les flairer à dix milles à la ronde. C'est un milieu dangereux, le monde artistique. On ne te fait pas de quartier. Et les gens finissent toujours par découvrir les frimeurs. Ça, c'est la seule justice dans ce milieu. Moi, j'avais pas la naïveté des génies, je tenais trop compte de ce que les autres pensaient de moi, je voulais plaire, c'est tout naturel, car c'est aussi ça être un artiste. Mais j'ose croire aussi que je n'étais pas complètement con, que je ne pouvais pas continuer juste pour frimer. Alors j'ai préféré me retirer. C'est ça mon histoire.

Vincent posait sur lui un regard incertain. Que voulait dire toute cette histoire de naïfs et de cons ? Lui, dans quelle catégorie le classait-il ?

— Bien, c'est toute une expérience que tu as du monde du spectacle, finit-il par grommeler avec une indignation à peine voilée dans la voix. Pour ma part, je ne vois pas les choses d'une façon aussi manichéenne. Le chanteur n'échappe pas à la loi. Toute profession est un compromis et les gens qui refusent tout compromis n'arrivent jamais à rien dans la vie, ils ne sont que des entêtés.

— Peut-être, rétorqua Marc qui venait d'écraser son mégot du bout de sa chaussure. Allez, bonne chance, fit-il en lui tendant promptement la main, je dois retourner à mes moniteurs.

Vincent lui serra la main et ne lui rendit pas son salut. Ce technicien venait de l'insulter à mots couverts. Alors il poursuivit sa marche en direction de la serre où le jardinier du domaine élaguait des plantes avant de les sceller pour l'hiver. Là, pendant tout l'après-midi, Vincent apprit les rudiments de la botanique.

• • •

Le jeudi soir, Marianne et Vincent se retrouvèrent comme d'habitude pour souper ensemble. Vincent, au milieu du repas, dit à Marianne qu'il avait fait une découverte dans les caves du domaine en cherchant des pots de jardinage la veille. Il entraîna Marianne à la cuisine et ouvrit une porte qu'elle croyait être un simple garde-manger. Mais, dans l'ombre, elle entrevit un escalier en colimaçon qui tournoyait vers un sous-sol obscur.

— Bah ! dit Marianne en frémissant. Ça fait un peu film d'horreur.

Vincent la nargua et il s'élança dans l'obscurité. Arrivé au niveau du sol rocailleux, il trouva l'interrupteur et Marianne, d'abord aveuglée par la lumière rêche d'une ampoule dénudée, vit les fondations de pierre de la maison. C'était des immenses colonnes massives cimentées par un mortier ancien qui s'écaillait.

— Dire que c'est du vieux ciment comme ça qui supporte nos chambres, dit-elle. J'suis pas certaine que c'est dans les normes du bâtiment.

Vincent la traita de rabat-joie et s'élança vers des pièces plus avancées. Marianne le suivit d'un pas hésitant.

— Mais où c'est qu'tu m'emmènes, Vincent ? murmura-t-elle en croisant les bras après avoir été prise d'un frisson soudain. Il y avait une humidité froide dans ce sous-sol de pierre.

— Tu vas voir, ça vaut la peine, répondit Vincent qui ouvrait des portes.

Puis, au bout d'un moment, ils arrivèrent dans une pièce poussiéreuse. Vincent tâtonna dans l'obscurité pour rejoindre l'interrupteur et dès qu'il l'eut trouvé, il dit en allumant :

— J'ai découvert la cave à vin. Je pense que ça appartient à la municipalité ou je ne sais pas à qui, mais ça ne fait certainement pas partie du programme pédagogique de *L'Académie de la chanson populaire*...

Marianne vit apparaître devant elle un mur où s'entassaient des dizaines de bouteilles de vin couvertes d'une mince couche de poussière.

— Mais on n'a sûrement pas le droit de prendre du vin là-dedans, Vincent ?

— Qu'est-ce que tu veux qu'ils fassent ? Nous mettre dehors ?

Vincent avoua qu'il ne connaissait rien au vin, mais qu'après avoir découvert cette cave avec Jean-Paul plus tôt dans la journée, il était revenu prendre en notes les années et appellations des bouteilles et avait fait une recherche dans Internet. Il sortit un papier de sa poche, nomma quelques noms de châteaux français, et attrapa trois bouteilles en affirmant que selon ses trouvailles, ces bouteilles étaient millésimées. Lorsqu'ils arrivèrent dans la cuisine, Vincent dissimula les bouteilles dans des linges de table, prit une cruche et y versa une première bouteille. Ils goûtèrent au vin. C'était infect. Ils le crachèrent dans l'évier.

— Mais c'est du vinaigre ! s'écria Marianne en grimaçant. Vincent lui dit qu'il avait lu dans Internet que des bouteilles d'un tel âge risquaient d'avoir été contaminées par la lumière ou l'air. Il ouvrit la seconde bouteille et, cette fois-ci, ils furent agréablement surpris. C'était un vin de Bourgogne légèrement fruité et rehaussé de subtils tanins qui étiraient longuement son goût en bouche.

— Je ne m'y connais pas en vin, dit Marianne, mais ça, c'est bon. Il ne nous manque qu'un peu de musique et là, on sera heureux…

Vincent lui dit alors d'amener son assiette et son verre de vin et ils allèrent dans la salle de musique. Il prit place au piano et joua une suite française de Bach pour se délier les doigts. Puis, Marianne ayant attrapé un feuillet, elle le plaça sur le lutrin. C'était un extrait de *La Traviata* avec des arrangements pour piano et voix. Marianne dit que c'était sa mélodie préférée de tous les opéras que Murielle lui avait fait découvrir.

— Est-ce que tu es capable de le jouer en lecture à vue?

Vincent sourit en disant qu'il avait plus de dix ans de piano classique à sa formation. Il attaqua le *Un Di, Felice* que Marianne avait appris par cœur. Vincent fut particulièrement étonné d'entendre l'interprétation très solide qu'en fit Marianne. Le vin accentuait la sensibilité déjà grande qu'elle possédait dans le répertoire lyrique. Elle avait une voix triste et belle qui savait vibrer sans exagération, d'une belle émotion vive et soutenue. Il enchaîna avec *Lady Madonna* et s'ensuivit un concert pour piano et voix où les chansons populaires côtoyaient des pièces d'opéras italiens et français. Bientôt, la carafe de vin fut vide et Vincent alla transvider la dernière bouteille qui, par chance, était d'aussi bonne qualité que celle qu'ils venaient de déguster.

Marianne s'était affaissée dans un divan près du piano et dodelinait de la tête en fredonnant les mélodies que jouait Vincent au clavier. Elle se sentait bien. Elle parcourut la pièce du regard. Ils n'étaient plus qu'eux seuls, sans professeur, sans autres élèves, sans animatrice. Elle avait l'impression d'habiter cette immense maison avec Vincent, comme au bout de la civilisation, à la lisière d'un boisé infini. Ils étaient libres de faire ce qu'ils voulaient. Il n'y avait plus de caméras, de spectacle ; il n'y avait qu'eux.

Elle prit une autre gorgée de vin. Vincent venait de détourner la tête dans sa direction en adoptant une pose théâtrale, comme s'il se trouvait dans un *saloon* et jouait des chansons grivoises. Elle reconnut immédiatement la ligne de basse rythmique. Et Vincent chanta d'une voix égrillarde :

> *Quand ton corps touche...*
> *À mon espace viiiiiiital.*
> *Quand tu prends... ton air louche...*
> *Quand tu pousses... ta langue dans ma bouche...*

Marianne éclata d'un rire franc. Prise d'un désir étrange de se dandiner sensuellement, elle bondit du divan où elle s'était étendue et se mit à danser en chantant les paroles de la chanson de Desjardins. Elle ferma les yeux en tournoyant langoureusement sur elle-même. Ses mains caressaient ses hanches et son ventre. Son bassin bougeait au rythme du piano. Il y avait si longtemps qu'elle n'avait éprouvé cette sensation de pur plaisir. Elle sentait le sang affluer vers son bas-ventre et ses cuisses. Elle avait chaud, si chaud... Mais que c'était bon, cette chaleur ! Et Vincent pianotait de plus en plus fort en prenant une voix encore plus théâtrale.

> *Quand tu roules dans mon lit*
> *Et que tes caresses sentent le cuir...*
> *Quand je sens ma fin venir*
> *Et que tu m'arraches un dernier soupir...*

Avec les dernières notes, Marianne tituba et se laissa choir sur le banc de piano à côté de Vincent. Elle le félicita d'avoir appris à jouer si bien les chansons de Richard Desjardins. Vincent avait repris son verre de vin et affirma qu'il n'écoutait plus que *Tu m'aimes-tu?* depuis quatre jours. Puis, il s'empressa d'avaler une gorgée de vin en disant:

— Attends… Je ne t'ai pas joué la meilleure chanson de l'album à mon avis. J'ai des frissons à chaque fois que je la joue.

Vincent plaqua un accord pour se donner la tonalité et chanta d'une voix soudainement langoureuse.

Étends le sable…

Marianne ferma les yeux en sentant les notes du piano raisonner jusque dans son ventre.

Allume le brasier…

Elle entendait, dans les silences qui s'étiraient…

Comme une vague trop grosse
Je m'en viens me briser.

Sa tête était si lourde. Elle la laissa tomber lentement contre l'épaule de Vincent. Elle avait découvert cette chanson à l'adolescence, il y avait plusieurs années déjà. Et cette mélodie jazzée, ces paroles chargées de désir sensuel et ces accords feutrés s'étaient gravés dans sa mémoire comme l'expression idéale de ce que devait être la sexualité. Les expériences s'étaient révélées fort décevantes. Mais l'idée de ce que pouvait être la sensualité amoureuse, grâce à cette chanson, demeurait bien vivante dans son esprit. À force d'écouter et de réécouter infiniment cette chanson dans les heures creuses de ses nuits adolescentes, son imagination avait élaboré une histoire. Ce n'était pas vraiment une histoire avec un scénario; c'était plutôt des images, mais distinctes et associées à des moments précis de la chanson. Une maison au bord de la mer, comme un hôtel éloigné de tout; des pieds nus de femme dans le sable d'une plage; les souliers de cuir noir d'un homme vêtu d'un costume

des années 1950 ; ce même homme qui entre dans le portique
d'une maison, enlève son chapeau et monte un escalier recou-
vert d'un tapis bourgogne ; une porte en bois entrouverte à
l'étage ; le vent d'août qui frôle délicatement les rideaux de la
fenêtre en apportant dans la chambre l'odeur saline de la mer
et des poussières de sable ; à l'intérieur, un lit défait, un mollet
de femme qui disparaît sous les draps ; et des mains qui par-
courent lentement les corps, tantôt en douceur, tantôt avec
passion ; et surtout, cette impression d'un temps infini, d'un
arrêt du cours des jours représenté par ce dernier solo de piano
d'une ligne mélodique dépouillée.

Marianne ouvrit les yeux alors que Vincent chantait les
dernières paroles. Elle n'avait pas revu ces images depuis son
arrivée au domaine. Et cette sensation chaude et voluptueuse
dans son bas-ventre, elle ne savait plus quand elle l'avait
éprouvée pour la dernière fois. Elle prit une gorgée de vin en
essayant de calmer ses pulsions qui montaient en elle comme
les vagues d'une marée ascendante sur la grève.

— Est-ce que ça existe une chanson qui exprime mieux que
ça la sexualité ?

Vincent eut un sourire timide. Marianne se dit alors que le
vin lui déliait peut-être un peu trop la langue.

— Je veux dire, tenta-t-elle de se reprendre… Je vois tellement bien la scène. La plage, le foyer, l'escalier, la chambre…
Moi, ça vient vraiment me chercher…

Vincent soupira en plaquant les accords de la chanson et en
reprenant les solos de piano.

— Je comprends ce que tu dis, Marianne, fit-il après un
moment. Moi aussi, je vois ces images quand je joue cette
chanson-là. Ça me fait vraiment… tout drôle. Dans le ventre
et…

Il cessa de parler en ayant un sourire intimidé.

— J'veux dire, je ne sais pas exactement ce qu'on éprouve dans ces moments-là, mais grâce à *Lucky lucky*, j'pense que je devine un peu ce que ça doit faire dans les tripes…

Marianne se sentit soulagée d'entendre que Vincent avait bien interprété ce qu'elle lui avait dit. Elle ferma les yeux en se laissant bercer par les harmonies. Puis, elle réfléchit à ce que Vincent venait de dire.

— Attends Vincent, fit-elle en rouvrant les yeux. Tu veux-tu dire que tu es encore?…

Le jeu de piano de Vincent devint soudainement tendu. Elle sentit sa respiration s'accélérer. Elle reprit d'une voix moins inquisitrice.

— Est-ce que tu as déjà eu une blonde, Vincent?

— Non, répondit-il. Pas vraiment. Je n'ai jamais eu beaucoup de succès avec les filles. Je ne sais pas pourquoi. Et son jeu de piano se déliait. C'est un monde que je commence à découvrir tranquillement, grâce à toi…

Marianne lui jeta un regard oblique.

— Ben, c'est grâce à toi si j'ai découvert *Lucky lucky* de Desjardins…

Marianne se détendit en souriant. C'était grâce à elle, bien sûr, s'il avait découvert cet album. Et elle prit une gorgée de vin. Puis, elle lui demanda de jouer le nocturne de Chopin qu'il lui avait fait découvrir quelques semaines auparavant…

Quelques instants plus tard, ils allaient déposer leurs verres à la cuisine. Ils se dirigèrent ensuite en silence vers l'escalier. Au pied de la première marche, ils s'immobilisèrent en échangeant un sourire. Puis, ils s'enlacèrent. Rarement Marianne avait-elle éprouvé un tel désir sexuel. Elle avait une telle envie de la peau de Vincent. Elle détourna son regard en montant les marches et essaya de penser à autre chose. Mais elle avait de la difficulté à chasser de son esprit l'image de son torse nu qu'elle avait entrevu lundi matin lorsqu'il était revenu de son jogging. Arrivés à l'étage, ils se souhaitèrent une bonne nuit en esquissant chacun un mouvement vers l'avant, mais rapidement réprimé.

Lorsqu'elle entra dans sa chambre, elle soupira comme si elle venait de fournir un effort considérable. Puis, lorsqu'elle revint de sa toilette où elle avait enfilé sa chemise de nuit, elle tira les rideaux. Son corps lui semblait fiévreux. Ce devait être le vin, simplement. Mais elle éprouvait le désir de dormir nue. Sous les couvertures, elle enleva sa chemise. Puis, comme elle étendait la main pour fermer la lumière de sa table de nuit, son regard rencontra le cadre posé à la gauche de la lampe de chevet. Steve, de son demi-sourire, ne lui inspirait pas un désir érotique très fort. Elle pensa alors à Vincent, à ses mains délicates de pianiste, à son souffle chaud, à sa chevelure abondante. Elle revoyait son ventre. Il avait un ventre si plat et dégarni de poil. Steve, en comparaison, avait des manières rudes et un corps viril. C'était toujours sa pilosité qu'elle sentait sous sa main lorsqu'ils faisaient l'amour. Elle avait maintenant envie de peau, d'une peau chaude et blanche.

Sa main alla rejoindre sa gorge et descendit fébrilement entre ses seins. Soudainement, elle eut conscience des caméras qu'il y avait autour d'elle. Bien que dans une demi-obscurité, on pouvait sans doute entrevoir ses gestes. Elle se rappela alors tout ce que Steve avait fait pour elle et ses sœurs. Encore ce soir, c'était lui qui les avait mises au lit après s'être assuré qu'elles avaient bien fait leurs devoirs.

9

En entrant dans la cabine téléphonique, Vincent s'aperçut qu'il n'avait téléphoné à personne dans les dernières semaines. Il attrapa la carte sur laquelle il avait pris en note le numéro et il le composa. Après quelques sonneries, on décrocha.

— Allô.

— Simon. C'est Vincent.

— Eh! Vincent. Un appel de l'intérieur du domaine... Comme je suis privilégié.

— Comment vas-tu? Est-ce que le retour à la réalité se passe bien?

— Oh! que oui... répondit Simon d'une voix apaisée. Ça m'a vraiment fait du bien de revenir chez moi et de remettre tout ça en perspective.

— Tu ne m'en veux pas trop d'abord, si le public a voté pour moi?

— Mais non, Vincent. Je te l'ai dit le soir du gala : tu mérites de gagner. T'es un bon *jack* et je dis à tout le monde que tu as mon vote pour dimanche prochain. Et toi, comment ça se passe au domaine? C'est pas mal tranquille d'après ce que j'ai vu dans les quotidiennes?

— Oui, répondit Vincent, ils nous laissent souvent à nous-mêmes. Mais il y a tellement de choses à faire ici que je ne m'ennuie pas. Puis je m'entends super bien avec Marianne.

— Ben oui : vous êtes allés piger dans la cave à vin, c'est ça ? J'ai vu une capsule ce matin. Si on l'avait trouvée ensemble cette cachette-là pendant que j'étais au domaine, tu peux être sûr que j'en aurais profité !

— Écoute, Simon, continua Vincent d'un ton concerné. Je t'appelle pour te demander un conseil. Pis j'aimerais avoir ta complète discrétion là-dessus.

— Vas-y, *shoot*.

— Ben… Ça va avoir l'air stupide, mais… Tu me connais, Simon, je ne suis pas le plus extraverti…

— C'est pas vrai, Vincent, l'interrompit son ami. Arrête de penser que t'es le gars pas sociable. Tout le monde te trouve sympathique, vu de l'extérieur. T'es le p'tit intello maladroit…

— Peut-être, reprit Vincent en tentant de se donner une contenance. C'est vrai que tout va bien sur ce plan-là, mais y a quand même un truc avec lequel j'suis pas à l'aise. Je parle des filles…

— Quoi, les filles ?

— Ben… J'ai jamais eu de blonde, Simon. J'ai jamais embrassé une fille. Je ne sais même pas comment m'adresser à une fille qui me plaît, tu comprends ?

Il entendit à l'autre bout du fil le rire franc et décontracté de Simon.

— Voyons, Vincent. C'est pas grave. Pis là, t'aimerais savoir comment cruiser une fille ? C'est qui ? Pas Marianne, est mariée. Y reste qui ? Murielle ? Trop vieille. Chantal ? J'pense pas. Ah ! Je le sais : Johanne. C'est ça, hein ? Avoue que c'est ton genre : mature, grande, plus vieille que toi, intelligente ? Tu vas pas cruiser l'animatrice ? Ça serait vraiment l'boute !

Vincent écoutait son ami s'emballer et échafauder des scénarios plus loufoques les uns que les autres. Simon était maintenant étranglé de rire tant l'idée de voir Vincent séduire l'animatrice de l'émission l'amusait.

— S'cuse moi, Vincent, dit-il en reprenant son souffle. Je ne voulais pas rire de toi. J'imagine juste la tête qu'aurait Frédéric Bellemare si tu *frenchais* Johanne en direct !

Vincent se laissa emporter par le rire franc de Simon. Il trouvait aussi l'idée très drôle. Puis il pensa à Marianne.

— Non, ne t'en fais pas, Simon. Je ne pense pas m'attaquer à une pointure comme Johanne. C'est pour après l'émission que je te demande des conseils. Je voudrais préparer un peu le terrain. Toi, ben, tout le monde t'aime instantanément, surtout les filles. Je ne veux pas savoir s'il y a un secret. Je me demande juste comment aborder une fille qui me plaît, c'est tout.

— Bien, répondit Simon en reprenant ses esprits, j'pense effectivement qu'y a pas de secret pour séduire une fille. Même que je connais pas grand-chose aux filles. Garde ce qui est arrivé avec Christine… Je me suis planté comme un débutant. Mais si je connais une chose qui passe bien auprès des filles, c'est l'humour.

— L'humour ? répéta Vincent.

— Oui, faire des blagues, niaiser. J'ai jamais compris pourquoi, mais la plupart des filles aiment rire. C'est même un moyen pour moi de me faire une idée : une fille qui ne rit jamais, c'est une fille avec qui la vie ne sera pas l'fun.

— Faque, tu me conseilles de faire rire la fille qui me plaît ?

— Oui, c'est ça. Mais attends, c'est pas juste de faire des *jokes* de Newfies. Y faut que tu sois capable de rire de toi, de te tourner en dérision. Ça dédramatise toujours les situations tendues. Pis l'humour, ça te permet de dire une chose sans la dire. J'sais pas… Heu… Tu marches près d'un lac avec une fille, mettons. Elle dit qu'il fait chaud. Tu lui dis que puisqu'elle insiste *vraiment*, tu peux bien te baigner en sous-vêtements avec elle. Elle sait très bien que tu blagues, mais l'idée de vous deux en sous-vêtements est dans sa tête et elle y pense. Pis si tu veux aller plus loin, tu lui dis que tu vas sans doute faire semblant de te noyer pour qu'elle vienne à ta rescousse en sous-vêtements. Encore là, tu niaises, c'est pas sérieux, mais tu suggères que tu as envie de la voir à moitié nue. Tu comprends ?

— À t'entendre, répondit Vincent, ça semble facile à faire, mais j'imagine que c'est pas donné à tout le monde.

— Aie pas peur du ridicule, Vincent. C'est pas grave de dire une niaiserie. Je te le dis.

Il entendit dans son souvenir le rire de Marianne lorsque, la veille, ils avaient chanté ensemble la chanson grivoise de Desjardins, elle, se dandinant, et lui, imitant un pianiste de *saloon*. Il souhaita entendre chaque soir ce rire égrillard.

● ● ●

Vincent joggait en direction de la piste d'hébertisme quand il remarqua Bellemare, sur sa gauche, fumant dans les herbes hautes. Le producteur lui fit signe de le rejoindre. Vincent débrancha le fil de son micro portatif.

— Alors jeune homme, on est dans les derniers milles…

— Oui, répondit Vincent, c'est presque fini. J'en reviens pas d'avoir passé au travers. Je te remercie de m'avoir offert cette chance. Ma vie va changer et c'est grâce à toi…

— Mais voyons, je n'ai pas fait grand-chose. Ton succès, tu ne le dois qu'à toi-même. Tu as su réagir au moment opportun, sans trop te compromettre. Mais, j'ai bien peur que tu ne sois en train de tout gâcher…

— Comment ça ?

— Ce serait dommage qu'après tant d'effort, tu abandonnes la joute. Le concours tire à sa fin, mais il n'est pas encore terminé. Il reste un dernier round.

— Tu parles de Marianne ?

— Qui d'autre ?

— Je refuse de voir en elle une concurrente, répondit Vincent avec dégoût. Si les gens la jugent plus digne que moi de remporter ce concours, alors ça doit être ainsi.

Bellemare soupira. En prenant une bouffée de cigarette, il fit une pause et fixa son regard pénétrant sur Vincent.

— Serais-tu en train de tomber amoureux ?

— Amoureux ! Voyons, ne sois pas ridicule.

— Bien, tu te comportes d'une étrange façon. Où est-il, le Vincent combatif qui prend l'initiative ? Où est-il, ce Vincent que je vois interagir depuis quelques semaines ? Il n'est plus là. Sur les écrans, je ne le vois plus. À sa place, je vois un jeune homme mièvre et sentimental qui salive devant une belle paire de cuisses. Mais laisse-moi te mettre en garde, jeune homme. Tu sais ce qui va arriver au candidat qui terminera en deuxième place ? Il va tomber dans l'oubli. Ça, je peux te l'assurer. À long terme, la carrière du deuxième finaliste tombera à plat parce qu'il y aura d'autres moutures de *L'Académie*, ça c'est certain. Et tous les deux ans ou presque, il y aura un nouveau gagnant. La place des deuxièmes sera de plus en plus restreinte. Seuls les meilleurs perceront. C'est donc dire qu'il n'y a pas qu'une histoire d'amour en jeu ici ; il y a une carrière aussi. À ta place, je réfléchirais aux conséquences que tes sentiments peuvent entraîner.

Bellemare prit une bouffée de cigarette. Vincent affichait une expression préoccupée.

— En plus, reprit le producteur, veux-tu que je te dise pourquoi Marianne est en meilleure position que toi dans les sondages? La pitié. Le public a pitié d'elle. C'est une orpheline qui a tout abandonné pour s'occuper de ses sœurs et leur éviter la DPJ. Tout le monde la voit comme une sainte. Et maintenant, par un simple téléphone, le public peut la sauver de la misère. Toi, le public, il t'aime bien. Tu t'es très bien débrouillé dans les dernières semaines. Tu es devenu un bon petit Français bien sympathique, bien québécois… Mais tu ne peux pas rivaliser avec son histoire à elle. Les revues ne parlent que de Marianne, le public n'a d'attention que pour elle. Tu devrais aller faire un tour dans une épicerie si tu pouvais sortir du domaine.

— Et… qu'est-ce que je devrais faire?

— Bien, jusqu'ici, quand tu as été menacé, tu as réussi à faire tomber Jef et Simon. Tu vas trouver encore quelque chose, j'en suis certain. Mais n'oublie pas que c'est cette image de la martyre que tu dois briser.

Sur ce, Bellemare partit sans le saluer. Vincent resta immobile quelques minutes à réfléchir, puis il attrapa son iPod, sélectionna l'album *Never Mind The Bollocks* des Sex Pistols, monta le volume et se mit à courir en direction de la forêt. Ce parcours de la piste fut, et de loin, le plus intense que Vincent ait jamais accompli. Il était d'une telle agressivité envers les équipements de la piste qu'il brisa deux cordes et enfonça trois paliers de bois tant ses enjambées étaient énergiques.

La pluie, bientôt, tomba, mais légèrement. Puis, à mesure que Vincent augmentait sa cadence, la pluie se faisait de plus en plus forte. Le jeu de guitare agressif de Steve Jones et la voix irrévérencieuse de Johnny Rotten remplissaient ses oreilles et injectaient dans ses veines une adrénaline belliqueuse. Pour la première fois de sa vie, il avait envie de se battre avec un autre homme. Bientôt, c'est à la piste elle-même qu'il s'en prit. Il la défaiait à haute voix comme si elle fût un être animé. Elle se dressait de ses infrastructures sur son chemin.

L'eau ruisselait sur son visage, ses souliers comme l'ensemble de ses vêtements étaient trempés. À plusieurs reprises, il perdit pieds et chuta lourdement dans la boue, dans les fougères. Son iPod sortit de son étui et tomba dans les herbes. Vincent le ramassa, l'essuya et y rebrancha ses écouteurs et la musique violente des Pistols envahit à nouveau ses oreilles.

« *Fuck offffffffff!* » hurla-t-il entre deux modules. Il n'y avait plus rien qui pouvait se dresser sur son chemin. Puis, lorsqu'il s'apprêtait à entreprendre un sixième tour de piste, son lecteur MP3 s'arrêta de fonctionner. Vincent crut que la boue et la pluie avaient endommagé le disque dur. Puis, il constata qu'il avait simplement épuisé la pile. C'est alors qu'il prit conscience que son cœur battait à tout rompre dans sa poitrine et que ses bronches, à chaque inspiration, semblaient se déchirer. Il se laissa choir sur le sol et écarta les quatre membres dans la terre boueuse. Il ferma les yeux et sentit la pluie tomber sur son visage.

Qu'allait-il faire? Bellemare avait-il raison? Marianne avait-elle plus de chance que lui de sortir victorieuse de ce concours? Et s'il en était ainsi, allait-il croupir dans l'ombre qu'elle lui ferait? Puis, quand le public pourrait enfin s'intéresser à lui, il y aurait un nouveau vainqueur et lui, encore une fois, demeurerait dans l'ombre. Il allait donc retourner à sa première vie, aux études universitaires, aux concerts de piano. Comme cette vie lui semblait sans relief aujourd'hui, alors que les Sex Pistols venaient d'injecter une dose d'adrénaline dans ses veines.

Vincent resta ainsi pendant de longues minutes, étendu dans une mare boueuse sous les averses de pluie, réfléchissant à la conduite qu'il devait adopter. Lorsqu'il revint au domaine, il était couvert de boue. Murielle et Marianne l'attendaient pour commencer la pratique de chant.

— Mais tu fais peur, Vincent, lui dit Marianne. T'as l'air d'un zombie ! Dépêche-toi, on t'attend !

Vincent dit qu'il allait prendre une douche rapide et viendrait les rejoindre après. Lorsqu'il se joignit à elles, Marianne lui trouva un air différent. Il semblait beaucoup plus en confiance que la veille. Murielle demanda aux candidats s'ils avaient pensé aux pièces solos qu'ils allaient interpréter. Marianne dit qu'elle hésitait entre une pièce de Nina Simone et une pièce de Richard Desjardins. Selon le professeur de chant, Marianne n'avait qu'à pratiquer les deux pièces avec les musiciens et elle n'aurait qu'à choisir le jour du spectacle. Il lui restait encore toute la journée de samedi pour prendre une décision. Vincent, pour sa part, avait décidé dans la douche d'interpréter *Comme un million de gens* de Claude Dubois.

● ● ●

Steve avait recommencé à boire en fin d'avant-midi ce samedi-là. Il n'avait pas cherché très longtemps la raison de ce comportement. Les gars de la job l'avaient taquiné sans arrêt pendant la journée de vendredi après que l'un des camionneurs de l'usine d'alimentation eut raconté pendant le lunch que sa femme avait écouté sur Internet le souper entre Vincent et Marianne et qu'il s'en était fallu de peu pour que Steve se retrouve cocu. Le camionneur avait repoussé toutes les moqueries en disant qu'il allait devenir le mari de la prochaine Céline Dion et qu'ils allaient tous avoir l'air d'une bande de cons quand il allait démissionner pour aller vivre à Old Orchard.

Puis, en rentrant du travail ce vendredi, comme les jumelles passaient une partie de la fin de semaine chez une amie d'école, il s'était empressé d'aller voir les images sur Internet. Il n'avait pu retrouver une vidéo de l'ensemble de la soirée et avait dû se contenter de capsules. Mais il avait ensuite parcouru de nombreuses chroniques et son imagination s'était enflammée à la lecture de blogues qui relataient très librement la nature des événements de la veille. Il s'était endormi très tard après s'être sérieusement enivré. À son réveil, la honte et la colère avaient ressurgi.

Pendant toute la journée, il n'avait pas quitté l'écran de l'ordinateur où il suivait en temps réel les activités auxquelles Marianne et cet enfant de chienne de Vincent s'adonnaient. Et ce frais chié n'avait pas cessé une minute de tourner autour de *sa* Marianne, autour de cette femme qui lui donnait assez de fierté pour se lever chaque matin et mener une vie respectable au lieu de traîner dans les bars comme ses deux frères.

Steve n'avait sérieusement songé à se rendre au domaine que vers la fin de l'après-midi lorsqu'il avait vu que Vincent, avec l'aide du chef cuisinier et du garçon de table, préparait à Marianne un souper gastronomique pour couronner leur séjour au domaine. Vincent avait nommé des aliments et des mets dont lui, un livreur pour les épiceries, n'avait jamais entendu parler !

Mais ce ne fut qu'en voyant apparaître Marianne dans la salle à manger vêtue d'une élégante robe de soirée noire qui moulait chaque courbe de son corps qu'il décida de passer à l'action. Steve le savait, et depuis longtemps. Tout le monde le lui avait dit ; ses frères surtout s'étaient fait un plaisir de le lui rappeler à maintes reprises, même lors du banquet qui avait eu lieu dans la salle paroissiale après leurs fiançailles rapides : Marianne était une femme trop bien pour lui. Si elle l'avait marié, c'était simplement parce qu'elle y avait été obligée pour garder ses sœurs sous son toit. Sans ça, elle se serait trouvé un gars avec une vraie job et un appartement convenable, pas un déclassé comme lui. Il leur avait fermé la gueule, à ses soûlons de frères. Ils pouvaient bien s'étouffer avec leurs idées ; c'était lui qui s'étendait chaque soir aux côtés de ce merveilleux bout de femme…

Lorsque les jumelles étaient revenues de leur visite chez leur camarade de classe en milieu de soirée, elles avaient trouvé Steve dans la cuisine qui rageait, assis à la table devant une bouteille de bourbon. Il les avait amenées chez Mme Veilleux, la voisine du deuxième étage, à qui il les avait confiées, prétextant avoir une commission urgente à faire. Il reviendrait rapidement.

Mais maintenant, alors qu'il activait le moteur de sa voiture, il lui semblait que ses deux abrutis de frères étaient à ses côtés et lui sifflaient aux oreilles des paroles qui lui empoisonnaient le sang : « On t'avait dit, 'tit frère, qu'elle avait un ben trop beau cul pour toi ! Hein ! T'as voulu te prouver que t'étais différent de nous autres, que tu pouvais être un père à dix-huit ans pour rendre notre mère fière de toi, pour y montrer que t'es le seul bon gars d'la famille ! Ben là, tu l'as en plein su a gueule, 'tit frère ! Pis tout le monde va voir à soir ta super belle femme se faire sauter par un petit trou d'cul qui parle ben mieux que toi ! »

Steve frappa violemment sur le volant et la voiture louvoya dangereusement sur l'autoroute. Les automobilistes autour de lui le klaxonnèrent bruyamment. Steve baissa sa fenêtre et sortit sa main en envoyant des doigts d'honneur à tous les autres conducteurs et en leur lançant des injures comme si ses frères conduisaient chacune des voitures qu'il y avait autour de lui.

• • •

— C'est très bon, Vincent. Tu as vraiment bien cuisiné.

— Bof! répondit-il en prenant son verre de vin. Je n'ai fait que suivre les recettes sur les boîtes… Je veux dire, sur les boîtes des ingrédients…

Marianne l'interrogea du regard.

— Je veux dire, reprit-il avec nervosité, que c'était aussi facile que faire un *Kraft dinner*…

— Cuire une oie farcie aux pommes, ça me semble un peu plus compliqué que faire du macaroni.

Vincent lui dit qu'elle avait raison. Il avala une gorgée de vin. Quelle idée avait-il eue de parler de macaroni? Marianne, de l'autre côté de la table, le regardait avec un sourire amusé. Elle aimait bien cet air maladroit qu'il prenait après chacune de ses blagues ratées. Il avait l'air moins confiant que d'habitude. Cette soirée intime l'intimidait sans doute. Et ce soudain regard fuyant et timide lui donnait un charme nouveau. Il était plus mignon que d'habitude.

— Qu'est-ce que tu as, Vincent, ce soir? lui demanda-t-elle. On dirait que tu te pratiques pour entrer à l'école de l'humour. Est-ce que tu veux avoir une carrière d'humoriste maintenant?

Vincent balança sa tête vers l'arrière en poussant un éclat de rire.

— O.K.! Je m'avoue vaincu, dit-il en haussant les épaules. Je suis vraiment poche pour faire des blagues. Je voulais juste te faire rire, mais j'ai seulement réussi à me ridiculiser, hein?

— Mais non, dit Marianne d'une voix câline. Ne sois pas si sévère avec toi-même.

— Bien, c'est que tu as un si beau rire, Marianne… Quand tu ris, tes joues deviennent rosées et ton sourire… Quand tu souris, tes yeux deviennent tellement brillants. C'est pour ça que j'essayais de te faire rire. Mais je pense que je vais abandonner. J'avais préparé plein de blagues pour te faire rire toute la soirée, mais là… je vais arrêter, c'est promis.

Marianne rit et inclina légèrement la tête pour dissimuler le rougissement de ses joues. Elle prit sa coupe de vin et avala une gorgée de sancerre. Puis, elle se mordilla la lèvre inférieure en regardant Vincent.

● ● ●

Bellemare et Marc étaient accoudés sur la petite tablette devant le moniteur qui leur montrait les activités dans la salle à manger. Depuis plus de deux heures et demie, Vincent et Marianne causaient avec énergie d'un roman où il était question de vicomte et de marquise. Le repas s'étirait et ils pouvaient distinctement entendre leur conversation.

Soudain, on cogna à la porte du studio. Marc alla ouvrir. Un agent de sécurité demanda à parler à Bellemare.

— Monsieur, nous avons un petit problème à la porte principale et nous voudrions connaître vos directives étant donné la situation.

— Bien, fit Bellemare. Vous m'expliquerez en route.

Et les deux hommes disparurent. Marc syntonisa le poste des caméras de sécurité et fut ainsi témoin des événements qui allaient suivre.

En arrivant à la porte principale, Bellemare fut informé de l'arrivée d'un certain Steve qui se disait être le mari de Marianne. Celui-ci, aux dires du garde, exigeait de voir sa femme dans les plus brefs délais.

— Je dois vous prévenir, dit le garde en sortant de la voiturette : il est très agité et il a l'air dans un état d'ébriété très avancé.

Bellemare fit signe au garde de le mener à la porte. Là, il vit un homme, l'arcade sourcilière fendue, les poings levés, qui se tenait aux côtés d'une vieille voiture en criant des injures véhémentes. Un garde se relevait après avoir été frappé et deux autres gardes tentaient de calmer le visiteur. Bellemare se présenta.

— Jeune homme, jeune homme, du calme. Tu es le mari de Marianne qui participe à l'émission ?

— Ouais, t'as tout compris. Maintenant, si tu veux pas retrouver tes osties de gorilles à l'urgence demain matin, t'es aussi ben de leur dire de m'laisser passer pour que j'aille sortir ma femme de c't'endroit-là, O.K. ?

— Et pourquoi voudrais-tu sortir Marianne de cet endroit où elle reste volontairement ?

— Parce que ton crisse de 'tit Français, en'dans, ben y est en train de l'étourdir avec toutes ses manières, pis cette belle table-là.

— Écoute, Steve, fit Bellemare d'une voix conciliante, je peux t'assurer que nous veillons sur ta femme 24 heures sur 24 ici, et que rien ne peut lui arriver.

Le mari donna un violent coup de poing contre le capot de sa voiture. Sous l'impact, la tôle se courba et les gardes se mirent sur le qui-vive.

— Non! Tabarnac! ça s'passera pas comme ça, hurla-t-il les yeux injectés de sang. Y s'est déjà passé trop d'affaires dans c'te crisse de maison-là pour que j'reste planté les bras croisés. Si tu penses que j'vas rester icitte pendant que ton enfant de chienne de Vincent est en train de me voler ce que j'ai de plus précieux dans'vie, ben tu te mets le doigt dans l'œil, pis pas rien qu'un peu à part d'ça!

Bellemare demeura silencieux pendant quelques secondes. Il réfléchissait à la décision qu'il avait à prendre et aux consé-quences de cette décision. Il demanda à voix basse au garde qui l'avait amené jusqu'ici s'il avait un échantillon de sang de cet homme. Le garde lui répondit que sa propre chemise en conte-nait abondamment.

— Ouvre la grille, toé, crisse, ordonna Steve d'une voix menaçante, ou ben j'la défonce a'ec mon char.

Bellemare le toisa d'un air résigné:

— Marianne a signé un papier juridique stipulant que toute visite non planifiée et non voulue par la production est interdite au domaine.

Puis, s'adressant aux gardes:

— Messieurs, veillez à ce que notre jeune Bruce Willis ne perturbe pas le calme de notre domaine.

L'un des gardes prit sa radio pour demander du renfort, mais le jeune homme venait déjà de frapper un des agents et cherchait à regagner sa voiture. Les deux autres gardes se ruèrent alors sur lui afin de l'immobiliser et s'ensuivit une bousculade qui souleva la poussière du pavé. Bellemare demeura quelque peu en retrait. Bientôt, trois autres gardes arrivèrent pour maî-triser le gaillard.

Lorsqu'il se trouva rejeté par terre, impuissant devant le refus qu'on lui imposait, il voulut se battre, cracher et cogner comme il se savait capable de le faire. Mais il comprit vite que ses forces étaient insuffisantes face à une cohorte d'agents de sécurité. Qu'étaient les forces et la volonté d'un seul homme face à cette machine collective ? Ce fut une lutte violente. Inconscient, les menottes aux poignets, le jeune homme fut transporté à l'infirmerie.

● ● ●

— Il y a de l'activité à la porte principale, dit Marianne en revenant du salon où elle était allée chercher son châle. Dire que tout ça sera terminé demain. Je n'arrive pas vraiment à me faire à l'idée. Au début de la semaine, j'avais hâte que tout ça soit terminé… et maintenant je ne sais plus vraiment à quoi j'ai hâte.

La jeune fille respira profondément. Des parfums pénétrèrent ses narines. Au centre de la table trônait un volumineux bouquet de fleurs. Il embaumait la salle à manger et tout le premier étage de la maison. On ne se serait pas cru en plein mois de novembre à l'intérieur d'une maison de pierre qui, cent cinquante ans auparavant, aurait eu l'humidité froide d'une caverne. En fermant les yeux et en savourant ces parfums enivrants, elle se croyait dans un ailleurs idyllique, un lieu où il n'y avait ni caméra ni spectateurs ; un endroit où il n'y avait qu'elle et le garçon qui était à ses côtés.

Elle entendit l'écoulement du vin dans son verre.

— Non, Vincent, se défendit-elle avec mollesse. J'ai déjà assez bu comme ça.

Mais la coupe était déjà remplie et Vincent dit d'une voix prise d'une émotion vive où transparaissait une tristesse sincère :

— Marianne, c'est le dernier soir. Qui sait si nous aurons la chance de nous retrouver encore seuls à l'avenir ? C'est notre dernier moment. Alors savourons-le.

La jeune fille sourit ; elle appuya sa tête dans le creux de sa main en accoudant son bras sur le rebord de la table.

— Tu as raison, Vincent, dit-elle en devenant lyrique. Tout ça achève demain. Aussi bien en profiter.

Devant eux, sur la table, reposaient les assiettes vides. Marianne se pourlécha les lèvres ; le goût voluptueux de l'oie lui revint à la bouche. Le léger crépitement du brasier provenant du foyer berçait son ouïe. Elle ferma les yeux. Elle n'avait plus qu'une conscience confuse du lieu où elle était.

Puis, elle rouvrit les yeux. Son regard se posa sur les mains de Vincent. Ses mains étaient blanches et fines. Sous l'effet de l'ivresse, sa tête dodelina légèrement. Après un moment, Vincent l'invita à passer dans la salle de musique. Il joua longuement des nocturnes et des valses de Chopin. Il lui parla de la relation tumultueuse du compositeur avec George Sand ; puis il relata plusieurs autres histoires passionnées entre différents artistes. Marianne sentait sa peau s'enflammer. Elle alla vers Vincent qui était toujours assis au piano. Elle posa ses mains sur ses épaules et déposa un baiser sur sa tête.

● ● ●

Bellemare ouvrit la porte du studio. Il descendit les marches et regagna sa chaise devant les moniteurs aux côtés de Marc.

— Et puis ? fit-il en s'assoyant. Qu'est-ce que j'ai manqué ?

— Ils ont parlé de la fin du concours, répondit le monteur. Puis, Vincent l'a entraînée dans la salle de musique pour lui jouer du Chopin. Ensuite, il a raconté plein d'histoires d'amour entre différents artistes. Elle lui a donné un baiser sur la tête. C'était plus un baiser d'amie. Puis, elle est montée dans sa chambre. Vincent joue encore tout seul au piano.

Le producteur s'appuya contre le dossier de sa chaise et parut pensif.

— Tu n'as pas peur que le mari de Marianne aille tout raconter aux médias? demanda le technicien. Je veux dire, s'il affirme que vous l'avez empêché de voir sa femme alors qu'elle était sur le point de lui être infidèle... Si ça arrive, ça peut donner une très mauvaise image de l'émission.

— S'il va voir les médias, nous devrons user de diplomatie. D'un point de vue purement légal, nous sommes dans notre droit. Mais, en toute honnêteté, je doute qu'il soit ce genre de personne. Il est plutôt le genre de gars à vouloir tout régler par ses propres moyens. Et en plus, nous avons des images lors de son arrivée au volant de sa voiture qui prouvent sa conduite dangereuse et nous avons un échantillon de son sang qui contient, je suis prêt à parier, un niveau d'alcool qui dépasse largement la limite permise. On va lui faire savoir quand il aura dégrisé que s'il va voir les médias, il va se ramasser avec un dossier criminel et qu'il va perdre sa job de camionneur.

Marc eut un sourire en se disant que Bellemare pensait vraiment à tout. Puis, les deux hommes regardèrent les moniteurs.

● ● ●

Elle entra dans sa chambre. Pendant un moment, elle alla d'un coin à l'autre de la pièce, oubliant à chaque fois la raison de son déplacement. Elle regarda par les fenêtres pendant un moment, puis elle plia des vêtements qu'elle avait sortis plus tôt en journée. Elle éprouvait un sentiment étrange. Depuis le matin, le portrait de Steve et des jumelles avait disparu. Elle avait eu beau chercher partout dans sa chambre, faire appel à Jean-Paul, elle devait se faire à l'idée qu'il avait disparu. Elle aurait dû être attristée par cette perte. Or, elle se sentait libérée; libérée de ce regard qui lui avait rappelé depuis son arrivée au domaine que sa vie était ailleurs, qu'elle appartenait à une autre réalité.

Elle alla à la salle de bains. Elle enleva ses boucles d'oreilles et son collier. Elle prit ses serviettes démaquillantes et débarrassa son visage de tout ce fard. Elle se dépouillait des artifices avec lesquels elle s'était parée. Elle dégrafa sa robe comme si elle eût été seule, oubliant la présence des caméras. Puis, elle enfila sa nuisette. Elle se glissa sous les couvertures.

Après quelques minutes, elle entendit les pas de Vincent dans les escaliers. Pendant une fraction de seconde, elle souhaita qu'il poussât la porte de sa chambre et vînt la rejoindre sous les couvertures. Elle éprouva une grande déception lorsqu'elle entendit la porte de sa chambre se refermer.

Non, cette folie n'arriverait pas. Comme lorsqu'elle était adolescente, elle n'avait fait que la rêver. Puis, dans le silence de sa chambre, son oreille décela les notes d'une mélodie qu'elle connaissait bien. C'était l'air du *Un Di, Felice* que Vincent faisait jouer sur sa radio.

Marianne ferma les yeux et agrippa le rabat de sa couverture. Un frisson parcourait son corps.

● ● ●

— Elle y va…

Bellemare se retourna avec empressement.

— Elle va le rejoindre, répéta Marc qui avait gardé les yeux rivés sur son moniteur.

Dans une demi-obscurité, on voyait la chambre de Vincent. On n'y décelait que les contours indistincts des objets. Mais une silhouette se tenait au premier plan, la silhouette d'une jeune femme en chemise de nuit.

— Ah! l'enfant de pute… s'exclama Marc qui s'oubliait. Il a réussi.

Bellemare, qui en temps normal aurait réprimandé son subalterne, laissa passer l'incartade éthique. Lui-même était absorbé par la tournure des événements.

— On ne peut pas diffuser ça, ajouta le monteur. On est en direct différé sur le net en ce moment. On a treize secondes de décalage. Dis-moi quand je dois couper la transmission.

Bellemare avait les yeux rivés sur l'écran. Il vit la silhouette de Marianne qui s'avançait lentement dans l'obscurité. On ne voyait presque rien; on devinait. Ces images, avec les parasites de la transmission Internet et le flou que la caméra de nuit occasionnait, ces images, aussi imparfaites fussent-elles, dégageaient une intensité érotique à laquelle même un homme froid comme Bellemare était sensible. On distinguait à peine les courbes de la jeune femme qui approchait du lit maintenant.

Quand elle se fut glissée sous les couvertures, Bellemare attendit quelques secondes afin de s'assurer que les images auxquelles auraient accès les internautes fussent suffisamment suggestives, puis il ordonna à son technicien de couper la transmission.

10

Marianne se réveilla vers trois heures du matin. Vincent, à ses côtés, dormait profondément. Sous les draps, elle sentit sa nudité. Elle attrapa sa chemise de nuit qui était sur le plancher à côté du lit. Sans faire de bruit, elle quitta la chambre pour regagner la sienne.

Une fois seule, dans l'obscurité, elle éprouva une peur soudaine. Elle entra sous les couvertures de son lit. En pensée, elle entrevit les conséquences que pouvaient entraîner les gestes qu'elle venait de faire. Comment réagirait Steve? C'était la fin de son couple. Mais n'était-ce pas ce qu'elle souhaitait? Elle n'en était plus certaine. Comment avait-elle pu lui faire ça après tout ce qu'il avait fait pour elle? Et que penserait le public de cette histoire? Elle passerait pour la femme infidèle.

Plus elle y réfléchissait, plus la situation s'envenimait à ses yeux. Pendant quatre heures, elle resta éveillée en se questionnant sur cette nuit passée avec Vincent.

Puis, à sept heures, on lui apporta un déjeuner au lit. À partir de ce moment, elle n'eut aucun moment d'intimité. La maison bourdonnait de gens affairés. Il y avait des techniciens dans toutes les pièces qui ramassaient le matériel technique.

En se réveillant seul dans son lit, Vincent était conscient qu'il avait un choix à faire et qu'il ne lui restait que peu de temps pour prendre une décision. En faisant ses valises, alors qu'il était seul dans l'aile masculine, il se dit que Marianne devait être de l'autre côté, qu'il n'avait qu'à traverser le corridor pour aller la retrouver afin qu'ils s'expliquent. Mais il hésitait. Il pouvait facilement s'imaginer l'état psychologique de sa concurrente. Il n'avait qu'à la rejoindre, la prendre dans ses bras en lui disant qu'ils affronteraient ce concours ensemble, qu'il serait encore avec elle après cette soirée, pour l'aider à affronter cet immense changement, à se refaire une vie comme elle l'avait toujours désirée, sans Steve, une vie où elle pourrait vivre sans se sacrifier pour les autres. À deux, ils seraient capables de venir à bout de tout cela et ils seraient heureux.

Vincent rangea ses chemises dans sa valise. Il se répétait ce discours dans sa tête et se disait que s'il agissait ainsi, Marianne trouverait la force pour affronter cette journée, puis ce spectacle. Le public la saurait heureuse. Cette jeune femme de qui il s'était pris d'une si vive affection aurait trouvé l'amour pendant ce concours. Et il l'imaginait, triomphante, levant les bras dans les airs, les larmes aux yeux, lançant des baisers à la foule alors que lui, bon second, viendrait la rejoindre pour partager ce moment de bonheur. Puis, il s'effacerait. Bellemare le lui avait bien dit. Seul le vainqueur pouvait obtenir une vraie carrière après ce concours.

Une fois sa valise terminée, il entrouvrit la porte de sa chambre. Le corridor était désert. Il s'avança rapidement. Il devait se décider. Il alla à la cuisine pour saluer Jean-Paul. Puis, il alla dans le bus qui était stationné devant la maison. Là, il attendit qu'on annonce le départ. Seul pendant de longues minutes, il pesa le pour et le contre des options qui s'offraient à lui. Avoir une carrière et sacrifier Marianne ou bien se sacrifier pour qu'elle ait une carrière? Plus il y réfléchissait, plus ces deux options se dressaient dans des directions opposées.

Il posa une main contre sa bouche et son nez. Il crut y déceler encore l'odeur de Marianne. Il ferma les yeux. Chaque détail de cette nuit était gravé dans sa mémoire. Mille sensations envahissaient son esprit. Il avait envie de la reprendre dans ses bras, dès maintenant, de la caresser longuement, de sentir l'odeur qui émanait de sa nuque, de ses cuisses, de son ventre. Il n'avait jamais vécu une telle expérience. Tout son corps était en manque de ces parfums et de ces sensations. Enfin, il connaissait ce bonheur charnel que chantait, avec la certitude simpliste du contentement, une quantité innombrable de chanteurs, troubadours, poètes, tout ce cortège d'âmes sensibles. Et lui, maintenant, venait d'entrer pleinement dans ce cortège. Grâce à Marianne, il connaissait ce bien-être dont l'humanité, depuis la nuit des temps, tressaillait dès qu'il se présentait.

La porte de l'autocar s'ouvrit dans une secousse métallique. Il entendit ensuite les pas lents d'une personne qui pénétrait dans le véhicule. Le visage de Marianne apparut, tout à l'avant. Elle s'était immobilisée et le regardait fixement. C'était maintenant qu'il devait agir, qu'il devait se décider. Dans le silence de l'autobus, il avait l'impression d'être dans un laboratoire à l'abri de toute influence extérieure. Le monde semblait arrêté, suspendu dans ce moment intime où un geste allait décider de leur avenir commun. Vincent sentit tout son corps se tendre, prêt à bondir vers cette jeune femme pour la serrer dans ses bras. Il serra les deux poings comme si sa volonté était une affaire de muscles et, lentement, il détourna le regard vers la fenêtre du car.

Marianne, qui portait un sac en bandoulière et tenait sa valise dans ses mains, resta immobile. Puis, elle ferma les yeux un instant. Le chauffeur avait refermé la porte derrière elle. D'au loin provenait la rumeur étouffée du domaine où l'on s'affairait. Ici, il n'y avait plus qu'elle et Vincent. Les caméras arriveraient sous peu. Il ne serait plus temps de se dire quoi que ce soit. Et elle savait déjà qu'ils n'avaient plus rien à se dire. À partir de cet instant, elle allait devoir se débrouiller seule, comme elle l'avait fait toute sa vie.

Elle rouvrit les yeux. Vincent fixait toujours le paysage. Elle s'avança et déposa ses bagages sur un banc. Elle s'assit dans le siège qui était libre, à côté. Une dizaine de rangées les séparaient. Ils restèrent ainsi quelques minutes, sans se dire un mot, attendant qu'on les emporte vers les studios d'enregistrement.

Après que le bus démarra, elle se répétait : « Mais qu'est-ce que j'ai fait ? Qu'est-ce que j'ai fait ? » Elle se dit que son infidélité était connue de tous. Les techniciens, les coiffeuses, les habilleuses : tout le monde savait. Elle en était convaincue. La panique s'empara peu à peu d'elle. Tout cela était de sa faute. Elle le savait maintenant. Elle avait été égoïste. Elle se faisait mille reproches.

En arrivant dans sa loge, elle fut prise de nausées. La fatigue, qui s'ajoutait à la panique, devenait insupportable. Après qu'elle eut vomi dans la toilette de sa loge, elle eut l'impression d'évoluer dans un rêve. Elle n'était plus vraiment présente d'esprit. Pendant la générale, elle se plaçait machinalement sur la scène où on lui disait de se placer. Tout cela devenait irréel. La voyant si blême, Vincent lui demanda si elle allait bien. Elle n'avait même plus la force de répondre à cette question.

Puis, vers dix-huit heures, la rumeur de la foule se fit entendre. La panique devint alors incontrôlable. Ses mains tremblotèrent. Elle suait de partout : du front, des aisselles, des mains, du dos. Ils savaient. C'était inévitable. Ils savaient tous qu'elle avait été infidèle. Toute la province le savait. Sept millions de personnes avaient été les témoins de son infidélité.

Quand ce fut le moment d'entrer sur la scène, Marianne se sentit très mal. Les nausées la reprenaient. Elle n'avait rien avalé depuis l'après-midi. Son corps était vide. Quand elle vit les visages, au parterre, elle prit peur. Ils étaient venus pour la juger et la condamner. Au premier rang, elle vit les jumelles accompagnées de Mme Veilleux, la voisine de palier. Elle retint un sanglot.

Elle interpréta *The Other Woman* de Nina Simone avec une véritable douleur dans la voix. Quiconque n'aurait pas été informé des récents événements qui avaient eu lieu au domaine dans les jours précédents n'aurait pu faire autrement que reconnaître l'excellence de cette interprétation. Il y avait dans cette voix l'expression d'une solitude infinie qui fit frissonner les âmes les plus frigides. C'était une voix qui se savait condamnée à l'isolement.

L'atmosphère intimiste qu'avait créée Marianne fut balayée en quelques secondes. Vincent se démena avec énergie en chantant le succès rassembleur de Claude Dubois. Il en fit une version beaucoup plus rock que l'originale. Il allait à un bout de la salle, tendait les bras vers l'auditoire dans un élan de fraternité jubilatoire, puis courait vers l'autre extrémité de la scène en effectuant cette même pantomime racoleuse.

Comme toi, comme moi, bébé
Comme lui, comme l'autre, comme toi, bébé...

Et la foule, soûlée par la griserie de la similarité des hommes, chantait à l'unisson, d'une même voix, l'émotion puissante que Vincent avait su lui inspirer.

Des hommes semblables en dedans...

Il prononça les dernières paroles sous une vague d'applaudissements. Le public octroya la majorité des votes au jeune artiste qui explosa de joie en apprenant sa victoire. Puis, il se retourna vers Marianne. Elle posait sur lui un regard qui le désarçonna pendant un moment. Dans la cohue des applaudissements et des bruits qui fusaient de toutes parts, il voulut lui expliquer la complexité de ses sentiments, mais des techniciens de scène, déjà, se mettaient en travers de leur chemin. Ils furent éloignés l'un de l'autre.

Marianne, en sortant de scène, dégrafa l'émetteur qu'elle portait à la ceinture. Des techniciens lui adressèrent la parole. Elle était attendue dans une salle du hall pour la conférence de presse. Elle poursuivit son chemin. Elle émergea des coulisses et aboutit dans la salle où la foule se pressait vers les sorties. On murmura autour d'elle. Elle repéra ses demi-sœurs et se lança à leur rencontre. Elle remercia Mme Veilleux de s'être chargée d'elles. Puis, elle les amena vers les coulisses. Elle fit un saut rapide dans sa loge où elle attrapa un sac qui contenait ses effets personnels. Les jumelles écarquillaient les yeux sur les décors qu'elles observaient de près.

— C'est quoi ça, Marianne ?

— Qu'est-ce qu'il fait ce monsieur dans l'échelle ?

Marianne répondit évasivement. En se dirigeant vers la sortie des artistes, elle tomba sur Johanne. L'animatrice lui dit qu'elle ne pouvait pas partir ainsi, qu'elle avait encore plusieurs responsabilités et qu'elle devait les assumer.

Le regard que Marianne lui fit et le spectacle de cette jeune femme, les épaules chargées de bagages, tenant chacune de ses jeunes sœurs dans une main, firent honte à Johanne.

— Aurais-tu la bonté de m'appeler un taxi, s'il te plaît, Johanne ?

L'animatrice hésita, puis attrapa son téléphone.

— Nous serons à la sortie des artistes, dit Marianne en poursuivant son chemin.

Comme la sonnerie retentissait dans son oreille, Johanne lui demanda si elle allait être correcte.

— Ben sûr, dit Marianne sans se retourner.

L'animatrice vit alors sa chevelure frisottante disparaître graduellement dans la masse des corps qui obstruaient le chemin vers la sortie.

TROISIÈME PARTIE
LES MÉTAMORPHOSES

1

— Wow! Y ont du champagne!

Macha se précipita vers le garçon qui se tenait dans l'entrée du salon en présentant un plateau d'argent rempli de flûtes. Le groupe d'académiciens la suivit. Quand chacun eut une flûte en main, ils trinquèrent à leur triomphe.

— Ce n'est pas du champagne, dit Karl alors que les bulles pétillaient encore sur les langues, c'est juste du mousseux.

— Ben, c'est pareil, non? répondit Macha.

— Non, rétorqua Karl. Du champagne, ça vient de la région de Champagne. Du mousseux, ça vient de n'importe où ailleurs. Et c'est bien moins cher.

— *Anyway*, fit Macha d'une voix agacée, ça revient au même. Moi, j'vois pas la différence. Allez, y faut trinquer encore une fois. On a quand même gagné deux *Félix* à soir! À l'album populaire de l'année, pis à l'album meilleur vendeur!

Les autres académiciens, portés par l'enthousiasme débordant de Macha, levèrent à nouveau leur flûte; le choc fit un tintement clair. Comme les invités se pressaient derrière eux, Vincent dit qu'il était préférable de libérer l'accès de la salle pour les laisser entrer. Le petit groupe pénétra dans la pièce.

C'était une longue salle de réception avec de hautes fenêtres dont les rideaux étaient tirés. La foule afflua dans le salon et bientôt une rumeur assourdissante envahit tout l'espace. Le petit groupe formé par les académiciens se serra sous la pression des nombreux invités. La foule qui s'était déplacée pour assister à la réception privée qui suivait le gala de l'ADISQ était principalement composée d'artisans de l'industrie de la chanson : interprètes, auteurs, compositeurs, producteurs, agents d'artistes, animateurs de radio, mais aussi de plusieurs autres noms du *show-business*, des acteurs, des réalisateurs, des animateurs de télévision, des athlètes professionnels même. Vincent se hissa sur la pointe des pieds pour avoir une meilleure vue sur la foule. Il identifia rapidement quelques personnalités avec qui il voulait s'entretenir. Après quelques minutes, son attention fut à nouveau attirée par ses collègues de *L'Académie*.

— C'est quand même étonnant que Frédéric ne soit pas venu avec nous après le gala, disait Christine. Il n'a fait que passer pour la cérémonie, puis il est parti.

— Ben, il a d'autres chats à fouetter, répondit Simon. Pis, les partys, ça ne semble pas être son fort.

— Et c'est dommage, ajouta Virginie, que Marianne ne soit pas venue ce soir. Ces trophées, elle les mérite autant que nous...

Il y eut un silence inconfortable. C'était ce même inconfort qui avait perduré pendant toute la tournée de l'été. Vincent avait appris que Marianne, à la suite de son élimination, avait tenté de résilier son contrat, qu'elle n'avait voulu participer ni à l'enregistrement de l'album collectif, qui venait de leur rapporter deux statuettes, ni à la tournée qui avait suivi. Bellemare l'avait finalement persuadée de s'acquitter de ses engagements. Le succès populaire dont le groupe de jeunes artistes jouissait depuis quelques mois avait atténué les tensions apparues pendant leur séjour au domaine. Simon et Christine arrivaient maintenant à se parler et semblaient avoir oublié leur différend ; Jean-François avait fait son mea culpa sur la place publique en affirmant que les gais avaient les mêmes droits que les hétérosexuels, ce qui avait rassuré Julien ; Stéphanie et Macha se côtoyaient maintenant comme de vieilles amies. Ces foules qui s'étaient précipitées pour les applaudir, ces cris hystériques qui accompagnaient leurs pas dans chaque lieu public, comme un torrent qui finit par user et polir la plus récalcitrante des pierres, avaient effacé en chacun d'eux la moindre rancœur.

Marianne seule avait résisté à cet aplanissement général des différences entre les académiciens opéré par une gloire et une fortune soudaines. Bellemare avait bien organisé une rencontre entre elle et Vincent pour les réconcilier. Il avait plaidé devant eux la nécessité de présenter au public une équipe unie ; la viabilité économique de l'album en dépendait. Vincent s'était excusé, avait tenté de regagner la confiance de Marianne en démontrant beaucoup de bonne volonté ; la jeune femme était restée de glace. Elle avait accepté de jouer le jeu pour le public, mais cette bonne entente, avait-elle tenue à affirmer, n'était que de façade ; jamais elle n'agirait avec Vincent comme si rien ne s'était passé. Bellemare s'était contenté de cette demi-réconciliation.

Dans la suite des choses, Vincent avait pu observer la détermination de Marianne. Pendant les séances d'enregistrement et de photos, elle avait agi comme si elle ne l'avait pas vu. Lors des activités promotionnelles et des diverses apparitions publiques auxquelles elle n'avait pu se soustraire, elle avait souri et démontré une familiarité avec tous les académiciens, y compris Vincent. Mais à chaque fois qu'un journaliste lui avait adressé une question qui touchait à sa vie privée, il s'était frappé à un mur de silence. Dès sa sortie du domaine, Marianne avait farouchement défendu sa vie privée. On n'avait pu savoir ce qu'était devenue sa vie familiale ou quels étaient ses projets d'avenir. Pas même Bellemare ne le savait. Au terme de la tournée qui s'était achevée à la mi-août, elle avait tout simplement quitté le groupe, suivant l'entente qu'elle et Bellemare avaient conclue. On n'avait plus entendu parler d'elle depuis.

Le groupe d'académiciens se tenait maintenant le long d'un mur, comme s'il craignait de se mêler à la foule qui avait envahi le salon. Vincent dit alors qu'il voulait parler avec quelqu'un qui était à l'autre bout de la pièce ; il s'éloigna.

Vincent éprouva immédiatement l'impression d'entrer dans une cohue assourdissante. Partout autour de lui s'entassaient les convives en formant de petits cercles étroits, de quatre ou cinq personnes, où il lui semblait presque impossible de pénétrer. Vincent avança tout de même. Il dut se frayer un chemin, en se glissant entre les corps. Ses oreilles ne captaient que des bribes de conversation.

— … même pas faire. C'est comme le dernier moyen qu'a quelqu'un qui…

Vincent levait sa flûte pour ne pas la renverser.

— Pardon… je voudrais…

Un individu se poussait pour lui permettre d'avancer.

— … autre chose. Ben plus gros, cette fois, j'te dis…

Et il cheminait, péniblement, vers… quelque part. Tout à l'heure, il avait identifié quelques personnalités qu'il voulait rencontrer. Mais maintenant qu'il s'y était aventuré, il ne savait pas exactement ce qu'il était venu chercher au milieu de cette foule. Les garçons de service, par contre, n'éprouvaient aucune difficulté à se frayer un chemin dans la salle. Ils tenaient leur plateau à bout de bras, au-dessus des têtes, et avançaient rapidement. Au passage, Vincent déposa sa flûte vide sur le plateau et en attrapa une autre. C'était une étrange impression. Il croyait que quelqu'un, quelque part allait lui adresser la parole. Mais il ne voyait que des gens qui lui tournaient le dos. Vincent éprouva alors une extrême solitude, celle de se trouver au milieu d'une foule et de n'avoir personne avec qui converser. Personne n'avait rien à lui dire. Après quelques minutes, il fut tenté de regagner le groupe d'académiciens, mais une force indistincte le poussait à s'éloigner d'eux, comme si sa vraie famille artistique se trouvait ici, au milieu de ces hommes et de ces femmes qui ne devaient pas leur entière célébrité à une seule émission de télévision.

En se tournant, Vincent tomba nez à nez sur un homme au visage hâlé et ridé dont la chevelure et la dentition, d'une blancheur quasi aveuglante, lui donnaient un air de retraité floridien. C'était un chanteur populaire qui avait connu ses heures de gloire pendant les années 1970 et qui, depuis, menait une carrière de *crooner* en faisant retentir ses ballades romantiques dans les studios de télévision des émissions qui meublaient les plages horaires des après-midi.

— Vincent! Vincent! Mon beau garçon! fit le vieillard énergique en l'enlaçant brusquement.

— Ah! Jean-Claude. Tu as l'air en pleine forme…

— Moi, mais je pète le feu! Tu sais, mon gars, j'ai pas oublié le duo qu'on a fait ensemble cet été au Festival de montgolfières de Saint-Jean-sur-Richelieu. Je suis heureux de tomber sur toi. J'ai un projet dont j'aimerais te parler… Écoute, je vais droit au but. Je termine l'enregistrement de mon album de Noël et je tiens à ce que tu viennes chanter avec moi le *Minuit chrétien*. Notre arrangement est… tout simplement magique.

Vincent sourit en dissimulant mal son malaise. Il jeta un œil dans sa flûte avant de répondre.

— Bien, Jean-Claude, je ne voudrais pas avoir l'air impoli, mais on termine ces jours-ci le peaufinage de mon album solo et je n'ai vraiment pas le temps pour quoi que ce soit d'autre. J'ai tellement travaillé là-dessus cet été…

— Mais ça va te prendre que quelques minutes! insista le *crooner*. Écoute, on est en studio demain et après-demain. Tu viens faire un tour et c'est réglé.

Vincent plongea à nouveau son regard dans sa flûte.

— Je vais en glisser un mot à Frédéric demain et on va t'appeler si ça marche, O.K.? Mais je ne peux rien te…

— Je le savais! s'emballa le chanteur en lui faisant de nouveau une accolade chaleureuse. Tu sais, c'est très important pour moi… fit-il d'une voix soudainement sérieuse. Ça serait l'occasion de passer le flambeau à la nouvelle génération de chanteurs… Je vieillis…

Vincent observa son regard soudainement attristé.

— Je… je vais voir ce que je peux faire, Jean-Claude. Allez, je dois te laisser…

— Bien, bien, dit le chanteur avec un regain d'énergie. Va voir les autres jeunes et amusez-vous. Moi, je m'en vais me coucher, il est déjà minuit passé.

Et le vieillard s'éloigna d'un trot irrégulier après lui avoir chaudement serré la main. Vincent demeura un instant silencieux. Comment pouvait-on lui proposer de chanter le *Minuit chrétien*? Un album de Noël! Était-il vraiment devenu ce genre d'artiste? Légèrement déstabilisé, Vincent fouilla la foule du regard et repéra l'un des collaborateurs avec qui il voulait travailler. D'un air décidé, il se fraya un chemin parmi les invités et aboutit au cercle tant recherché. Le célèbre parolier était en conversation avec un chanteur qui venait de se faire connaître avec une comédie musicale qui faisait un tabac en France. Vincent, fermement décidé à s'imposer, attrapa une flûte supplémentaire et la tendit au parolier.

— Tenez, Pierre, dit-il en lui tendant le vin mousseux. J'ai vu depuis l'autre bout du salon que vous n'aviez rien à boire alors je vous ai amené quelque chose…

Le parolier sembla surpris par l'apostrophe de Vincent. Il le regarda pendant un moment d'un air indécis et dit :

— Hum… merci, mais j'ai arrêté de boire il y a dix ans, alors je ne m'y remettrai pas ce soir.

Vincent sourit nerveusement.

— Ah! fit-il en se ressaisissant, je ne savais pas… désolé. Tu la veux, Jonathan?

— Oui, je veux bien, fit le jeune chanteur.

— Ouf! enchaîna Vincent en expirant d'un mouvement ostensible, il y a du monde ici. On étouffe un peu, non?

— Hum… oui, répondit poliment le parolier. C'est… toujours comme ça dans les après-galas.

La conversation tomba à plat. Vincent sentait qu'il s'était imposé un peu trop brusquement. Il se dit qu'il était aussi bien d'aller droit au but.

— Écoute, Pierre, fit-il consciencieusement, je peux te tutoyer? Je sais qu'on ne se connaît pas vraiment et je m'excuse de t'aborder comme ça… Mais quand je t'ai vu, je me suis dit que je devais absolument te parler. J'ai le plus grand respect pour ton travail. Tu es le meilleur parolier que nous avons au Québec. Je le pense vraiment…

L'homme abaissa le regard, inconfortable devant la flatterie.

— Non, c'est vrai, reprit Vincent. Et je sais que je ne fais pas les choses comme il se doit en t'abordant d'une façon si directe, je sais que je devrais laisser mon gérant prendre contact avec toi, mais je tiens à te dire que j'aimerais beaucoup faire appel à tes services pour mon album. On termine ces jours-ci les séances d'enregistrement, et j'ai réussi à négocier avec la production pour ajouter une ou deux nouvelles chansons. Je tenais à te dire en personne que ce serait un honneur pour moi de chanter tes mots.

Le parolier jeta un regard circulaire dans la foule.

— Écoute, Vincent, dit-il d'un air diplomatique, tu as l'air d'un gars ben sympathique et je ne voudrais pas que tu le prennes mal, mais je ne crois pas que je puisse me joindre à ton projet. Voilà.

La gorge de Vincent se serra.

— Bon, fit-il en reprenant sa contenance. Peut-être que c'est parce que tu es trop occupé, mais laisse-moi te dire que je suis prêt à t'attendre. On peut sans doute repousser un peu la sortie de l'album. Sinon, on pourrait travailler ensemble sur mon deuxième album. J'ai déjà quelques idées qui pourraient t'intéresser.

— Ce n'est pas qu'une question d'agenda, répondit-il en se grattant le crâne, visiblement mal à l'aise. J'ai des tonnes de propositions, c'est vrai. Jonathan va d'ailleurs participer à une comédie musicale franco-québécoise l'année prochaine et je vais travailler à temps plein sur le livret. Mais… écoute, ne le prends pas mal. Tu as une bonne voix et du talent, mais *L'Académie de la chanson populaire*… c'est pas mon truc, voilà. J'ai déjà été approché par la production et j'ai refusé d'être de l'équipe… Ce n'est pas de ta faute. C'est juste que je priorise d'autres types de projets. Ça me prend du contenu, tu vois.

— Mais c'est exactement ce que ça me prend! s'exclama Vincent. Du contenu!

— Oui, je comprends, dit le parolier. Tu es intelligent, ça se voit. Mais je ne crois pas que tes producteurs vont vouloir aller dans cette direction. Je sais de quoi je parle: j'ai gagné ma vie au début de ma carrière en écrivant des textes pour des artistes comme toi, des artistes populaires. Maintenant, je les sélectionne, tu comprends. Le projet de la comédie musicale de Jonathan, il me tente, on me donne carte blanche, alors je le choisis. Mais une machine comme celle qu'il y a derrière toi, c'est un peu trop contraignant à mon goût.

Voyant la mine dépitée du jeune chanteur, le parolier se montra plus empathique.

— Écoute, Vincent, reprit-il. Tu as le syndrome du nouveau chanteur populaire, c'est tout. Tu viens de percer et tu voudrais tout de suite produire quelque chose un peu moins commercial. C'est ça?

Vincent opina de la tête.

— Mais ne va pas trop vite, continua le parolier avec bienveillance. Tu fais partie d'une équipe; tu n'es pas le seul maître à bord. Si tu me permets de te donner un conseil, je te dirais de prendre ton temps. Fais l'album que ta production a en tête. Accepte la *game*. Puis, laisse tranquillement passer ton contrat, prépare un autre album, travaille ta musique, prouve que tu peux faire une ou deux bonnes chansons. Montre que tu es persévérant, que tu es prêt à sacrifier bien des choses pour faire un vrai album. Montre que tu as une vraie personnalité artistique. Après ça, les collaborateurs vont s'offrir à toi.

Pour la première fois en un an, Vincent regretta de s'être joint au concours de *L'Académie de la chanson populaire*. Il regarda l'homme qui se tenait devant lui. Le bruit de la cohue envahit à nouveau sa boîte crânienne comme s'il ne l'avait plus entendu depuis quelques minutes. Vincent eut alors l'étrange impression qu'il n'était pas à sa place dans cette foule d'artistes.

— Je te remercie pour ton conseil, dit-il finalement avec dépit. Je vais méditer là-dessus.

Il se retira discrètement en baissant les yeux. Des corps obstruaient son passage. La foule ne cessait de gagner en densité. Après quelques tentatives, il réussit à se frayer un chemin vers la sortie qui se trouvait à l'opposé du groupe d'académiciens. Alors qu'il était à quelques mètres de la porte, on l'interpella.

— Eh! mais c'est le petit Français… le fameux Vincent…

Un homme corpulent à l'air enivré levait largement les bras dans sa direction en s'exclamant d'une voix bruyante. Vincent fronça les sourcils. Il le reconnut; c'était un humoriste.

— C'est un honneur, monsieur, de faire votre connaissance.

— Et il me vouvoie, répondit l'homme rubicond en s'adressant à son voisin d'un œil moqueur. C'est excellent, c'est excellent… Pis, mon p'tit, te v'là dans la cour des grands. Est-ce que t'es prêt à éliminer la compétition?

Vincent n'était pas certain de comprendre ce que l'humoriste sous-entendait.

— Ben, fit-il avec hésitation, j'ai presque fini mon disque si c'est ce que vous suggérez et je compte bien être à nouveau parmi vous l'automne prochain pour l'ADISQ.

— Tu prépares ton disque? dit un homme qui se tenait à la droite de l'humoriste. Tu veux dire que toi et toute ton équipe, vous êtes en train d'en assembler les morceaux sur la chaîne de montage?

Il y eut un rire généralisé. Vincent comprit alors que plusieurs personnes autour d'eux écoutaient leur conversation.

— Pas vraiment, répondit Vincent. Ce n'est pas aussi simple que ça. C'est beaucoup de travail: des pratiques, des séances d'enregistrement, puis on retouche, on discute, je donne mon avis. Enregistrer cet album, ça va être un long processus, comme pour n'importe quel artiste…

Vincent sentit les visages de ce groupe de personnes se crisper. Soudainement, on le regardait de haut sans qu'il comprît la raison de cette réaction.

— Non, là, je dois dire que je ne suis pas du tout d'accord avec toi, le jeune, dit l'homme qui se tenait à côté de l'humoriste après avoir pris une gorgée de mousseux. Moi, mon premier album, ça m'a pris cinq ans de travail avant de l'enregistrer. Comme la plupart des artistes dans cette salle, j'ai dû être patient pour mériter mes quinze minutes de gloire. Toi et ta gang, vous n'êtes pas comme tout le monde ici, vous n'appartenez pas à la même famille d'artistes. Vous êtes un produit qu'on fait à la chaîne, c'est tout.

— J'ai trouvé comment je vais l'appeler, dit l'humoriste avec enthousiasme. IKEA : une vedette à assembler soi-même !

La raillerie fut accueillie par une rafale d'éclats de rire.

— IKEA ! s'exclama son voisin. Elle est vraiment bonne celle-là, Michaël. Je vais te la voler, tu peux être certain. Je vais l'appeler IKEA à partir d'aujourd'hui… Je vais même peut-être composer une toune là-dessus.

— Mais, au fond, dit un autre homme qui se tenait un peu plus loin, il est juste que ce jeune homme triomphe ce soir, car ce gala existe en fait pour soutenir l'industrie québécoise du disque. En ce sens, notre Vincent est le fleuron de la soirée, car il n'y a pas plus produit d'industrie que lui.

— Si on renifle d'un peu plus près même, dit un autre convive, je parie qu'il sent encore l'usine…

Quelqu'un à la gauche de Vincent s'approcha de son épaule et le renifla ostensiblement. Puis, il se tourna vers le cercle de convives.

— Je confirme : ça sent l'usine…

Il y eut encore une rafale de rires. Vincent était étourdi. Il sentait le sang de tout son corps affluer vers sa tête. Son rythme cardiaque s'accélérait et ses paumes devenaient moites. Le cercle s'agrandissait; à chaque réplique que lui assénaient ces personnes, de nouvelles têtes se tournaient dans sa direction. Dix, quinze, vingt personnes assistaient maintenant à son humiliation. Les portes du salon étaient maintenant infranchissables pour de nouveaux convives qui devaient rebrousser chemin. La rumeur de la foule atteignait son paroxysme. Des éclats de paroles échangées envahissaient ses oreilles si bien qu'il n'arrivait plus à distinguer clairement ce qui se disait autour de lui. Vincent tournait la tête dans tous les sens et, dans ces mouvements précipités, tous les visages se mêlaient les uns aux autres comme des taches de peinture beige sur un tableau abstrait. Pendant quelques instants, il crut que toute cette foule, qui se massait lourdement dans ce salon, médisait de lui dans un canon d'injures.

— Vous avez tort, répondit un homme à sa droite immédiate, de vous acharner comme ça sur le petit Français. Dans quelque temps, un an ou deux, il sera oublié et un autre le remplacera. Il ne connaît rien au spectacle, ça se voit. Regardez son visage enfantin : il ne sait pas dans quel nœud de vipères il vient de mettre le pied !

— Il n'est que la pute d'une maison de disque, c'est tout ! s'exclama quelqu'un vers la gauche.

— Peut-être, mais ne le sommes-nous pas tous à différents degrés ? rétorqua un autre invité d'un ton philosophe.

— Moi, je dis qu'il faut laisser la chance au coureur. S'il n'a rien dans le ventre, il va disparaître, c'est tout.

— Mais en attendant, il nous vole nos statuettes !

— Ah ! bien dit !

Quelques convives applaudirent. Dans le mouvement, le vin mousseux bava de certaines flûtes et se déversa sur le tapis. L'épaule gauche de Vincent fut éclaboussée. Au milieu de ces répliques assassines, il se tenait comme un accusé et cherchait à comprendre la raison d'un tel procès. Mais de quel crime l'accusait-on au juste ? Lui reprochait-on vraiment de bénéficier des moyens que mettaient à sa disposition les Productions COM ? Lui reprochait-on de faire mieux ce qu'eux cherchaient désespérément à accomplir ? Il cligna plusieurs fois des paupières pour désembrouiller sa vue. Il eut un regain de vie et dit :

— Mais un artiste ne doit-il pas vendre pour vivre de son art ? Est-ce que c'est un crime de vendre des disques ?

Il y eut quelques secondes de silence. Vincent sentit que toutes ces personnalités ne parlaient plus que d'une seule voix.

— Tu oses nous parler d'art ? reprit l'homme qui, le premier, l'avait humilié. C'est quoi ton art, déjà ? Pendant deux mois et demi l'automne dernier, t'as joué les fillettes dans une émission de téléréalité, t'as braillé quelques notes dans un micro et maintenant tu enregistres un album que des gens ont écrit et composé pour toi et tu oses nous parler d'art ? Non, je refuse de dire que je suis dans la même *business* que toi. Tu n'es pas un artiste, toi : tu n'es qu'une catin qu'une compagnie dotée de gros moyens agite pour faire le plus de fric possible. Voilà ce que tu es, et ça, tu ne réussiras jamais à l'effacer de l'esprit de ceux qui font vraiment de l'art. Jamais.

Le jugement semblait sans appel et Vincent vit les têtes devant lui opiner en silence. Il promena son regard sur ces visages qui refusaient de le reconnaître comme étant l'un des leurs. Puis, comme il ne voyait aucun argument à invoquer contre ce jugement, il tourna les talons et se dirigea vers la sortie qui était à quelques pas de lui.

Il arriva dans le corridor. Des gens en tenue de soirée causaient bruyamment. Vincent se lança à la recherche d'un endroit calme pour retrouver ses esprits. Il essaya la première porte qu'il rencontra sur sa gauche. Il tourna la poignée ; elle n'était pas barrée. Il pénétra dans la pièce.

C'était un salon sombre et beaucoup plus petit que celui qu'il venait de quitter. Il était meublé de quelques divans. Le plafonnier était éteint ; deux lampes sur pied, aux extrémités de la pièce, diffusaient un éclairage tamisé. En refermant la porte derrière lui, il entendit la rumeur assourdie de la foule dans l'autre pièce. La fête continuerait sans lui. Encore ébranlé, il n'arrivait pas à saisir ce qui venait de lui arriver. Il avança vers les divans en cherchant à retrouver son calme. Il serra les poings. Toutes les phrases arrogantes qu'on lui avait lancées au visage se mêlaient dans son esprit dans une insoutenable valse d'injures. Pourquoi n'avait-il rien trouvé à répondre ?

— MERDE ! cria-t-il en enfonçant son visage dans ses mains moites. L'éclat de sa voix fut absorbé par les tapis moelleux. Il releva les yeux et son regard rencontra un cadre sur le mur. Il s'approcha. C'était une photo du *Bed-In for Peace* de John Lennon et Yoko Ono qui avait eu lieu dans ce luxueux hôtel montréalais plus de trente ans auparavant. L'icône internationale de la chanson populaire, vêtue d'un pyjama blanc cassé, se prélassait paresseusement dans un lit en compagnie de sa femme et tous les deux tendaient leurs têtes chevelues à la caméra. Ils avaient l'air de deux mystiques appartenant aux premières sectes chrétiennes. À une certaine époque, se dit Vincent, les artistes populaires avaient eu une réelle emprise sur le monde. Il se demanda alors ce qu'il en était aujourd'hui. Qu'est-ce qui avait bien pu changer entre ce mois de mai 1969, où John Lennon et Yoko Ono s'étaient *sérieusement* donnés en spectacle aux journalistes pour défendre la paix dans le monde, et ce mois d'octobre 2004 où les gestes que lui faisait semblaient de pures simagrées destinées à amadouer l'opinion publique? Tout était affaire de contrats et de stratégies médiatiques. Il fit quelques pas sur sa gauche. Il observa un autre cadre où l'on voyait toujours le couple dans le même lit, mais cette fois-ci entouré de photographes. Lennon et tous les autres artistes de cette époque n'avaient-ils pas participé à cette même comédie médiatique dans laquelle il baignait aujourd'hui? N'avaient-ils pas tous su user des médias pour asseoir leur notoriété? Qu'est-ce qui avait bien pu changer depuis cette époque?

Étourdi par ces questions auxquelles il ne pouvait apporter de réponse, Vincent recula de quelques pas et se laissa choir sur un divan. Il se sentait emporté par un torrent puissant qui balayait le monde. Il avait l'impression de n'être qu'une branche tombée d'un arbre que charriait une vague gigantesque. À chaque étape de sa carrière, depuis qu'il avait paraphé son contrat avec *L'Académie*, tout lui avait filé entre les mains quand il avait cru détenir un ascendant quelconque sur les événements.

Sa respiration s'accéléra davantage. Son rythme cardiaque s'emballait et sa poitrine lui semblait oppressée par un roc. Bientôt, ses mains se mirent à trembler. Vincent se dit qu'il devait sortir de ce salon, de cet hôtel, de cette ville. Mais il était incapable de se lever du divan. Ses jambes lui semblaient figées dans le ciment.

À ce moment, la porte du salon s'entrouvrit et Vincent vit une silhouette féminine.

— Pardon, dit la femme. Je croyais qu'il n'y avait personne.

La femme esquissa un mouvement de sortie. Vincent, d'une voix étouffée, réussit à prononcer quelques mots.

— Pourriez-vous… s'il… vous… plaît… ouvrir… la… fenêtre…

La femme resta étonnée un moment par sa demande. Puis, constatant l'état de Vincent, elle alla vers les fenêtres et ouvrit celle qui était à quelques mètres de lui. Le vent frais des soirs d'octobre s'engouffra bruyamment dans la pièce et Vincent put alors respirer plus aisément.

— Ça va? Tu ne te sens pas bien? fit la femme en s'approchant.

— Ce n'est rien… Je manque d'air… Ça m'arrive, parfois…

La femme était maintenant à quelques pas et lui dit qu'il devrait aller près de la fenêtre. Comme Vincent n'arrivait plus à bouger ses jambes, elle lui tendit la main en lui disant qu'elle l'accompagnerait. Vincent hésita et offrit finalement sa main tremblante. En s'appuyant sur son bras, il parvint à se lever et à marcher jusqu'à la fenêtre. Arrivé là, il inspira profondément plusieurs fois et sentit son calme revenir. Dans l'obscurité de la nuit, il observa le boulevard René-Lévesque Ouest illuminé, tout en bas, par les phares des voitures, les lampadaires de la rue et les vitrines des commerces. La pluie venait de commencer à tomber. Quelques passants qui cherchaient à échapper à l'averse traversaient rapidement la Place Ville-Marie.

— Merci, fit-il après un moment de silence. Je… n'arrivais plus à respirer. Je ne comprends pas ce qui m'arrive dans ces moments-là. C'est comme si on m'écrasait la poitrine.

— C'est l'angoisse, dit la femme.

— L'angoisse?

— Oui, c'est une crise de panique. Ne t'en fais pas, ça arrive.

Elle lui tapota le dos pendant quelques secondes en gardant le silence. Puis, elle lui dit:

— C'est normal. Tu es très jeune pour vivre ce que tu vis. C'est beaucoup de stress. Et j'imagine que ce que Philippe vient de te faire subir à côté y est pour quelque chose…

Vincent observa plus attentivement cette femme. Elle avait une silhouette efflanquée et portait une robe de soirée noire. Il pouvait très distinctement voir les os de sa cage thoracique ainsi que ses clavicules, très saillantes. Il observa son visage. Dans l'ombre, il lui sembla jeune et délicat.

— Est-ce qu'on se connaît ? demanda-t-il.

— J'étais à côté quand Philippe t'a ridiculisé il y a quelques minutes, répondit-elle. Moi aussi, je cherche un endroit pour me reposer un peu de cette foule bruyante. Tu sais, Vincent, y faut pas te laisser abattre par eux.

— Par qui ?

— Par ceux qui viennent de te ridiculiser en te rebaptisant IKEA…

— Mais… je ne me suis pas laissé abattre, maugréa-t-il en rassemblant le peu d'orgueil qui lui restait. Je suis simplement venu chercher un peu de solitude dans cette pièce.

Vincent empoigna la balustrade de ses deux mains. Il inspira profondément. La femme posait sur lui un regard si perçant qu'il lui semblait qu'elle pouvait lire ses pensées. Il aurait voulu que Bellemare soit là pour qu'il puisse entendre ce qui lui trottait dans la tête depuis plusieurs mois.

— C'est pas si facile que ça, ne pas se laisser abattre, je veux dire, confessa-t-il d'une voix faible. Est-ce que tu es déjà venue assister à un de nos concerts ?

La femme fit un signe négatif.

— On vient de faire cinquante-huit spectacles à travers la province et c'était salle comble tous les soirs. Ben, partout, nos spectateurs, c'était presque juste des fillettes de onze ou douze ans. Avec leurs parents, bien sûr. Ou bien leurs grands-parents. Quel genre de public que c'est, ça? Je pensais qu'on allait faire de la vraie musique, qu'on allait attirer un public mature. Mais là, on chante des ballades pour préadolescentes ou pour femmes mûres en manque de romantisme. Alors ils n'ont pas complètement tort, ceux de l'autre côté, de me traiter de produit IKEA...

Vincent s'interrompit pour réfléchir. Il se demanda un instant s'il faisait bien de partager le fond de sa pensée avec une parfaite inconnue. Qu'est-ce que Frédéric lui aurait répondu? Tant pis, il devait se vider le cœur.

— Et c'est pas le pire, continua-t-il. Je viens de passer deux mois et demi à travailler sur mon album solo. Je savais, quand j'ai signé mon contrat, que j'allais devoir accepter plusieurs compromis. Mais à ce point-là? Mon album, ça va juste être de la pop et des ballades mielleuses. Ce n'est pas... bon. Je ne suis pas fier de ce que je vais présenter.

— Mais as-tu essayé de composer tes propres chansons, ou de faire appel à d'autres auteurs-compositeurs? demanda la femme.

— Oui, j'ai été consulté pour le choix des pièces. J'ai eu mon mot à dire, mais à chaque fois, on revenait au marché et au public. Le réalisateur de l'album me sortait plein d'exemples, toutes les chansons qui avaient eu un grand succès dans les dernières années. À force de négocier avec la production, j'ai finalement réussi à obtenir carte blanche pour deux chansons sur l'album. J'ai une semaine pour faire ces chansons-là. C'est pour ça que je voulais rencontrer des gens ce soir, parce que j'ai besoin de bons collaborateurs, pas juste des écrivains de ballades. Mais là, aucun artiste digne de ce nom ne semble vouloir travailler avec moi!

La femme fit un signe de tête empathique.

— Comment moi, poursuivait Vincent, j'en suis venu à jouer… ça? Je ne comprends pas. Ce n'était pas ce que je voulais, à l'origine. Je voulais… Son regard se perdit un instant dans le ciel nuageux. Je voulais juste devenir un bon artiste. C'est tout…

Vincent contempla le ciel en silence pendant quelques secondes. Puis, il ramena à nouveau son regard vers la femme qui se tenait à ses côtés dans l'embrasure de la fenêtre.

— Je ne sais pas pourquoi je te dis tout ça, fit-il en souriant. On ne se connaît même pas.

— On ne se connaît peut-être pas, dit-elle, mais je sais très bien de quoi tu parles. On vit dans un monde où on nous encourage à suivre nos rêves quand on est tout jeune. On nous fait croire que tout est possible. J'ai déjà eu ton âge, tu sais, je me suis déjà retrouvée dans ta situation, avec la pression et tout. Et je n'ai pas été à la hauteur. On nous dit de rêver quand on est jeune, mais on ne nous apprend pas à vivre avec la désillusion.

À ce moment, la femme s'inclina légèrement vers Vincent, tout juste pour que son visage, éclairé par les lumières du boulevard, émerge de l'ombre. Sous le reflet des lampadaires, elle lui parut plus avancée en âge qu'il ne l'avait cru d'abord.

— En tout cas, dit-il après un instant, tu as l'air de bien connaître le milieu?

— Le milieu… fit-elle d'un air désabusé. Oui, je le connais bien, le milieu. Surtout celui du cinéma et de la télé. Mais au fond… n'est-ce pas partout pareil? Cinéma, télé, musique, le sport aussi, les festivals, nomme-les. C'est toujours le même milieu de la culture… du divertissement, au fond.

— Peut-être que c'est Pierre qui a raison, fit Vincent d'un ton résigné en reportant son regard vers l'extérieur. Peut-être que je veux aller trop vite... Peut-être que je devrais prendre mon temps et gagner en maturité : faire quelques albums populaires qui sont comme tous les autres, rouler ma bosse, acquérir de l'expérience, puis tranquillement trouver ma voix, accepter d'être moins populaire, mais avoir une vraie... personnalité artistique...

— C'est Pierre Du Sault, le parolier, qui t'a dit ça ? demanda la femme.

Vincent opina.

— C'est un conseil sage, je ne dis pas le contraire. Mais je pense que tu es dans une position particulière, si tu veux connaître mon opinion. Ta fenêtre n'est pas très grande. La deuxième saison de l'émission commence après les fêtes, non ? Bientôt, il va donc y avoir une autre vedette qui va jouer sur le même terrain que toi. Contrairement à Pierre Du Sault, j'pense que la prochaine année est déterminante pour ta carrière : si tu n'arrives pas à faire ta marque dans l'esprit des gens, tu risques d'être oublié assez vite. Ça me semble être l'inconvénient du concours auquel tu as participé : si tu deviens aussi célèbre en si peu de temps, c'est que cette célébrité peut t'être enlevée aussi rapidement...

Vincent fut frappé par la justesse de cette observation. Il aurait souhaité que Bellemare lui eût fait part de l'envers de la médaille. La femme avait appuyé son épaule contre le montant de la fenêtre et inclinait légèrement la tête en regardant au loin. Le vent faisait tanguer les mèches de sa chevelure brune. La pluie avait cessé. L'eau ruisselait des corniches des immeubles. Les voitures qui passaient tout en bas sur l'asphalte encore humide faisaient un bruit de vagues.

— Je ne comprends pas, dit-elle soudainement après avoir gardé le silence pendant un instant, pourquoi tu cherches autant à plaire à tout le monde. C'est toi qui as gagné ce concours, non ? Tu ne fais plus face à l'élimination. C'est ton nom qui sera sur la pochette de l'album. Alors pourquoi tu ne fais pas à ta tête ?

— Ce n'est pas aussi simple, répondit Vincent. Je dois tellement faire attention à mon image.

— Non, Vincent, rétorqua-t-elle avec insistance en se retournant vers lui, c'est là où tu te trompes. Tu dois devenir un homme avant de devenir un artiste. Et je ne dis pas ça pour te manquer de respect. Tu as quel âge ? 22, 23 ans ?

— Je viens d'avoir 20 ans, il y a deux semaines.

— Tu es tellement jeune, fit-elle. Tu dois prendre les choses en main, tu dois choisir le genre d'artiste que tu veux être. Sois un peu plus autonome. Apprends à penser par toi-même. Tu es une vedette après tout. Pourquoi ne te comporterais-tu pas comme une vedette ?

— Qu'est-ce que tu veux dire ?

— Bien… sors un peu les dents, dit-elle en le narguant. Tu penses que les vrais artistes acceptent qu'on leur mette une laisse autour du cou ? Tu penses qu'ils prennent toujours des risques calculés, les vrais artistes ? Tu crois qu'ils n'ont pas droit à l'erreur, les vrais artistes ? Tu crois qu'ils ont peur de décevoir leur public, les vrais artistes ? Non. Ils sont indépendants. Ils font à leur tête et c'est pour ça qu'ils sont géniaux.

Vincent sentait son esprit s'embrouiller. Tout ce qu'il avait appris avec Frédéric Bellemare lui apparaissait sous un nouveau jour. Et la femme continuait à parler.

— Casse-la ton image de jeune homme propret si tu n'en veux plus. Depuis un an, tu cherches à plaire à la foule ;

montre-toi au-dessus d'elle maintenant. Séduis des filles, fais parler les médias, crée des scandales. Impose-toi. C'est la seule façon de gagner le respect, le vrai respect. Pas celui qui rapporte seulement des Félix de l'album meilleur vendeur de l'année. Le vrai respect, Vincent.

La femme cessa de parler. Vincent la dévisagea, intrigué. Il éprouva une impression similaire à celle qu'il avait éprouvée dans la pièce isolée d'un hôtel de Québec, presque un an auparavant. Soudainement, il croyait tenir sa destinée entre ses mains. Cette impression était si bonne. Il se sentait une énergie nouvelle ; il se croyait en mesure de décider de son avenir. Et il entrevit en un éclair ce qu'il devait faire. Il offrit un large sourire à cette femme qui venait de lui apporter beaucoup plus qu'un simple support.

— Je crois qu'on va devoir se parler plus souvent, toi et moi. Mais d'abord, comment t'appelles-tu ?

— Je m'appelle Annie, fit-elle en lui tendant la main. Annie Bonsecours.

2

René Chamberland rentra du travail peu avant dix-huit heures. Lorsqu'il sortit de sa voiture, il mit les deux pieds dans l'eau glacée qui recouvrait le stationnement de son domicile. La température clémente des derniers jours de janvier avait fait fondre les bancs de neige qu'avaient laissés les tempêtes des dernières semaines. En sentant l'eau traverser le cuir de ses chaussures, il inspira calmement en se disant que son calvaire achevait. Il attrapa sa mallette sur le siège du passager et referma la portière.

Arrivé sur le perron de sa maison, il entendit un vrombissement sourd. Dès qu'il ouvrit la porte, une musique tonitruante retentit et il s'immobilisa sur le pas de la porte. Mais que se passait-il? Il réfléchit un instant en se demandant s'il n'avait pas oublié l'anniversaire d'une de ses filles. Il rentra dans le hall. Il entendit alors la voix de Joannie, la plus vieille de ses trois filles, qui s'époumonait dans le salon au rythme de la chanson qu'il avait sans doute entendue plus de cinq cents fois depuis le mois de novembre.

Comme j'aimerais te montrer mon cœur
Comme j'aimerais te bercer en douceur
Comme j'aimerais chanter ta beauté
Tellement tu m'as ensorcelé

René Chamberland se déchaussa et avança vers le salon. Joannie, debout sur le divan, tenait un rouleau de papier essuie-tout en imitant une chanteuse et ses deux camarades de classe, Béatrice et Christelle, se tenaient au pied du divan en répétant le refrain de la chanson.

— Vous avez décidé de faire un spectacle, les filles ? cria-t-il pour enterrer la musique.

— C'est ce soir, papa, exulta Joannie, ce soir !

Il se demanda alors à quoi sa fille faisait allusion. Comme il lui arrivait souvent d'oublier ce qui pouvait être si important pour autrui, il se dirigea vers la cuisine pour demander à son épouse, Maryse, ce que cette soirée avait de si spécial.

— Tu as oublié que c'est ce soir le spectacle, hein ? dit sa femme qui saupoudrait une épice au-dessus d'une casserole. Elle lui sourit d'un air mi-amusé, mi-exaspéré.

— Mais de quel spectacle on parle, là ? demanda René.

— Celui de Vincent Théodore. Le cadeau de Noël qu'on a donné à Joannie cette année.

Le père de famille distrait se tapa le front en se demandant comment il avait pu oublier une telle chose. Joannie ne parlait que de ce Vincent depuis plusieurs mois.

— Et c'est moi qui dois emmener notre fille à ce spectacle ce soir ? demanda-t-il.

— Pas juste notre fille : ses deux amies aussi, Béatrice et Christelle. Tu avais promis, mon chéri.

René Chamberland comprit alors que sa journée était très loin d'être terminée.

Le souper familial se déroula dans un esprit festif. Le disque de Vincent Théodore joua à nouveau pendant le repas au cours duquel les préadolescentes échangèrent les nouvelles informations que diffusaient les diverses revues hebdomadaires et stations de radio sur la série de spectacles qui débutait ce soir.

— À ce qu'y paraît, maman, disait Joannie, ça va être un spectacle ben différent de ce qu'on a vu à la télé jusqu'à date. Vincent a promis que ça allait être un gros party !

— Reste assise, Jojo, disait Maryse. Tu as presque rien mangé.

— Mais maman, te rends-tu compte : on va être là pour le premier spectacle solo de Vincent Théodore… Vincent THÉ-O-DORE ! C'est vraiment *hot* !

— Oui, oui, chérie, disait Maryse, mais tu dois t'asseoir maintenant et manger quelque chose, sinon tu vas t'évanouir…

— Moi, madame Chamberland, dit Christelle, je pense que j'vas m'évanouir de toute façon quand il va rentrer sur scène. Y est juste trop beau : c'est un vrai dieu…

Les deux jeunes sœurs de Joannie, qui avaient six et huit ans, se laissèrent porter par l'enthousiasme des jeunes adolescentes et voulurent, elles aussi, assister au spectacle. Les parents, devant une telle effusion d'hystérie, échangèrent un regard attendri. René se souvint de sa propre adolescence. Il allait demander à Maryse si elle se rappelait le concert des Rolling Stones auquel ils avaient assisté en 1988, mais Joannie reprenait le monopole de la discussion en se dandinant fébrilement sur sa chaise. Elle parlait des dernières photos de Vincent et de ses musiciens qu'elle avait trouvées sur Internet. René Chamberland remarqua alors les mouvements de bassin qu'effectuait sa fille tout en parlant.

— Mais calme-toi, ma chérie, dit-il en posant une main sur son épaule. Tu vas finir par briser la chaise à force de te dandiner comme ça…

Lorsqu'il fit monter les trois filles dans la voiture vers 19 h, le niveau d'excitation avait atteint un degré supérieur. En arrivant à proximité du Colisée de Québec par l'autoroute

Laurentienne, la voiture s'engouffra dans un embouteillage qui paralysait la quasi-totalité de la rue Soumande. Après de longues minutes d'attente, René Chamberland parvint à accéder au stationnement de la bâtisse. En s'approchant de l'entrée nord-est, il constata que ses filles n'étaient pas les seules à être prises par cette fièvre d'adulation. À sa droite, à sa gauche, de jeunes adolescents, suivis par un parent, se précipitaient vers la porte pour pénétrer dans l'amphithéâtre. Plusieurs camions des médias étaient stationnés derrière la bâtisse. René répéta à quelques reprises à sa fille qu'il ne servait à rien de courir puisqu'ils avaient des places réservées.

Devant les tourniquets d'admission, ils durent à nouveau patienter. Lorsqu'ils traversèrent finalement les barrières, ils furent happés par la foule qui affluait dans le corridor qui menait à l'enceinte. René dit aux trois adolescentes qu'il accompagnait de rester près de lui pour éviter d'être emportées par le flot de la foule. C'était un moment d'hystérie intense. Il entendait des éclats de voix, des cris et des hurlements d'énervement. Il se serait cru en pleine finale de la coupe Stanley. L'atmosphère semblait porter cette fièvre et René Chamberland se dit qu'une telle foule était bien surprenante pour une vedette de la télévision. Il aurait au moins dû suivre l'émission l'automne dernier. Il ne se doutait pas que cette vedette jouissait d'une telle popularité.

Lorsqu'ils atteignirent leurs sièges dans la section 401 face à la scène, René constata que l'atmosphère enfiévrée qui régnait dans les corridors atteignait une nouvelle intensité. Des jeunes filles élevaient déjà dans les airs d'immenses affiches sur lesquelles elles avaient écrit des messages à l'intention de Vincent Théodore. Des cris stridents perçaient les airs. On tapait déjà bruyamment des mains. René promenait son regard sur la foule qu'il évaluait à plus de dix mille personnes. Il lui semblait que toutes les jeunes filles de la grande région de Québec étaient réunies dans cette salle. Plusieurs caméras étaient déjà braquées sur la scène en attendant le début du spectacle. Deux écrans géants de chaque côté de la scène allaient permettre aux spectateurs éloignés de suivre les déplacements des musiciens.

Les lumières baissèrent et la foule exulta à l'unisson. Les musiciens firent leur entrée.

— Regardez, les filles : c'est Simon qui joue de la guitare !

La présence sur scène d'un autre académicien fut chaleureusement acclamée. Joannie, comme plusieurs autres jeunes filles, se mit à hurler de toutes ses forces.

— C'est les autres musiciens qu'on a vus sur Internet hier ! Y sont trop *hot* ! dit-elle à Christelle.

René Chamberland n'essaya pas de calmer sa fille : comme presque tous les parents qui étaient venus accompagner leur enfant, il se rendait à l'évidence qu'aucune autorité parentale ne pouvait s'opposer à une telle fièvre d'adoration. Il s'appuya contre le dossier de son banc et se contenta d'observer passivement.

Lorsque les choristes firent leur entrée, il sursauta. Les deux jeunes femmes, l'une brune et l'autre blonde, marchaient depuis le fond de la scène en balançant leurs hanches au rythme de la pièce instrumentale introductive. Elles étaient chaussées de souliers à talons aiguilles noirs et portaient des robes blanches très moulantes. Lorsque l'une d'entre elles se trouva sous le projecteur, René Chamberland, comme les onze mille huit cent soixante-sept autres spectateurs, put distinctement voir, pendant deux secondes, le moindre détail de sa poitrine.

Après de longues minutes pendant lesquelles les musiciens tinrent les spectateurs en haleine, Vincent fit son entrée. Ce fut alors une acclamation commune, quelques milliers de jeunes adolescentes qui poussaient le cri le plus aigu possible. Vincent arriva en se dandinant langoureusement. Il avait savamment préparé la pièce instrumentale qui servait d'ouverture. Il avait longuement cherché avec Benjamin et Christophe la bonne rythmique qui lui permettrait de danser nonchalamment tout en faisant des gestes sensuels. Les écrans géants retransmettaient ses pas de danse. Il portait des jeans troués qui découvraient ses cuisses athlétiques et moulaient son postérieur. Il avait enfilé un t-shirt noir très ajusté sur lequel il avait fait inscrire les mots de Claude Péloquin : « Vous êtes pas tannés de mourir, bande de caves ? » Cet accoutrement mi-arrogant, mi-négligé était complété par une chevelure en bataille.

Toujours au son de la musique instrumentale, Vincent alla d'abord saluer son ami Benjamin qui tenait la basse. Il alla ensuite retrouver Christophe qui tenait la guitare rythmique. Lorsqu'il rejoignit Simon à l'autre extrémité de la scène, la foule jubila. Il monta ensuite sur le monticule où la batterie de Mathieu était surélevée. De là, il sauta d'un bond sur celui des choristes. Il faillit perdre pied en atterrissant. Les deux jeunes femmes l'attrapèrent. Vincent fit alors semblant de tomber dans leurs bras. La foule poussa un cri d'excitation. Le chanteur, remis sur ses pieds par les choristes, dansa de longues minutes en leur compagnie. Il frottait son bassin contre celui de la brunette, puis faisait de même avec la blonde. Les mains féminines caressaient sensuellement son torse en soulevant son gilet. La foule poussait à nouveau des cris d'hystérie.

Vincent s'installa finalement au micro et les musiciens entamèrent l'introduction de son *single*. Instantanément, René Chamberland reconnut le thème de la chanson qui jouait en boucle dans son salon depuis le mois de novembre. Mais tout ça semblait très différent. Le thème de la chanson, normalement joué au clavier, était interprété maintenant par une guitare électrique. La batterie était plus agressive. Toute la pièce était changée. D'une ballade mielleuse, on en avait fait un morceau rock. René remarqua que les paroles avaient aussi été modifiées. Tiens, se dit-il, je connais finalement cette chanson par cœur.

— Joannie, demanda-t-il à sa fille qui tapait des mains, il me semble qu'il ne chante pas les mêmes paroles, non ?

— Oui, t'as raison, papa. Il a tout changé, et c'est vraiment cool cette version-là. C'est plus *trash*… Mais le refrain est le même. Et elle chantait :

Comme j'aimerais te montrer mon cœur
Comme j'aimerais te bercer en douceur
Comme j'aimerais chanter ta beauté
Tellement tu m'as ensorcelé

À la fin du morceau, Vincent dit que son *band* et lui avaient procédé à des petites modifications de son répertoire et qu'il espérait que son public allait apprécier cette attention. La foule approuva énergiquement. Le groupe aligna ensuite des morceaux tirés de l'album, mais en donnant pour chacun d'eux une version très différente de l'original. Après avoir interprété ainsi huit chansons, Vincent attrapa un verre que lui tendit un technicien et dit à la foule qu'il buvait à sa santé. Christophe alluma une cigarette. Mathieu se mit à taper sur des congas pour commencer la chanson suivante.

— Bon, fit Vincent, on a assez fait de mes *tounes*. Là, on se fait quelques *hits* rock et je veux vous voir tous danser. *Come on*!

René Chamberland reconnut instantanément les premiers accords de *Sympathy For The Devil*. Il eut envie de bondir de son siège, mais le souvenir du rôle qui lui était attribué pour cette soirée le retint. Il regarda alors sa fille et ses deux amies qui dansaient au son d'une pièce que, il en était presque certain, elles ne connaissaient pas. Mais qu'est-ce qui est en train de se passer? pensa-t-il. Tout cela, ce spectacle et cette soirée, devait être une sortie adolescente des plus innocentes; il ne se serait jamais douté que sa fille serait initiée aux Stones! Et il la regardait bouger en se caressant le corps, les yeux mi-clos. Joannie était presque en transe… Elle bougeait son bassin d'une façon qu'il ne l'avait jamais vu faire. Mille questions se bousculaient dans son cerveau. Devait-il lui dire de cesser de se toucher ainsi? Il voulait un jour l'initier aux Stones, mais était-ce le moment approprié? Ce n'était que du rock, après tout. Mais Joannie n'avait pas encore 12 ans. Il ne savait pas quoi faire. Il pensa téléphoner à la maison. Qu'est-ce que Maryse penserait de tout ça? C'était elle qui savait quoi faire dans une telle situation.

Puis, René Chamberland regarda Christelle et Béatrice. Elles aussi se dandinaient au son de la musique d'une façon particulière. Il pensa alors aux clips qu'elles écoutaient sur YouTube. Ce n'était pas une danse bien différente de celles qu'exécutaient en chorégraphie les chanteuses de hip-hop. Il jeta un regard circulaire sur la foule. Toutes les jeunes filles ou presque dansaient comme sa fille. Certaines étaient descendues dans les allées de l'amphithéâtre. Il y avait vraiment une atmosphère d'ivresse collective. C'était l'atmosphère d'un vrai concert rock, pensa-t-il. Comment une soirée qui devait être familiale était-elle tombée sous l'emprise de l'esprit orgiaque d'un concert des Rolling Stones?

● ● ●

Annie Bonsecours se réveilla de bonne heure ce dimanche matin. Comme d'habitude, elle activa la machine à café, puis elle descendit pour récupérer ses journaux dans le portique. Elle remonta au deuxième étage où était situé son condo et les déposa sur l'îlot de la cuisine. Elle ouvrit son ordinateur portable et se fit ensuite un bol de café au lait.

Elle revint à l'îlot et commença à dépouiller les quotidiens, activité qu'elle faisait consciencieusement chaque matin depuis une semaine. Le cahier des arts et spectacles de *La Presse* titrait : « Vincent : sexe, drogue & rock'n'roll ? » L'article relatait la première semaine de la tournée qu'avait lancée Vincent à Québec quelque temps auparavant. Après un concert à Québec qui avait mystifié la critique, la jeune vedette avait été aperçue dans les bars et les discothèques de la rue Grande-Allée. Le journaliste rapportait le témoignage des quelques barmaids qui avaient servi le salon privé où Vincent et ses musiciens avaient passé une partie de la soirée. Annie sourit en lisant le compte rendu des agissements de Vincent. Il avait apparemment embrassé plus d'une dizaine de filles ; ses quatre musiciens en avaient fait autant. Très tard dans la nuit, les cinq jeunes hommes avaient été aperçus à la sortie d'un bar avec huit ou neuf filles, titubant en direction d'un hôtel du centre-ville.

À Alma et à Chicoutimi, les choses s'étaient amplifiées. Là-bas, de véritables foules avaient suivi les musiciens après les spectacles dans des établissements de la région où ils avaient festoyé jusqu'au lever du soleil. Plusieurs parents qui avaient accompagné leurs enfants aux spectacles avaient manifesté leur mécontentement. Après quelques jours de silence, les Productions COM avaient reconnu que le comportement de la jeune vedette était parfois inapproprié étant donné le caractère familial des événements. Vincent, de son côté, avait répété en entrevue qu'il était libre de donner à ses spectacles l'esprit qu'il voulait. « Mon public apprendra à connaître le vrai Vincent Théodore », avait-il affirmé.

La suite de l'article avançait la possibilité d'une divergence dans les vues artistiques entre Vincent et les Productions COM.

Le journaliste était parvenu à s'entretenir à ce propos avec des membres de l'équipe de *L'Académie de la chanson populaire* qui affirmaient sous le couvert de l'anonymat que certains désaccords entre Vincent et la production étaient survenus pendant l'enregistrement de l'album de l'artiste. La jeune vedette avait manifesté de vives réserves à l'endroit de l'orientation artistique que le réalisateur cherchait à donner à l'album. On racontait que Vincent s'était finalement conformé aux volontés de la production, mais à la condition d'avoir libre choix pour les musiciens et la direction artistique de sa tournée.

La tension devenait palpable, confessaient certains techniciens, entre les musiciens et l'équipe de tournée. On évoquait un couvre-feu auquel les musiciens auraient été assujettis dans la région de Saguenay et qu'ils n'avaient manifestement pas respecté. L'article se terminait en signalant que la vente des billets pour les prochains concerts de Vincent avait explosé dans les jours précédents si bien qu'on anticipait des supplémentaires dans de nombreuses villes de la province.

Annie trouva dans cette dernière information la confirmation que la stratégie médiatique qu'elle avait proposée à Vincent s'avérait rentable. Non seulement des foules de plus en plus nombreuses se pressaient pour assister à ses spectacles, mais l'espace que les médias accordaient à la couverture de la tournée de Vincent dépassait largement celui qu'ils consacraient à la première semaine de diffusion de la deuxième mouture de *L'Académie de la chanson populaire*. Elle attrapa son portable pour téléphoner à Vincent, mais referma le clavier en se disant qu'il était trop tôt pour lui parler. Il avait joué la veille à Jonquière et devait encore dormir.

Elle prit son café et quitta la cuisine pour ranger les vêtements qu'elle avait laissés la veille sur le divan du salon. En pliant son chemisier, elle contempla son appartement baigné par la lumière claire du matin. Encore une fois, elle éprouva un sentiment d'apaisement. Elle aimait le calme et le confort de cet appartement. Après toutes ces années passées à courir après les rôles, à tenter sa chance à New York, puis à Paris, elle s'était finalement décidée à s'établir à Montréal, concédant du coup qu'elle n'aurait pas la carrière internationale à laquelle plusieurs l'avaient d'abord crue destinée. L'achat de ce condo, se rappelait-elle, avait aussi marqué une autre décision d'ordre personnel : elle s'était résignée à vivre seule. Elle avait bien cru à un certain moment avoir trouvé un homme avec qui s'établir, mais les déconvenues amoureuses s'étant succédé, elle en était venue à la conclusion que la vie de couple et la maternité n'étaient pas pour elle. Les deux premières années passées dans cet appartement avaient été particulièrement difficiles. Puis, à force d'aménager ce lieu à son goût, elle en était venue à aimer la solitude. Elle avait peu à peu délaissé les soirées organisées par ses amis comédiens en leur préférant le confort et le calme de son divan moelleux et de son téléviseur haute-définition.

Elle se dirigea vers la chambre pour ranger les vêtements dans sa garde-robe. Sur les murs du corridor principal défilait une série de cadres relatant les faits marquants de sa carrière. Elle s'immobilisa devant l'affiche du premier film dans lequel elle avait tenu un rôle qui avait déterminé le cours de sa vie professionnelle. Sur l'affiche, elle se tenait à l'arrière-plan. Elle s'avança pour contempler de plus près son visage. Elle était si jeune à l'époque, à peine 22 ans. Elle sortait tout juste du conservatoire d'art dramatique de Montréal. Un professeur était intervenu en sa faveur pour lui obtenir une audition, affirmant qu'elle était un choix idéal pour le casting recherché. Elle avait obtenu le rôle de Mélanie, une jeune femme ingénue et naïve qui subissait la dictature d'un père autoritaire. Puis, tout s'était enchaîné à un rythme fou : le succès autant critique que populaire, la nomination du film à Cannes, puis aux Oscars et un tourbillon médiatique dans lequel elle avait été lancée. Si elle n'avait pas gagné de prix, ce succès international lui avait apporté des offres de la part de plusieurs réalisateurs.

La glace de l'encadrement lui renvoya le reflet de son visage qui, pendant un instant, se superposa à celui de Mélanie. Elle recula d'un pas et pénétra dans la chambre. Elle rangea ses vêtements dans sa commode et refit le lit qu'elle avait quitté rapidement en se réveillant. Elle retourna ensuite dans la cuisine et s'assit sur le tabouret de l'îlot. Le café au lait était chaud. Elle enveloppa le bol de ses deux mains et le porta à ses lèvres en posant son regard sur la fenêtre de la cuisine. Elle observa longuement les glaçons pendant des corniches.

Elle revit en souvenirs ses premières années de gloire. Depuis qu'elle était en contact avec Vincent, des souvenirs de cette époque de sa vie ne cessaient de lui revenir en mémoire. Les galas, les émissions de télévision, les rencontres d'où elle sortait la tête remplie de promesses. Elle comprenait aujourd'hui quelle avait été son erreur. Robert, le professeur qui lui avait obtenu son audition pour le rôle de Mélanie, lui avait recommandé de choisir par la suite des rôles variés afin de ne pas être perçue comme une comédienne unidimensionnelle. Elle savait aujourd'hui qu'en suivant ce conseil, elle aurait pu avoir une carrière bien différente. Elle avait préféré choisir le chemin de la facilité en acceptant des rôles qui n'étaient que de pâles variations de la Mélanie qui l'avait propulsée au sommet. Avec les années, les offres s'étaient faites plus rares. À 27 ans déjà, on doutait de ses capacités à jouer la jeune femme ingénue. Et elle avait finalement obtenu de petits rôles dans des téléromans. Annie Bonsecours, savait-elle maintenant, s'était avérée n'être qu'une actrice prometteuse.

Encore une fois, cette phrase résonnait dans sa tête comme une vérité à laquelle elle n'arrivait pas à s'habituer. Comme un amputé qui sent toujours un membre qui lui fut enlevé, elle sentait cette première existence professionnelle comme si elle venait de tenir le rôle de Mélanie et qu'elle ne faisait qu'attendre qu'on lui propose celui qui redonnerait vie à sa carrière, qui l'élèverait à un stade supérieur. Même si elle avait quinze ans d'écart avec ce jeune chanteur, elle avait l'impression de comprendre mieux que quiconque ce qu'il vivait, comme si c'était sa propre expérience qu'elle revivait à travers lui.

Le tintement de son téléphone, l'informant qu'un message texte venait de lui être adressé, la tira de sa torpeur. Annie attrapa le portable, ouvrit le clavier et accéda à sa messagerie.

Viens de me réveiller avec une fille au lit. Mal de bloc. Dois te parler aujourd'hui. Rencontre avec Frédéric à 15 h.

Elle lui dit en réponse de l'appeler quand il pourrait parler librement. En refermant son téléphone, elle sourit en imaginant Vincent au lit avec une jeune femme. Puis, elle tenta de se rappeler la dernière fois qu'elle avait eu une aventure. Ses souvenirs étaient confus.

3

En sortant du vestiaire des employés, Marianne se dirigea vers le bureau des gérants des bars et des restaurants de l'hôtel. Elle frappa à la porte et entra en déposant sur le sol son sac contenant ses effets personnels. Andrew était seul à cette heure. Il leva la tête de son ordinateur et sourit.

— Alors, c'est fini ? dit-il.

— Oui, c'est bien terminé, répondit Marianne.

Le gérant s'appuya contre le dossier de sa chaise et se laissa basculer vers l'arrière en croisant les bras derrière sa tête. Ils restèrent un moment sans trop savoir ce qu'ils avaient à se dire.

— Bien, ma chère Marianne, dit-il après un bref moment. Ça a été toute une année pour toi. Je suis certain que la prochaine sera meilleure.

— Je crois que ça ne peut qu'être meilleur, dit-elle en haussant les épaules. Je voulais te dire merci, Andrew, de m'avoir aidé à obtenir ce transfert. Je sais que tu as travaillé fort pour me décrocher ce poste. C'est bien gentil de ta part. Je ne l'oublierai pas.

— Bah… ce n'est rien, fit l'homme en basculant vers son bureau où il appuya ses avant-bras. Je n'ai pas eu à raconter des histoires pour vendre ta candidature. Tu es une employée modèle, Marianne. Tu as toujours fait preuve d'un grand professionnalisme. Même à ton retour. Je suis juste triste de te voir partir à l'autre bout du pays. Mais… j'imagine qu'il y a des circonstances où il est préférable de refaire sa vie ailleurs.

Andrew se dit alors que c'était la première allusion à sa vie privée qu'il se permettait devant Marianne. Ils avaient passé tout l'automne ensemble, occupés à gérer au mieux la situation à l'hôtel avec les journalistes et les clients qui cherchaient à rencontrer la jeune fille qui avait quitté l'équipe de *L'Académie* et renoncé à sa carrière de chanteuse pour revenir à sa vie précédente. Puis, à la fin de l'automne, elle lui avait demandé de l'aider à trouver un poste de barmaid dans un hôtel de la chaîne ailleurs au pays. Ensemble, ils avaient regardé ses options. Il s'était efforcé de faciliter son transfert de façon strictement professionnelle, comme si toute cette affaire se résumait à un changement de personnel.

— Merci surtout, ajouta Marianne, pour ta… discrétion. Je sais que cet automne n'a pas été facile pour le bar. Toi et les filles, vous avez été… d'une aide inespérée.

Andrew refusa à nouveau ses remerciements en disant qu'il était tout à fait normal pour un employeur de faire tout ce qu'il avait fait pour elle.

— Alors tu es certaine de prendre la bonne décision ?

Marianne hocha la tête comme s'il était inutile de revenir là-dessus. Andrew fit une moue résignée.

— On va prendre un verre avec quelques barmaids, dit-elle, est-ce que tu nous accompagnes ?

— Crois-moi, ce n'est pas l'envie qui manque. Mais… Il leva les bras au-dessus de son bureau dont la surface était chargée de dossiers. J'ai vraiment beaucoup de travail, comme tu vois. Et je dois te trouver une remplaçante assez vite.

Il se leva d'un bond et alla la rejoindre devant la porte.

— Allez, je te souhaite bonne chance à Vancouver. Allan Walsh va très bien s'occuper de toi pour ton installation. Tu as son numéro ?

— Oui, oui, fit-elle en désignant du bout du pied une pochette de son sac. On a déjà échangé plusieurs courriels. Il a l'air super gentil. Il m'a dit qu'il serait à l'aéroport dimanche pour nous accueillir et nous conduire à l'appartement.

— C'est très bien. Tu vas voir, la gang est ben l'fun. L'année que j'ai passée là-bas a été géniale. Et tu profiteras de la région. La Colombie-Britannique, c'est vraiment un endroit sympa pour vivre. Je pense que tu vas très bien t'adapter. Allez, on se fait la bise et je te laisse partir.

Andrew ouvrit ses bras élancés et ils se firent l'accolade. Marianne attrapa la ganse de son sac et poussa la porte de la main en lui disant au revoir. Elle se dirigea vers la sortie des employés. Dans le corridor, elle croisa trois femmes de chambre et un électricien. Ils la regardèrent à la dérobée, comme l'avait fait chaque employé de l'hôtel depuis son retour. Marianne se dit qu'elle n'aurait plus à supporter ces regards obliques. Son transfert ayant été fait dans le plus grand secret, aucun employé hormis quelques filles du bar dont elle était très proche n'était informé que ce jeudi était sa dernière journée de travail. Dans trois jours, elle serait dans une nouvelle ville.

En sortant de l'hôtel, elle traversa trois rues et entra dans un pub où les filles avaient l'habitude de se réunir pour prendre un verre. Catherine, Gabrielle et Sarah étaient assises dans une banquette au fond de la salle. Marianne alla les rejoindre.

— Tiens, la voilà ! fit Sarah.

Les trois barmaids se levèrent pour l'accueillir. Elles l'attendaient pour déboucher le champagne.

— Ah! Les filles… fit Marianne en remarquant la bouteille qui reposait dans un seau d'eau glacée, il ne fallait pas. Ça vous a coûté une petite fortune une bouteille comme ça.

— Voyons! Marianne, dit Gabrielle, laisse-nous au moins t'offrir ton champagne préféré.

— C'est vrai, dit Catherine en reprenant place à table, ça nous fait plaisir. Tu le mérites bien.

Marianne prit place sur la banquette en se disant que c'était une folie. Gabrielle se chargea d'ouvrir la bouteille et remplit les quatre flûtes.

— On n'attend pas Andrew? demanda Sarah.

— Non, répondit Marianne en rejetant son manteau sur le dossier de la banquette, il m'a dit qu'il avait trop de travail.

Sarah et Gabrielle échangèrent un regard complice.

— Il nous avait pourtant promis de passer, dit Gabrielle d'un ton de voix suggestif. Il tient tellement à toi…

— Ah… les filles, rétorqua Marianne. Je vous ai dit d'arrêter de me parler d'Andrew. Avec tout ce que j'ai vécu cette année, je n'allais pas me mettre encore en couple. J'ai déjà un divorce à mon actif, alors on va attendre un peu avant de tout recommencer.

— Oui, on le sait, ça, dit Catherine. Mais vous auriez pu être très bien tous les deux. C'est quand même un sacré bon gars, Andrew. Ça ne se trouve pas à tous les coins de rue…

Marianne prit sa flûte. Oui, elles avaient raison : en d'autres circonstances, elle aurait pu s'intéresser à Andrew; mais elle avait décidé de refaire sa vie ailleurs. Dès qu'elle était revenue à la maison après le concours de *L'Académie*, elle savait que sa vie au Québec était en sursis. Le divorce avait été une formalité. Steve ne voulait plus lui parler. Ils avaient au moins réussi à tout régler en adulte. Même s'il ne voulait plus vivre avec elle, Steve avait accepté de s'occuper des filles pendant la tournée estivale de *L'Académie*. Les jumelles l'aimaient beaucoup et lui aussi était très attaché à elles. C'était bien dommage, tout de même, se disait-elle en buvant son champagne. Steve était vraiment un homme bon. Andrew aussi était un homme bon. Peut-être n'allait-elle jamais rencontrer leur équivalent ailleurs, mais ni l'un ni l'autre ne ferait partie de sa nouvelle vie. Les choses, pensa-t-elle, étaient parfois bêtement claires.

Elle eut alors une pensée pour Vincent qui, lui aussi, elle en était convaincue, était un homme bon. Elle avait tout de même vécu quelque chose avec lui, au domaine. Cette relation avait été un échec amer qui avait occasionné de multiples conséquences. Mais elle ne lui en voulait plus. La vie n'était-elle pas faite de ces essais et de ces erreurs, ponctués de petites réussites, de tout cela qui, en définitive, constituait un apprentissage? Cette vérité sur les vrais sentiments qu'elle et Vincent avaient pu éprouver l'un envers l'autre ne pouvait être comprise par qui que ce soit en dehors d'eux, pensait-elle. Pas même ses amies les plus intimes ne pouvaient la comprendre.

— Cath, fit-elle, je te l'ai répété combien de fois. Je pars refaire ma vie. Je ne vais pas commencer à *dater* un gars de Montréal...

— En tout cas, dit Sarah à moitié sérieuse, j'pense que c'est ton nouveau look qui l'a finalement fait craquer.

Marianne sourit en replaçant une mèche de sa chevelure blonde.

— C'est les lunettes surtout, ajouta Gabrielle en ricanant. J'gage qu'y a un faible pour les intellos...

— Ce n'est pas un nouveau look, dit Marianne en feignant l'exaspération. Je vous l'ai dit que j'avais besoin de lunettes.

C'est tout. Je n'arrivais pas à lire au tableau dans mes cours du soir.

Les trois filles se moquèrent amicalement d'elle. Lorsque les rires s'estompèrent, Catherine dit d'une voix attendrie :

— On le sait, Marianne, que tu n'as pas fait ça pour lui plaire… On espérait juste qu'Andrew allait te convaincre de rester au Québec. C'était notre dernier espoir de ne pas te perdre. Parce que c'est quand même moins difficile, il me semble, depuis quelque temps au bar. Les gens ont arrêté de t'achaler. Ta vie finirait par redevenir normale, si tu décidais de rester.

— Ouais, renchérit Gabrielle, pis tu n'arrêtes pas de dire toi-même que les gens vont finir par t'oublier.

Marianne regarda ses trois amies et éprouva une soudaine tristesse. Il était vrai qu'en refaisant sa vie ailleurs, elle allait pouvoir effacer plus rapidement de sa mémoire cette histoire de concours de musique. En contrepartie, elle perdait des amies qui lui étaient chères. Elle revit ces soirées difficiles de septembre quand elle était revenue travailler au bar ; elles s'étaient toutes les trois fait un point d'honneur de la protéger contre les clients qui voulaient la rencontrer.

— Je ne sais pas qu'est-ce que j'aurais fait sans vous, les filles, dit-elle, la voix serrée par l'émotion. Vous avez tellement été bonnes pour moi… Vous m'avez laissé faire les *drinks* tout l'automne pour pas que les clients m'achalent, vous m'avez défendue quand on allait au restaurant et que les gens me parlaient, vous m'avez remonté le moral si souvent… Un sanglot lui étreignit la gorge. Les gens étaient tellement… Ah ! Je ne pensais pas qu'on pouvait à ce point manquer de décence…

— Moé, les gros colons, dit Gabrielle en levant au-dessus de la table ses bras de fille forte, je les aurais remis à leur place si Andrew me l'avait permis.

L'empathie excessive de Gabrielle la fit sourire.

— De toute façon, ajouta Sarah, t'es la meilleure *bartender* de nous quatre. Tu connais les recettes par cœur. Alors ça nous arrangeait de te laisser faire les *drinks*…

Il y eut un moment de silence. Elles échangèrent toutes les quatre un regard ému qui conféra à leur entretien le caractère alourdi d'un adieu. Marianne pinça les lèvres pour contenir son émotion. Catherine essuya une larme du revers de la main.

— Bon, c'correct! dit-elle en expirant bruyamment. C'est encore moi la première qui braille…

La poitrine de chacune se déchargea en un éclat de rire franc. Marianne posa sa main sur l'avant-bras de Catherine qui se pencha vers elle pour lui faire une accolade chaleureuse.

— Tu vas tellement me manquer, fit-elle en la serrant fortement contre elle.

Gabrielle et Sarah, à l'extrémité de la table, succombaient aussi à l'émotion. Les yeux rougis, elles étirèrent leurs bras au-dessus de la table pour rejoindre Marianne et Catherine. Les quatre mains chaudes des jeunes femmes se nouèrent. Après quelques instants, elles regagnèrent chacune leur place. Sarah servit une seconde tournée de champagne.

— T'es quand même courageuse, en tout cas, dit-elle en remplissant les flûtes. Partir de même. Vendre tous tes meubles, tout liquider. Ne garder que le minimum et refaire ta vie ailleurs.

— Bof… fit Marianne en buvant son champagne. Pour moi, ce n'est pas si difficile. Ça fait déjà plusieurs mois que j'ai l'impression d'avoir tout perdu. Mon deuil est fait. C'est pour les jumelles que ça va être plus difficile. J'espère qu'elles ne me reprocheront pas un jour de leur avoir imposé cette nouvelle vie.

Elle revit le visage éploré de ses deux jeunes sœurs lorsque Steve leur avait fait ses adieux. Il avait emménagé dans un appartement sur l'est de l'île et, depuis le divorce, il semblait boire de façon régulière, ce qui ne laissait présager rien de bon. Il leur avait promis de leur parler sur *Skype*. De vagues projets de vacances pour l'été suivant avaient été évoqués. Mais Marianne doutait qu'elles ne le revoient jamais.

— Elles vont finir par comprendre, dit Sarah.

— Oui, je sais, dit Marianne. Et elles n'auront plus à subir les moqueries des autres enfants à l'école. Mais tout de même, ça va être une grosse adaptation. Je leur ai trouvé une école française, mais elles vont arriver en plein milieu de l'année scolaire. Elles vont devoir apprendre l'anglais, se refaire des amies dans le quartier.

— Comment qu'elles réagissent au déménagement? demanda Catherine.

— Bien, répondit Marianne. Pour l'instant, elles voient ça comme des vacances. Je ne suis pas certaine qu'elles comprennent vraiment qu'on ne reviendra pas vivre au Québec.

— Elles sont jeunes, dit Gabrielle pour dédramatiser la situation. Elles vont s'adapter. Pis Vancouver, c'est quand même pas le Pérou.

— En tout cas, poursuivit Sarah, t'es quand même forte pour affronter tout ça toute seule. Moi, à ta place, je serais terrifiée. Je n'ai pas ta force de caractère.

— Ce n'est pas la première fois que je me retrouve toute seule, répondit Marianne. Pis j'ai déjà pensé à ma vie là-bas. Andrew m'a mis en contact avec un de ses amis qui travaille à l'hôtel. Il est très gentil. Il a dit qu'il allait m'aider à m'installer. Il est supposé nous faire visiter la ville. Il m'a conseillé pour trouver mon appartement. Le coût de la vie est tellement cher à Vancouver. Sans lui, j'aurais pas réussi à me loger si facilement.

— Au moins, nuança Catherine, tu as empoché un petit paquet avec toute cette histoire d'album pis de tournée. C'est peut-être le seul bon côté dans tout ça.

— Oui, tu as raison, Cath. Je ne suis pas dans la rue. J'ai de quoi payer l'école pour les jumelles pendant un certain temps. Pis Andrew m'a aidée à dénicher un poste de barmaid pas mal payant. J'vas me débrouiller, les filles, ne vous en faites pas pour moi.

— T'as raison, Marianne, affirma Gabrielle avec énergie. Ça suffit les larmes! Ce soir, c'est ton dernier soir avec nous. Alors on commande encore du champagne, pis on a du fun!

La jeune femme se leva et cria au serveur qui était à l'autre bout de la salle de leur apporter une autre bouteille. Quelques clients levèrent des yeux intrigués dans leur direction. Marianne leva sa flûte et but une longue gorgée.

Elle quitta le pub en fin de soirée pour attraper le dernier métro. En prenant place dans la rame, elle sortit un livre de son sac. Elle essaya de se concentrer sur les aventures amoureuses de Frédéric Moreau, mais son esprit divaguait à chaque phrase. Elle referma la couverture et regarda par la fenêtre où, dans l'obscurité, défilaient les lumières du tunnel. L'émotion du départ avait atteint ce soir une intensité qu'elle n'avait pas anticipée. Dans les derniers mois, elle avait coupé un à un les fils qui l'attachaient à sa vie à Montréal. Mais elle n'aurait pas cru que ce dernier fil, celui de ses amitiés professionnelles, aurait été le plus difficile à rompre, plus difficile que ne l'avait été celui de son couple.

Ce soir, elle se rendait compte qu'elle avait sans doute passé plus de temps avec Catherine, Gabrielle et Sarah qu'avec toute autre personne dans les dernières années. En leur compagnie, elle s'était permis d'être elle-même, de parler librement, pendant les heures creuses au bar, de son couple comme de sa brève carrière de chanteuse. Ce fil une fois coupé, elle était envahie dans la rame de métro par l'impression d'une soudaine légèreté. Étonnamment, l'idée de refaire sa vie à l'autre bout du pays l'enchantait. Ce concours avait peut-être ruiné la vie qu'elle s'était construite après le décès de sa mère, mais elle voyait maintenant dans cette ruine la possibilité d'une existence qui lui appartenait vraiment, qu'elle construirait selon sa propre volonté. La vie qu'elle avait menée à Montréal, elle ne l'avait pas choisie, tout comme la forme que la mort de sa mère avait donnée à son existence : la tutelle de ses jeunes sœurs, le mariage avec Steve, l'abandon de ses études, le travail de barmaid. Puis, en continuité avec cette vie imposée, étaient survenus le concours de musique et les bouleversements majeurs qui l'avaient forcée à tout effacer. Voilà que ce destin écrasant se transformait, par le plus étrange renversement, en une planche de salut.

Les stations de métro défilaient dans la noirceur du tunnel avec des éclats de lumière brillants. C'était la ville qui s'effaçait pour elle, point par point, lieu par lieu. Des gens débarquaient sur le quai, puis les portes du métro se refermaient avec une secousse mécanique. Elle restait dans la rame avec des voyageurs de moins en moins nombreux. Elle se sentait déjà portée vers un autre lieu et elle réfléchissait à la vie qui débutait pour elle.

À l'aube de sa vingtaine, elle partait avec ses sœurs refaire sa vie ailleurs, mais libre maintenant de déterminer cette nouvelle existence. Elle avait en main un diplôme d'études secondaires complété au terme d'une session de cours du soir qui lui avaient demandé beaucoup d'effort. Avec l'aide précieuse d'un orienteur qui lui avait permis de trouver un programme du gouvernement fédéral qui facilitait le passage pour un étudiant d'une province à une autre, elle avait été acceptée à l'Université de Colombie-Britannique. Dans les mois suivants, elle finirait des cours qui lui manquaient pour accéder aux études supérieures. Dès l'automne suivant, elle pourrait entreprendre son baccalauréat. Elle aurait certes à travailler pendant ses études, mais elle savait qu'elle arriverait à concilier sa vie professionnelle et sa vie académique. L'argent que lui avait rapporté *L'Académie de la chanson populaire* le lui assurerait; Catherine avait eu raison en affirmant que c'était le bon côté de cette affaire.

Contrairement à ce que ses amies pouvaient penser, Marianne n'envisageait pas son avenir avec appréhension. Pendant l'automne, elle avait commencé à lire sur la révolution américaine et ce sujet la passionnait. Elle avait envie de connaître le passé, de comprendre comment les hommes et les choses en étaient venus à prendre la forme qu'ils avaient aujourd'hui. Elle avait aussi envie de voir le monde, d'ouvrir ses horizons en voyageant. Elle voulait marcher dans les jardins des Tuileries où des hommes, comme elle venait de le lire dans un roman de Flaubert, s'étaient assis un jour de 1848 sur le trône du roi. Elle voulait visiter Washington, Berlin, Rome.

Alors que défilaient dans l'obscurité des fenêtres de la rame les dernières stations de métro, il lui semblait que Montréal, que le Québec entier n'était qu'un infime point sur la carte du monde. Il y avait tant d'autres lieux, tant d'autres villes à voir, à découvrir, à connaître. Et dans ce monde quasi infini, les événements comme les personnes qui avaient fait sa vie ici prenaient une importance relative. Tout cela, toute cette histoire de concours de musique disparaîtrait, noyée dans le flot des choses et des actes insignifiants qui meublent la vie des gens. Pour les autres, sa carrière de chanteuse, son aventure avec Vincent n'avaient été qu'un divertissement. Et les divertissements ne durent jamais. Bientôt, plus personne ici ne se souviendrait de Marianne Malenfant. Elle en avait la conviction, maintenant.

4

Depuis qu'il avait pris place à table, Bellemare n'avait pas eu une minute à lui. Son téléphone portable ne cessait de vibrer. C'était à tout moment des messages de différents membres de l'équipe qui avaient besoin de le consulter. Lorsque le garçon de table vint déposer son assiette, Bellemare éteignit son portable.

— Donc, ce sera des crêpes au sarrasin, yogourt maison, fruits frais et jus du jour pour monsieur. Désirez-vous autre chose?

Bellemare fit un signe négatif de la tête.

— Bien, reprit le garçon de table. Je me permets, avant de vous quitter, de vous signaler qu'en cette merveilleuse journée de printemps, nous avons mis à la disposition de notre clientèle notre ravissante verrière ainsi que notre terrasse. Si jamais vous désirez profiter du soleil, il me fera plaisir de vous dresser une table à l'extérieur.

Bellemare étira le cou pour jeter un œil sur la verrière. Le chaud soleil de mai s'y déversait par toutes les fenêtres et il vit que bon nombre de clients prenaient leur déjeuner sur la terrasse. La salle à manger, du coup, était déserte. Il remarqua alors qu'il était le seul client du restaurant qui prenait son repas à l'intérieur.

— Je vous remercie, dit-il après un moment, mais la salle intérieure me convient parfaitement.

— Très bien, monsieur. Comme il vous plaira. Bon appétit.

Alors qu'il partait, Bellemare retint le garçon et lui demanda de lui apporter les journaux du matin. Quelques secondes plus tard, il avait les principaux quotidiens montréalais entre les mains et les feuilletait en attaquant son assiette.

En ouvrant le cahier des arts et spectacles, son attention fut d'abord attirée par un article consacré aux dernières frasques médiatiques de Michel Lafortune, le célèbre animateur de l'émission culturelle *Sur la place publique*. Lors de la dernière présentation hebdomadaire du *talk-show*, l'animateur avait tenu des propos controversés sur la réforme de l'enseignement au Québec. Face à un spécialiste de la didactique du français venu exposer les fondements de cette réforme, le vieil intellectuel recyclé en animateur de télévision avait dénoncé avec virulence ce qu'il appelait «l'éducation de la médiocrité». Bellemare suivait depuis quelques années ce personnage médiatique, trouvant dans ses sorties alarmées contre «l'esprit du temps» une source de divertissement. Il avait toujours éprouvé une forme de respect mélangé de condescendance à l'égard des hommes qui ne prenaient pas acte des changements d'une société. L'histoire, pensait-il, était remplie de ces individus qui avaient vainement opposé leur faible individualité aux lames de fond qui transformaient les hommes et les choses.

Il parcourut rapidement le courrier des lecteurs qui abondait en lettres dénonçant pour certains les propos réactionnaires du controversé personnage, se réjouissant pour d'autres d'entendre une voix s'élever contre les abus du nivellement intellectuel de la jeunesse québécoise. Amusé par cet énervement soudain et momentané de l'esprit public, Bellemare passa aux articles qui le concernaient de plus près.

Comme il s'y attendait, les critiques du spectacle de Vincent étaient honnêtes, voire élogieuses dans certains cas. À l'occasion de la prestation donnée la veille au Centre Bell pour marquer la fin de la tournée, plusieurs journalistes en profitaient pour dresser un bilan de la carrière solo de Vincent. Ici et là, on saluait la confiance que les Productions COM avaient eue à l'endroit du groupe de jeunes musiciens. Alors qu'on s'attendait à un spectacle similaire à ceux auxquels les galas de la première mouture de *L'Académie de la chanson populaire* avaient habitué le public, on avait opté plutôt pour un format juvénile, un vrai *band* de rock, pour assumer l'ensemble du spectacle. Et le résultat avait franchement plu. On s'étonnait qu'un artiste du style de Vincent ait pu émerger d'une telle industrie. Un critique suggérait même que Vincent arrivait à tirer le meilleur que cette machine de production avait à lui offrir.

Bellemare but une gorgée de jus. Il revoyait les premières semaines de la tournée alors que son équipe et lui avaient tenté d'encadrer les jeunes musiciens. Tout cela avait pris une tournure imprévisible. Lui-même ne reconnaissait plus Vincent, comme s'il s'était transformé quelque part pendant l'automne précédent. Mais il devait admettre que malgré les apparences, le jeune chanteur semblait savoir ce qu'il faisait. Bellemare n'était pas certain de saisir la logique profonde de son comportement, mais il reconnaissait que Vincent s'en tirait très bien. Alors que la deuxième mouture de *L'Académie* venait de couronner un nouveau gagnant un mois auparavant, celui-ci était éclipsé dans les médias par les spectacles et, surtout, les frasques de Vincent.

Tout cela, se disait-il depuis quelque temps, était fort intéressant et très prometteur pour le jeune artiste, mais il pressentait que cette soudaine autonomie artistique que démontrait Vincent pouvait être dommageable à moyen terme pour ses relations avec les Productions COM. Tôt ou tard, il allait devoir affronter ce problème.

Il en était à ces réflexions quand il vit un jeune homme entrer dans la salle à manger. Il ne reconnut pas immédiatement Vincent. Les cheveux en bataille, l'air négligé, portant un t-shirt et un jean délavé, il semblait tout juste sortir d'un bar.

— Mais tu n'as pas dormi de la nuit, Vincent ? dit Bellemare lorsque le jeune homme prit place devant lui.

— Ouais, j'ai dormi, répondit-il. Quelques heures. J'ai failli manquer notre rendez-vous. Une chance que j'avais demandé le service d'alarme. Mais ça va aller mieux quand j'aurai bu un café.

Il leva le bras dans les airs et fit signe au garçon de lui apporter un espresso. Bellemare releva une odeur particulière.

— Bon sang, mais qu'est-ce que c'est que cette odeur ? De la réglisse ?

Vincent sourit.

— De la sambuca. On a fini la soirée dans un bar pour fêter la fin de la tournée, hier, et on a bu des roulettes russes. La sambuca flambée nous coulait sur les doigts et les jeans. On a failli mettre le feu au bar…

Le garçon arriva avec le café.

— Bon, fit Bellemare après quelques secondes de silence. Je voulais te voir pour faire le point sur ta tournée. Je tiens à te féliciter. Les critiques sont favorables.

Il poussa la pile de journaux vers Vincent.

— Pas que je doutais de tes capacités à mener tout ça à terme et comme il convient, mais tu m'as étonné. Je dois l'admettre. À la suite de ton album, je t'avais promis de te donner carte blanche pour la direction artistique de ton spectacle. J'ai tenu parole…

— Mais non sans avoir essayé de nous contrôler, nuança Vincent avec une pointe de sarcasme dans la voix.

— On ne cherchait pas à vous « contrôler », Vincent, rétorqua l'imprésario. On pensait seulement qu'il y avait un risque. Une gang de jeunes hommes dans la fleur de l'âge, plein d'hormones, et avec vos moyens… Ça aurait pu mal tourner. Mais, comme je te le disais, vous avez bien manœuvré à travers tout ça…

— Tu veux dire que les concerts étaient *sold out* et que les journalistes ne me crucifiaient pas sur la place publique…

Cette pointe d'arrogance agaça Bellemare.

— Oui, fit-il avec diplomatie, le public était au rendez-vous, ce qui est l'une de mes préoccupations. Et c'est tout à fait normal. Mais je pensais surtout à ta carrière, Vincent. Des fois, on dirait que tu n'es pas conscient de ta situation précaire. Tu jouis peut-être d'une célébrité très enviable pour une vedette de ton âge, mais tu ne dois pas la tenir pour acquise. Tout peut s'écrouler en quelques jours, en quelques minutes même…

Vincent se dit alors que Bellemare ignorait à quel point il était conscient de son statut. Il pensa qu'ils auraient pu avoir à l'instant la conversation qu'il avait eue avec Annie lors de la soirée de l'ADISQ. Bellemare lui tendait une perche. Mais il était tout simplement trop tard. Il attrapa sa tasse de café et but une gorgée. Ils pouvaient bien en discuter franchement, Vincent savait depuis plusieurs mois que son avenir artistique ne dépendait plus de cet homme.

— Oui, tu as sans doute raison, dit-il finalement. J'ai peut-être seulement eu de la chance, après tout. Et c'est ton rôle de veiller à mes intérêts…

Bellemare eut une expression de contentement.

— Et maintenant? reprit l'imprésario avec enthousiasme. Qu'est-ce que tu comptes faire?

Vincent observa la salle d'un regard circulaire.

— Je ne sais pas exactement. J'avoue que je suis un peu fatigué.

— Mais pourquoi n'en profites-tu pas pour prendre des vacances? Va au soleil. Hawaï, Cuba, la République dominicaine… Tu as les moyens et tu ne t'es pas reposé une minute depuis plus d'un an.

Vincent posa un regard sardonique sur Bellemare.

— Tu veux que je libère la place pour ton nouveau poulain, c'est ça?

L'agacement de Bellemare grandissait.

— Je te le répète encore: Marc-Antoine et toi n'êtes aucunement en compétition. Il t'admire tellement. Vous pouvez travailler ensemble, faire des duos… Si tu veux, tu peux même te joindre à sa tournée qui débutera en janvier prochain…

Vincent grimaça. Il attrapa à nouveau sa tasse de café. Il avait la désagréable impression que ce Marc-Antoine, qui venait d'être couronné par la deuxième mouture de *L'Académie*, n'était qu'une pâle copie de lui-même. Et dans ce reflet que lui renvoyait cet insupportable miroir, c'était sa propre individualité qui lui semblait pâlir pour ne devenir elle-même que la copie de milliers d'autres copies.

— Non merci, répondit-il. Je veux faire les choses à ma façon. Et pour commencer, je dois m'occuper de mon appartement. Je dois le meubler et tout. Puis quand ça sera fait, je vais sûrement prendre des vacances. Qui sait? Je reviendrai peut-être même avec la vision claire de mon prochain album.

Bellemare approuva paternellement. Il prit ensuite son téléphone portable et l'ouvrit. Il avait douze nouveaux messages. Il dit qu'il devait partir, mais qu'il était très content d'avoir eu cette discussion. En se levant, il lui demanda de le tenir informé de son agenda estival et l'informa qu'il n'avait qu'à lui faire signe s'il avait besoin d'aide pour son installation à Montréal.

Une fois seul, Vincent commanda un autre café, un bol de café au lait cette fois. Il avait le ventre vide, mais il ne se sentait pas en état d'ingurgiter des aliments solides. Il parcourut les journaux que Bellemare lui avait présentés. Il avait gagné son pari. Non seulement il occupait encore la majorité de l'espace médiatique destiné à la vie culturelle, mais il était parvenu de surcroît à faire naître un doute dans l'esprit des critiques les plus sceptiques à l'endroit de sa légitimité artistique. Mais la bataille n'était pas encore gagnée ; il se maintenait dans un équilibre précaire entre la culture populaire et cet autre monde, vague et indéfini, de l'art légitime auquel il aspirait.

Le garçon déposa un bol de café au lait devant lui. Il réfléchit pendant de longues minutes à ce que pouvait représenter concrètement un art légitime. Il lui semblait avoir plongé si profondément dans cet univers artistique de la télévision et du rock'n'roll qu'il en avait perdu l'image claire et limpide de l'art, du vrai art tel qu'il se l'était toujours représenté. Il remarqua alors qu'il n'avait pas ouvert un livre dans la dernière année ni écouté une seule pièce de Bach.

La salle à manger était toujours déserte. Les serveurs allaient et venaient entre la cuisine et la verrière. De plus en plus de clients de l'hôtel prenaient place sur la terrasse. Personne ne remarquait la table où il était assis. En observant d'un air discret les allées et venues du personnel du restaurant, Vincent vit Benjamin qui se tenait debout dans la verrière. Il semblait hésiter entre différentes tables. Vincent alla le rejoindre.

— Salut Ben, fit-il en l'abordant. On se prend une table à l'extérieur.

D'un air encore ensommeillé, Benjamin lui dit qu'il prendrait bien le déjeuner sous le soleil. Vincent interpella un garçon et demanda qu'une table fût dressée pour lui et ses amis.

— Et je vous prie, dit-il, mettez-nous un peu à l'écart. On voudrait être tranquilles.

— Mais bien sûr, monsieur Théodore.

En quelques instants, les garçons avaient préparé une table à l'extrémité de la terrasse.

— Nous avons ouvert une section juste pour vous, dit le garçon. Si vous voulez bien me suivre.

— Vraiment, murmura Benjamin à l'oreille de Vincent en traversant la verrière, tous ces privilèges de star vont me manquer...

En circulant dans l'allée centrale de la terrasse, les clients attablés tournaient la tête sur leur passage. Ils arrivèrent à la table et prirent place. Benjamin s'affala sur la chaise en disant :

— J'ai l'impression de me réveiller le lendemain d'un party qui a duré trois mois et demi... Je ne me suis jamais senti aussi épuisé.

Il ferma les yeux en exposant son visage aux rayons du soleil. Vincent était songeur. Cette brève discussion avec Bellemare lui rappelait combien, malgré tous ses efforts, il demeurait lié aux Productions COM. S'éveillant au lendemain de cette longue tournée pendant laquelle il s'était forgé une image de rebelle, il éprouvait une soudaine lassitude. Toute cette vie de débauche et de bruits n'était pas satisfaisante.

— Tu sais, Vincent, dit Benjamin en ouvrant les yeux, j'pense qu'on ne t'a pas remercié, Mathieu, Christophe pis moi de nous avoir pris comme musiciens pour ta tournée. T'as pas idée combien c'est bon pour notre C.V. Que tu ne nous aies pas oubliés, c'est vraiment… c'est vraiment *smatte* de ta part.

Vincent fit une moue de refus.

— Merci de me dire ça, Ben, mais c'est beaucoup grâce à vous si ça a été une si bonne tournée. Sans vous, je ne me serais pas aussi éclaté et mes tounes… c'est tellement poche sur l'album. Vous en avez fait quelque chose de pas pire pantoute.

— Pis Simon, continua Benjamin, tu as eu raison de l'amener. Y est ben correct comme gars pis comme musicien. D'ailleurs, qu'est-ce qui font les autres candidats de la première saison de *L'Académie*? Y me semble qu'on n'en entend pas parler?

— Bien, Marianne, répondit Vincent, elle s'est retirée du *show-business*. Pis pour les autres, j'pense qu'ils sont dispersés aux quatre coins de la province. Y font des petits festivals de région, du genre le festival de la botte de foin de Saint-Wouin-Wouin… Je sais que Jef joue dans des bars de chansonniers. J'pense que Virginie a eu un rôle secondaire dans une comédie musicale. En tout cas, quand j'entends parler des autres candidats, je me dis que j'ai bien fait de finir en première place de ce concours. Sinon, je serais en train de végéter dans un bar de Lévis…

Benjamin referma les yeux en s'exposant au soleil. Vincent regarda les clients qui se prélassaient aussi sous le soleil, à quelques mètres d'eux. Il avait envie lui aussi de profiter de la température clémente, mais depuis qu'il avait discuté avec Frédéric Bellemare, tout lui semblait insatisfaisant.

— Mais même si je peux me consoler en me comparant aux autres candidats de *L'Académie*, dit-il après un moment, j'avoue qu'y a des fois où j'trouve que ça devient un peu ridicule tout ça. Tu trouves pas, Ben ? Je veux dire, monter sur scène tous les soirs pour jouer les mêmes chansons pop, mais avec un peu plus de rock dedans ? Pis se dandiner sur scène comme des meneuses de claque ? Pis après, aller se soûler dans les bars et ramener une nouvelle fille à tous les soirs ?

Benjamin se redressa.

— Oui, ça peut devenir un peu ennuyant, Vincent. Mais j'ai compris quelque chose pendant cette tournée, quelque chose que tu avais déjà compris, toi, quand tu t'es inscrit à ce concours. Si tu veux percer, j'pense que t'as pas le choix de faire des compromis. Regarde ce qu'on a autour de nous. Regarde les conditions dans lesquelles on a fait cette tournée. Le luxe, le confort… pis l'argent. J'ai jamais fait autant d'argent avec la musique de toute ma vie. C'est quand même quelque chose…

— Peut-être, concéda Vincent. Mais c'est pas juste ça, être artiste, Ben ? Il me semble qu'il faut aller plus loin, non ?

Benjamin réfléchit un moment et répondit avec beaucoup de sérieux :

— Je sais que ça vole pas très haut le *show* qu'on a fait ensemble pendant les trois derniers mois. Toi et moi, on a déjà fait bien mieux avant, dans nos concerts de musique au conservatoire, par exemple. Mais y faut quand même se contenter un peu de ce qu'on a, non ?

Vincent vit que Simon traversait la verrière en se dirigeant dans leur direction. Il se dit que Benjamin avait peut-être raison. Lui, pourquoi était-il encore insatisfait ? N'était-il pas en voie d'atteindre le but qu'il s'était fixé en s'inscrivant à ce concours de musique ? N'avait-il pas même réussi à se départir de l'image trop proprette de chanteur populaire qui lui collait à la peau en sortant du concours ?

— Moé, j'bois pas pendant au moins un mois à partir d'aujourd'hui, fit Simon en prenant place à table. Ah! Ça c'est du soleil! J'm'en vas dans le Sud pas plus tard que demain, les gars. Ça c'est certain. Ciao! Et viva les plages au bord de la mer…

— Où ça en est, ton projet d'album? demanda Vincent.

— Bof! soupira Simon. Frédéric m'a parlé y a une couple de semaines du mois d'août pour les premières sessions d'enregistrement. À ce qu'y paraît, les chansons sont déjà choisies. J'ai donc tout l'été juste pour moi. Pis je compte en profiter. Benjamin, tu vas faire ma tournée, hein?

— Tu peux être certain, Sim, que je serai là. T'auras qu'à m'appeler.

— Excellent.

Vincent regarda Simon et Benjamin. Il eut alors l'intime conviction qu'ils ne pouvaient comprendre ses préoccupations. Christophe arriva sur la terrasse et vint les rejoindre.

— J'arrive pas à croire que c'est fini, fit-il. Vincent, tu vas nous prendre pour enregistrer ton prochain album, hein? Tu l'as promis, hier soir.

Vincent sourit.

— Hier, Christophe, j'étais pas en état de promettre quoi que ce soit. J'pense que j'ai dit à trois filles que j'allais les marier…

Ils rirent tous.

— Mais oui, reprit Vincent, quand je ferai mon deuxième album, je vais penser à vous, c'est certain. Et pour la tournée, aussi.

— Super! répondit Christophe. Mais entre-temps, y faut que tu m'arranges un rendez-vous avec celui que t'appelles le grand manitou.

— Frédéric?

— Ouais, c'est ça. Je dois le convaincre de me prendre dans la prochaine saison de *L'Académie*. Moi aussi, tu vas voir, m'a leur en donner de la performance. Du téléroman, y vont en avoir plein l'écran!

Vincent et Simon échangèrent un regard.

— Tu vas être excellent, Christophe, répondit Simon. Excellent.

● ● ●

Le taxi déposa Vincent à son appartement en début d'après-midi. Les chaleurs soudaines de mai avaient fait fondre les derniers bancs de neige. Les rues et les trottoirs étaient poussiéreux, recouverts de sable. En pénétrant dans le hall, il se heurta à une pile de sacs publicitaires qui s'étaient accumulés au fil des mois. Vincent déposa sa valise et sa guitare dans le couloir principal.

À l'intérieur régnait une atmosphère confinée. Le soleil plombait à travers les fenêtres du salon partiellement obstruées par un voile de saleté. Un seul fauteuil meublait le salon; à ses côtés, quelques boîtes de livres étaient empilées. Vincent s'avança dans le salon. Une fine couche de poussière recouvrait le fauteuil, les livres et les moulures des murs. La salle à manger était complètement vide. Il alla dans sa chambre. Au centre, à même le sol, était déposé son matelas. Les draps étaient encore défaits. Il tenta de se souvenir à quand remontait la dernière nuit qu'il avait passée dans cet appartement. Ce devait être quelque part à la mi-décembre. Dans la cuisine, il y avait une table avec deux chaises, un grille-pain et quelques fruits complètement séchés. Il ouvrit le réfrigérateur. Il y trouva un cheddar pourri et un contenant de plastique renfermant un reste de repas. Vincent retourna vers le salon et s'assit dans le fauteuil qui, sous son poids, souffla un nuage de poussière.

Il regarda son étui à guitare et sa valise déposée dans le couloir. Voilà tout ce qu'il possédait. Il tenta de dresser dans son esprit la liste des achats que nécessitait l'ameublement de cet appartement. Il avait envie de tout mettre sur le trottoir, hormis sa guitare et sa valise, et de tout recommencer à neuf. C'était comme si sa vie recommençait ici et maintenant. L'immense quantité de travail que lui semblait représenter cette installation l'apeurait. Il chercha un crayon et du papier pour noter ce qu'il devait acheter. N'en trouvant pas dans les boîtes de livres, il prit son téléphone portable, ouvrit l'application « note book » et commença la liste des choses à faire. Rapidement son esprit s'égara dans tout ce dédale de la vie domestique. Après quinze minutes, il se découragea. Il composa le numéro de la maison. Brigitte décrocha.

La discussion lui apporta un certain réconfort. Il expliqua à sa mère sa situation particulière. Brigitte était prise par plusieurs colloques auxquels elle participerait au cours des prochaines semaines. Elle lui proposa entre-temps de revenir à la maison ; il avait encore sa chambre, alors pourquoi s'empresser d'emménager définitivement à Montréal ? Par la suite, au cours de l'été, elle l'aiderait avec son aménagement. Vincent dit qu'il allait y songer et qu'il la rappellerait bientôt.

En raccrochant, il demeura pensif pendant un moment. Revenir à Québec lui apparaissait comme un retour vers le passé. Il se pencha vers les boîtes de livres. Il sortit quelques volumes et les feuilleta. Cette activité, à laquelle il avait été si attaché à une certaine époque, lui semblait appartenir à une autre vie. Il parcourut rapidement une pièce de Molière, quelques vers de Boileau, des poèmes en prose de Baudelaire. Il relut quelques métamorphoses d'Ovide, ses préférées. Il tomba aussi sur les écrits de Glenn Gould qu'il avait dévorés pendant ses premières années de piano au conservatoire. Il rêvait alors de devenir le prochain pianiste dont le génie interprétatif se comparerait à celui de Gould. Pendant un moment, il éprouva l'envie d'écouter de la musique classique. Son cerveau lui en demandait. Il attrapa son iPod dans sa valise et regarda la liste des artistes. Les noms défilaient. Il n'y avait que des artistes populaires. Il retourna dans ses boîtes de livres et trouva, tout au fond, une pile de disques compacts. Il y avait des disques de Liszt, Chopin, Schubert, Debussy, Bach, Bartók. Il regarda autour de lui et ne vit aucun lecteur de disque.

Cela le ramena à la réalité concrète de sa vie. Il éprouva aussi la faim. Il allait devoir aller à l'épicerie. Il pensa alors à Annie. Ils ne s'étaient pas parlé depuis quelques semaines. Il lui devait bien un souper dans un bon restaurant. Il prit son téléphone et composa son numéro. Annie décrocha après deux sonneries et parut très heureuse d'avoir de ses nouvelles. Vincent lui expliqua que sa tournée venait de prendre fin et qu'il voulait l'inviter au restaurant pour la remercier. Annie accepta immédiatement. Elle lui proposa même d'aller prendre un verre auparavant sur une terrasse. Vincent énuméra les achats urgents auxquels il devait procéder.

— Je dois m'acheter au moins des draps, de la vaisselle, des trucs pour la salle de bain, faire une épicerie… et je n'ai pas de voiture, donc je risque d'être occupé jusqu'à six ou sept heures.

— Je peux te prêter ma voiture, proposa Annie.

Vincent hésita un instant.

— Ah… C'est très gentil. Mais… il ricana de malaise. Tu vas trouver ça stupide, mais je n'ai pas encore de permis de conduire…

Il entendit le rire amusé d'Annie.

— Tu n'as pas à avoir honte, Vincent. J'ai appris à conduire à 25 ans. Voilà ce que je te propose : donne-moi ton adresse, je passe te prendre, on fait des courses ensemble pour s'assurer que tu vas survivre encore quelques jours dans ton appartement et ensuite on va dans un restaurant. Est-ce que ça te va ?

Vincent lui dit qu'elle n'avait pas à être si généreuse avec lui, qu'elle avait déjà beaucoup fait pour lui. Annie insista en affirmant que ça lui faisait plaisir. Il accepta finalement en balbutiant quelques remerciements et lui donna son adresse.

Vingt minutes plus tard, Annie était sur le pas de la porte. Lorsqu'elle entra dans l'appartement, elle examina d'un regard rapide le quatre pièces et demie.

— Ouais… fit-elle en revenant de sa visite. Il y a beaucoup de travail à faire. Il faut commencer par tout nettoyer, je pense. Ensuite, tu vas devoir faire une liste de tout ce qui te manque.

Vincent lui tendit son téléphone portable où il avait commencé à noter ce dont il pensait avoir besoin. Annie sourit.

— On verra ça après, dit-elle en lui redonnant son portable. Commençons par nettoyer, puis après on évaluera ensemble ce que tu dois acheter en priorité. Alors, pour le ménage, tu as ce qu'il faut ?

Vincent sortit des armoires sous l'évier de la cuisine une bouteille de détergent à moitié pleine et une vieille éponge. Annie eut une expression moqueuse en lui disant qu'il n'avait sans doute pas fait beaucoup de ménage dans sa vie.

En revenant de la pharmacie où elle lui fit acheter un arsenal de produits ménagers, ils se lancèrent dans une longue corvée. Devant l'ampleur de la tâche, ils abandonnèrent l'idée du magasinage et ils troquèrent le restaurant gastronomique contre des shish-taouks et une caisse de bière. En soirée, ils allèrent acheter une literie et firent une épicerie. Comme Annie n'avait aucun tournage prévu avant deux semaines, elle se proposa de l'accompagner dans ses activités domestiques face auxquelles, il devait l'admettre, Vincent se sentait particulièrement démuni.

— Si je n'y vais pas avec toi, dit-elle en se moquant, tu vas être la cible parfaite pour des vendeurs à commission. Ils vont flairer le jeune riche qui ne connaît rien à rien…

Le lendemain commença une interminable chasse dans les centres d'achat. À sa grande surprise, ce qu'il croyait être une obligation fastidieuse se transforma pour Vincent en une dépense grisante. Pour la première fois, il jouissait de son argent. Sous les conseils avisés d'Annie, ses besoins s'accrurent considérablement. Ils délaissèrent bientôt les magasins grande surface, où ils étaient considérablement ralentis par des hordes de jeunes femmes qui voulaient prendre des photos en compagnie de Vincent, pour les commerces spécialisés et destinés à une clientèle plus fortunée. Annie lui apprenait à agencer les couleurs, lui prodiguait une foule de conseils sur les meubles, les matériaux, la décoration. En somme, elle lui enseignait le bon goût.

Elle lui fit découvrir les antiquaires ; Vincent y flamba des sommes colossales. Elle l'entraîna dans des magasins chics lorsqu'il voulut refaire sa garde-robe. Elle était sa styliste ; Vincent suivait ses conseils et définissait de mieux en mieux ses goûts vestimentaires. Il eut ensuite une passion pour les tapis ; il en acheta deux de style persan à gros prix aux enchères. Lorsqu'il comprit qu'il pourrait détenir sa propre machine à café espresso, ce fut encore une fois un emballement. Pendant une journée complète, ils firent les commerces spécialisés, s'informèrent sur les multiples modèles disponibles. Il eut ensuite un engouement pour le vin : il s'acheta un cellier et le remplit d'une trentaine de bouteilles, dont quelques vins de garde. Il se passionna ensuite pour les ustensiles de cuisine.

Il acheta une batterie en cuivre, se fit convaincre par un vendeur de la nécessité de cuisiner au gaz. Bientôt, il avait les outils d'un chef de restaurant gastronomique bien que ses connaissances culinaires fussent encore rudimentaires.

Ils ne comptaient plus l'argent ni les jours qui s'enfilaient les uns après les autres dans un même flot d'ivresse dépensière. Annie se laissa prendre au jeu, oubliant même parfois qu'elle agissait seulement à titre de conseillère. Dans tout cela, Vincent avait l'impression de bâtir quelque chose de concret ; cet appartement devenait pour lui le signe de sa prise de possession, de son établissement dans la vie. Il lui semblait acquérir du coup une maturité nouvelle.

« Qu'il fait bon rentrer chez soi ! » avait-il pris l'habitude de s'exclamer en revenant d'une journée de magasinage.

Après cette fièvre de la dépense, des objets neufs entouraient Vincent où qu'il fût dans son appartement. Annie et lui se donnaient rendez-vous à la livraison d'un achat. Vincent voulut étrenner son four au gaz et sa batterie de cuisine en cuivre. Dans une atmosphère de douce camaraderie, ils cuisinèrent ensemble plusieurs soirs d'affilée. Vincent découvrit la joie de cuisiner. Il s'était acheté plusieurs livres de cuisine, écoutait des émissions culinaires en ligne, raffinait sa connaissance du vin. Un matin, il s'inscrivit à des cours privés donnés par un œnologue de renom de la métropole ; il explora les accords mets et vin. Plusieurs soirs par semaine, il téléphonait à Annie pour l'inviter à goûter sa nouvelle découverte.

Un jour qu'ils étaient à l'épicerie, Annie attira son attention sur un présentoir de revues et journaux. Sur la couverture d'un magazine, il reconnut son visage ainsi que celui d'Annie. L'hebdomadaire titrait : « Vincent Théodore : préfère-t-il les femmes mûres ? » Il attrapa la revue et la feuilleta. Ils virent que des paparazzis avaient traqué leurs va-et-vient des dernières semaines. Le journaliste qui avait écrit l'article suggérait que les deux artistes entretenaient une liaison. Il insistait sur leur différence d'âge de quinze ans. Ils en rirent longuement. Vincent affubla Annie du sobriquet de « grande sœur »; la femme de 35 ans s'en offusqua d'abord. Mais comme Vincent le disait avec si peu de malice dans la voix, avec affection même, elle le toléra. En retour, elle le surnomma « mon petit ». Cela devint un jeu entre eux.

À partir de ce moment, ils s'amusèrent à débusquer dans les rues les photographes qui les épiaient sans même chercher à se dissimuler. Ils se donnèrent en spectacle en paradant dans les rues les plus achalandées de Montréal, en se faisant voir dans les restaurants populaires du Plateau-Mont-Royal et de la rue Saint-Denis.

Vincent en avait presque oublié *L'Académie* et sa carrière. Un matin où le souvenir de la musique, comme le rappel d'une vie antérieure, se fit plus pressant, il se mit à la guitare et tenta de composer une chanson. Le résultat, après trois jours d'efforts laborieux, était lamentable. C'était à peine mieux que la pop mielleuse qu'il avait enregistrée presque un an, jour pour jour, auparavant. Il rangea sa guitare en rageant de se découvrir si mauvais. Ne pouvait-il pas faire mieux que ça? Il ne savait plus.

Ce soir-là, Annie se présenta chez lui sans prévenir, comme elle avait pris l'habitude de le faire, prenant ses aises dans cet appartement qu'elle considérait presque comme le sien. Elle trouva Vincent dans le salon, l'air maussade. Il ne voulut pas s'expliquer sur sa mauvaise humeur.

— Mais toi, dit-il en relevant son excitation, tu as l'air de ne pas tenir en place. Qu'est-ce qui t'arrive?

Annie vint le rejoindre sur le divan du salon.

— Tu te rappelles l'audition que j'ai passée il y a deux semaines pour un film ?

— Vaguement, répondit Vincent. Il me semble que tu n'y tenais pas trop.

— Pas que j'y tenais pas, le corrigea-t-elle, c'est juste que je doutais vraiment de mes chances d'obtenir ce rôle. Ben, imagine-toi donc que je l'ai eu !

— Ah ! fit Vincent sans grande conviction. Félicitations.

— Non, rétorqua-t-elle. Tu ne comprends pas. Ce n'est pas juste un petit rôle comme j'en fais à la télé. C'est un vrai rôle de composition, le rôle d'envergure que j'attends depuis des années pour prouver à tout le monde que je suis capable de jouer autre chose que les jeunes ingénues. C'est un rôle qui va prouver ma maturité, que je suis rendue à un autre niveau, que je ne suis pas qu'une simple actrice avec du potentiel… Tu comprends ? Pour ma carrière, c'est un pas immense ! Ça va peut-être me remettre sur la carte !

Vincent manifesta plus chaleureusement son entrain. Comme Annie voulait fêter son rôle, ils réservèrent une table dans un restaurant chic du Vieux-Montréal. Ils burent beaucoup de vin pour célébrer, si bien que Vincent confessa à Annie les raisons de sa morosité. Il ne savait plus où il en était d'un point de vue professionnel. Il n'avait plus envie de chanter de la pop, mais il ne se sentait pas capable d'écrire des chansons à la hauteur de ses ambitions. Et le temps filait. Marc-Antoine allait sortir un album à l'automne. S'il restait passif, il risquait d'être oublié.

— Je ne sais pas, disait-il d'un air égaré, ce que je devrais faire. Peut-être que je devrais cesser de courir après une gloire immédiate et me concentrer sur un vrai travail d'artiste… m'investir dans quelque chose de grand, de démesuré. J'ai quand même les moyens pour subvenir à mes besoins pendant un bout.

— Mais qu'est-ce que tu aimerais faire ?

— Je ne sais pas trop encore. Me remettre à la musique, mais en essayant vraiment de trouver ma voie. Ou bien essayer le théâtre. Il eut un air amusé et blagueur. Tu pourrais me donner des cours…

Le visage d'Annie s'immobilisa soudainement. Elle fixait sur lui ses grands yeux bruns, avait la bouche entrouverte en tenant dans les airs son verre de médoc.

— Mais… bégaya-t-elle, j'y pense… Mais oui… C'est en plein ça. Écoute, Vincent, dit-elle en reprenant sa contenance et en s'accoudant sur la table avec sérieux. Quand j'ai rencontré Jean Boisvert, le réalisateur, et qu'il m'a dit que j'avais été retenue pour le rôle, nous avons beaucoup discuté ensuite de la façon dont il voyait son film. Ça va être gros, je peux te le dire. C'est une production franco-québécoise et ils sont sur le point de signer un acteur français de renom pour l'un des rôles principaux. Il n'a pas voulu s'avancer, mais disons que la nouvelle va propulser le film sur le plan international. Et il m'a aussi dit qu'il reste un rôle à combler, pour un acteur de 23 ou 25 ans. J'ai lu le scénario et… je viens d'allumer. Tu pourrais très bien jouer ce rôle !

Vincent crut d'abord qu'elle se moquait de lui. Lui, jouer au cinéma ? Mais il n'avait jamais appris à jouer ! C'étaient des paroles en l'air…

— Mais ce n'est pas toi qui me répètes tout le temps que tu as été obligé de jouer la comédie pour gagner ce concours ? Au début, je pensais que tu blaguais, mais j'en suis venue à penser que tu as vraiment un talent naturel pour le jeu… Regarde comment tu es devenu un tombeur de filles, juste en décidant de le devenir…

Vincent sourit. Puis, il réfléchit. Était-ce le vin ? Posait-il un regard lucide sur ses talents artistiques ? Tous ces mois passés dans la maison pendant la première saison de *L'Académie* lui revenaient en mémoire. N'avait-il pas appris là-bas à jouer un rôle, à être quelqu'un d'autre que lui-même, à se contrefaire comme un comédien ? Au bout de quelques secondes de silence, il prit son verre de vin en disant :

— Je ne sais pas, Annie, mais tu as peut-être raison. Faudrait voir. Faudrait faire des essais.

— En tout cas, si tu es prêt à t'y mettre à fond, je suis certaine que je peux convaincre le réalisateur de t'accorder une audition.

Vincent redevint songeur. Oui, pensait-il, il réussirait peut-être à jouer convenablement. C'était peut-être le nouveau défi dont il avait besoin. Il leva les yeux vers Annie en avançant son verre pour faire un toast.

— Vraiment, grande sœur, que serais-je sans toi ?

Annie leva sa coupe. Au contact l'une de l'autre, le cristal tinta d'un son sec. Puis elle ajouta avec un air léger :

— Voyons, mon petit. Bientôt, tu voleras de tes propres ailes et tu quitteras mon nid…

5

Le soleil, en ce dimanche matin, pénétrait dans la pièce par de larges bandes lumineuses. Dès qu'il ouvrit la porte, Michel Lafortune sentit cette lumière chaude baigner son corps encore alourdi par le sommeil. C'était une pièce située à l'étage, presque dans les combles, où il avait aménagé sa bibliothèque.

Pour l'instant, la maison était tranquille. Caroline dormait encore, de même que ses enfants, Sophie et François. Ce dimanche matin marquait le début de ses vacances. La veille avait eu lieu la diffusion de la dernière émission de la saison de *Sur la place publique*. Il ne retournerait sur ce plateau qu'à l'automne prochain. Il avait trois mois de congé devant lui.

Il referma la porte de la bibliothèque derrière lui en éprouvant l'impression réconfortante d'un retrait du monde. C'était le moment de la journée qu'il préférait. Lorsqu'il était plus jeune, du temps de ses études universitaires, ou encore à l'époque où il était journaliste, Michel avait pris l'habitude de travailler le soir, voire la nuit. Puis, à mesure qu'il vieillissait, il découvrait que c'était le matin que son esprit était le mieux disposé à la réflexion.

Michel alla vers un rayon de sa bibliothèque et attrapa le premier tome d'*À la recherche du temps perdu* de Proust. Il alla ensuite s'asseoir dans sa chaise de lecture et ouvrit le volume. Il y avait des années qu'il s'était promis cette lecture. Et pour une rare une fois, il n'avait rien de prévu pour ses trois prochains mois de vacances. Il pourrait lire, enfin.

À 9 h, il referma son livre et alla à son bureau. Il ouvrit son portable. Son émission préférée sur *France Culture* venait tout juste de commencer. La voix de l'animateur français émergea des haut-parleurs. Un écrivain, un historien et un philosophe discutaient de l'influence de Darwin sur la pensée occidentale. Michel s'appuya contre le dossier de sa chaise et s'absorba dans les réflexions qu'émettaient ces hommes de culture. Il nota, au fil de son écoute, quelques titres d'ouvrage. Lorsque l'émission fut terminée, il attrapa l'échelle coulissante et s'arrêta devant le rayon de sa bibliothèque où il avait rangé les livres de philosophie. Il se souvenait qu'il possédait un exemplaire de *L'Origine des espèces*, qu'il avait lu à une certaine époque. Il gravit quelques barreaux et attrapa le livre de Darwin. Il redescendit et le déposa sur sa table de travail, à l'extrémité gauche, où il avait l'habitude de placer les livres qu'il se promettait de lire. Parmi la pile de bouquins qu'il y avait là, il vit le dernier ouvrage qu'un vieil ami, professeur de sciences politiques, lui avait fait parvenir quelques mois auparavant.

Il entendit alors des bruits provenant du premier étage. C'était un vrombissement sourd de paroles, de télévision et de malaxeur. La journée était commencée. Avant de descendre au premier étage où les membres de sa famille s'activaient, Michel consulta ses courriels.

La sonnerie du téléphone retentit. Il laissa sonner en se disant que sa femme répondrait. Quelques secondes plus tard, on frappait trois coups contre la porte.

— Papa ? disait Sophie. C'est pour toi.

— Merci, répondit Michel.

Il attrapa le combiné qui était sur son bureau.

— Allô.

— Michel? C'est Benoît Archambault.

— Benoît? Quelle agréable surprise. Comment ça va?

— Mais très bien, très bien, répondit d'une voix affable son ancien camarade de classe avec qui il avait étudié à Paris pendant son doctorat. Et toi? Ça fait longtemps que je n'ai pas eu de tes nouvelles.

— Bof... Ça va. Je suis enfin en vacances. C'est drôle que tu me téléphones. Ce matin, je suis tombé sur ton dernier ouvrage que j'avais placé sur le coin de mon bureau, avec les livres que je veux lire pendant mes vacances.

— Ah! répondit avec humilité le professeur de sciences politiques. Tu me feras l'honneur de me dire ce que tu en penses franchement. Mais je t'appelle dans un but bien précis. Je voudrais t'inviter à venir donner une conférence à l'université. Est-ce que ça pourrait t'intéresser?

— Mais Benoît, fit-il avec sarcasme, tu sais bien que je ne fais plus partie des réseaux de chercheurs depuis de nombreuses années... Je suis un animateur de télé, maintenant. Ça devrait suffire pour me déclarer *persona non grata* dans n'importe quel campus un tant soit peu sérieux...

Le professeur, à l'autre bout du fil, éclata de rire.

— Je vois que tu n'as rien perdu de ton sarcasme, mon cher. Non, trêve de plaisanterie. Je suis sérieux, là-dessus. Nous organisons, au département de sciences politiques, en collaboration avec le département des communications et des relations internationales de l'Université de Montréal, une série de conférences ayant pour thème «Réflexion et action dans l'histoire contemporaine». Nous avons eu, au début de la session, l'ancien ministre des relations internationales, Alain Michaud.

Et l'automne dernier, nous avions un conseiller de l'administration Bush…

— Oh là là… de grandes pointures…

— Si on veut. Mais c'était très intéressant. Et là, pour clore cette année, on voudrait quelqu'un qui provient des médias. On a pensé à certains journalistes, mais j'ai suggéré ton nom.

— Comme je suis flatté, Benoît. Mais je ne vois pas comment je pourrais être un témoin privilégié pour parler d'un tel sujet. Je réfléchis peu et je n'agis pas du tout…

— Mais tu connais la vie publique, Michel, répliqua l'universitaire. Ton émission est très populaire, tu reçois toutes sortes d'invités sur ton plateau, tu n'as pas peur des débats…

— Mais c'est ça, le hic. *Sur la place publique*, c'est loin des *Débats d'hier et d'aujourd'hui*… Quand j'étais à la radio – tu le sais, puisque tu étais un collaborateur régulier –, là j'animais des débats d'idées. Mais ça, c'était au début des années 1990. Maintenant, n'ayons pas peur des mots : je suis dans le *show-business*.

— C'est exactement ce qu'on voudrait entendre, répondit son ami avec enthousiasme. Parle-nous de l'évolution des mentalités depuis ton point de vue particulier. Fais un truc du genre bilan de carrière : qu'en est-il aujourd'hui de la réflexion dans la sphère publique ?

Michel Lafortune réfléchit quelques secondes. Il repensait à la dernière polémique qu'il avait soulevée dans les médias après ses affirmations controversées sur la réforme de l'éducation. Il se remémora la rencontre que cela lui avait value avec le service à l'auditoire de la télévision d'État.

— J'avoue qu'il y aurait peut-être quelque chose à dire, après tout. Et ça serait pour quand, cette conférence ?

— C'est là que c'est délicat, fit le professeur d'un ton hésitant. Idéalement, il faudrait que tu prennes la parole dans deux semaines.

— Deux semaines !? s'exclama l'animateur.

— Bien, on pourrait étirer à trois en repoussant d'une semaine.

— Ça fait peu de temps, répondit Michel après un instant. Tu me laisses y réfléchir ?

— Bien sûr.

— Parfait. Je te reviens là-dessus d'ici deux ou trois jours.

En raccrochant, Michel sentait que sa décision était déjà prise. Il passa le reste de sa journée ainsi que le lendemain à coucher sur le papier ce que pourrait représenter cette conférence. Cet exercice fut plus stimulant qu'il ne l'aurait cru. Ce retour sur son passé mit en relief ce qui opposait l'homme qu'il était devenu à celui qu'il avait été. Il s'interrogea sur cette métamorphose. La réponse lui vint naturellement, la déduisant d'une analyse lucide de son expérience : c'était la sphère publique qui l'avait amené, pas à pas, à renoncer aux débats d'idées et à présenter, en lieu et place, des discussions amusantes et divertissantes. Il avait intitulé sa conférence « Retour sur la trahison des clercs » et y dressait un portrait sans complaisance de l'intellectuel qu'il avait été et qui s'était peu à peu transformé, par la force des choses, en ce qu'il convenait d'appeler un animateur culturel.

Deux semaines plus tard, Michel Lafortune se rendait au pavillon Lionel-Groulx avec un porte-documents sous le bras qui contenait, lui semblait-il, l'essentiel de sa vie. C'était la fin du semestre et les premiers jours du printemps. En marchant, Michel se sentait animé d'une fébrilité qu'il n'avait pas éprouvée depuis de nombreuses années. Sur la route, il croisa plusieurs étudiants qui se rendaient à leurs examens. Il fut frappé par leur jeunesse et leur beauté. En entrant sur le campus, l'énergie de la vie étudiante qu'il observa l'émut. Il se surprit à envier cet enthousiasme qu'il avait partagé à une certaine époque.

Il entra dans le pavillon et se dirigea vers le département de sciences politiques. La porte du bureau de Benoît Archambault était ouverte.

— Ah! Mais entre, cher ami, lui dit le professeur en le voyant arriver. Je dois te dire que l'annonce de ta conférence a fait beaucoup de bruit.

— Vraiment? fit Michel en s'assoyant. Pourtant, ce que je vais raconter n'est pas très réjouissant. Tu sais, Benoît, j'ai décidé de marcher pour me rendre sur le campus et, en regardant ces étudiants, toute cette belle énergie de la jeunesse assoiffée de connaissance, je me suis surpris à regretter de ne pas avoir poursuivi une carrière universitaire, comme toi.

— Toi, Michel Lafortune, disait avec étonnement le professeur qui regagnait son fauteuil après avoir refermé la porte de son bureau, tu regrettes d'avoir fait carrière dans les médias? Mais c'est le comble! Je pense qu'il n'y a pas un de mes collègues qui ne donnerait une chaire d'étude pour avoir ta place…

— Bah… N'embellis pas trop la carrière médiatique. Non, je suis sérieux, Benoît. Je me rends compte que depuis les dix dernières années, je n'ai pas vraiment avancé. Je ne lis presque plus. Je me tiens informé seulement pour animer mon émission de télévision.

Le professeur Archambault resta silencieux un instant en observant l'air blasé de son ami.

— Mais pourtant, dit-il, je me souviens qu'à l'époque de ton émission de radio, il n'y avait pas plus combatif que toi. Il fallait te retenir parfois pour ne pas que tu t'emballes trop.

— Mais c'était à une autre époque. Je ne sais pas. Cette conférence que tu m'as demandée, eh bien, ça m'a permis de faire le point. Il faut bien se regarder en face, tôt ou tard.

— Bon sang, Michel, mais tu vas me faire regretter de t'avoir appelé...

— Mais non, Benoît, ne t'inquiète pas, répondit l'animateur avec un sourire indolent. Je ne me plains pas. Je suis heureux, rassure-toi. C'est juste le temps des bilans qui commence pour moi. Tu verras, tu auras à le faire aussi, un jour. Quoique tu sembles assez satisfait de ta vie professionnelle... Tu écris tes livres et personne ne vient t'emmerder.

— C'est vrai, reconnut le professeur Archambault. Je n'ai pas à me plaindre. Je compte plusieurs amis dans ce département et je dirige des étudiants qui me stimulent constamment. C'est peut-être le remède au cynisme, tu sais, la jeunesse.

Les deux hommes échangèrent ensuite sur leurs souvenirs parisiens. Puis, Benoît Archambault dit qu'il était temps de descendre. En pénétrant dans l'amphithéâtre, Michel fut étonné de l'abondante foule réunie pour l'entendre.

— Je t'avais dit que ta venue serait remarquée, lui dit son ami en constatant sa surprise.

Il y avait dans l'air cette légère euphorie qui plane dans les salles universitaires lorsqu'un invité de marque fait une incursion dans le monde des études. C'était cette impression qu'on ressent devant une personnalité qui fait le pont entre le monde des idées et celui des réalisations concrètes. Benoît Archambault prit d'abord la parole pour présenter le conférencier. Il inséra dans sa présentation de brèves anecdotes qui disposèrent le public à un accueil plus que favorable. Michel s'avança ensuite vers le pupitre sous un tonnerre d'applaudissements. Lorsque le silence se fit, d'une voix calme et sereine, il commença la lecture de son discours.

Très cher public étudiant, très chers membres du corps profes-soral, très chers amis,

On me demande aujourd'hui de me prononcer sur l'épineuse question de la réflexion et de l'action. Je crains, en ce domaine, être d'une aide bien limitée. Non que j'aie ni agi ni réfléchi pendant ma vie. Comme vous, j'ai été étudiant et j'ai découvert avec émerveillement ce monde des idées et de la culture que j'ai voulu habiter avec toutes les fibres de ma personne. Mais où en suis-je aujourd'hui? Est-ce que j'habite vraiment ce monde dans lequel vous venez tout juste de mettre le pied? Je dois répondre non à cette question. Ma vie, il faut bien que je le reconnaisse, a lentement dérivé du but que je m'étais fixé à une certaine époque, au temps de mes études doctorales en France, où je partageais avec le profes-seur Archambault un minuscule appartement dans le Quartier latin, mais où notre subsistance quotidienne résidait dans un bout de pain, un fromage et les thèses riches des grands penseurs. Nous lisions Tocqueville, Michelet, Mills, Rousseau, Locke et nous parlions inlassablement, aux heures les plus creuses de la nuit, avec nos camarades européens, des multiples bouleversements politiques qui ont modifié la face du monde depuis les siècles derniers.

Lors de mon retour au Québec, au milieu des années 1980, j'étais décidé à devenir un intellectuel dans notre société. Je croyais, avec tant d'autres, à la mission civilisatrice qui incombe à ces ouvriers de l'intelligence. Bien que le climat général en cette période post-référendaire fût à la morosité, il subsistait encore dans la société un esprit favorable à la culture, encore considérée comme le fer de lance du nationalisme québécois.

Michel Lafortune fit une pause. Il regarda, à travers les lumières qui l'aveuglaient, les visages dans l'assemblée. Ces deux ou trois cents jeunes personnes dirigeaient vers lui des regards attentifs et déférents. Il reprit sa lecture. Il parla longuement du contexte dans lequel il avait commencé sa carrière de chroniqueur politique pour différents quotidiens. Avec un humour détaché, il relata plusieurs anecdotes sur la vie politique fédérale et provinciale, sur les différentes rencontres qu'il avait eues avec des personnalités politiques marquantes, notamment Pierre-Elliott Trudeau. Il raconta ensuite comment il en était venu à collaborer à différentes revues intellectuelles, cherchant à se libérer de la tâche journalière qu'impose le journalisme et qui peut, éventuellement, empêcher le travail de réflexion auquel il voulait se dédier.

C'est ainsi que, continuait-il, *j'en suis venu à la radio. À la fin des années 1980 et pendant une bonne partie des années 1990, j'ai tenu le micro d'une émission que certains d'entre vous ne connaissent peut-être pas,* Les Débats d'hier et d'aujourd'hui. *Le professeur Archambault pourrait en parler autant que moi puisqu'il était l'un de mes collaborateurs les plus assidus. Qu'est-ce que nous avons eu du plaisir, n'est-ce pas, Benoît?*

Le professeur de politique, assis au premier rang, opinait ostensiblement de la tête en affichant un sourire ému.

C'était comme si nous étions toujours dans notre mansarde du Quartier latin: il régnait dans cet aquarium confiné de la radio d'État une atmosphère renfermée qui était propice à la réflexion. Et c'est là, dans ce petit monde refermé sur lui-même, que les choses ont commencé à se gâter. Nous réfléchissions avec cette même éloquence, avec cette même témérité que nous avions étudiants, affichant un esprit frondeur qui refusait le consensus. Étions-nous arrogants, révolutionnaires, irrévérencieux? Je ne crois pas. Nous acceptions seulement d'examiner toutes les idées, bonnes ou mauvaises, consensuelles ou subversives. Si nous avions cette impression de proximité dans nos échanges, nos voix – nous l'oubliions peut-être parfois – elles, se répandaient dans le monde. Et le monde n'aimait pas toujours ce qu'il entendait. Lorsque nous avons critiqué la libération sexuelle, nous avons été taxés de réactionnaires. Lorsque nous avons souligné la dette de notre province à l'égard des frères enseignants et que nous avons du même coup critiqué l'anticléricalisme ambiant dans notre société, nous avons été affublés de l'étiquette «conservateurs», ou encore «passéistes religieux». Lorsque nous avons soulevé des réserves à l'égard de l'interventionnisme de l'État, nous devenions des libertaires.

De ces expériences malheureuses et répétées, je fis un constat : la probité, l'honnêteté, la nuance intellectuelle n'avaient pas vraiment leur place dans la sphère publique. Non pas qu'il fallait mentir dès qu'on était au micro. Mon constat était plutôt que l'exercice de nuance qui consiste en une bonne éducation se mariait difficilement aux exigences de la prise de parole publique. Je ne comprends pas encore très bien les causes de ce fait, mais il me semble évident, aujourd'hui plus que jamais. Sur la place publique, la nuance est difficile, voire impossible. Il faut faire une impression rapide, ne prêter le flanc à aucune critique et éviter toute équivoque.

Quelle attitude ai-je décidé d'adopter après avoir abouti à un tel constat? Vous l'aurez deviné: je suis devenu un homme sans nuance. Je me suis aigri, je le confesse. À partir de là a commencé ma trahison des clercs. Alors que je voulais être un intellectuel, un homme d'idées qui aborde toute question par les vues de l'esprit, je suis peu à peu devenu un homme de spectacle. Vous connaissez le célèbre essai de Julien Benda qui porte ce titre. Alors que l'essayiste y dénonce ces hommes de lettres qui ont délaissé la recherche d'intérêts intemporels pour se dédier aux causes temporelles, aux affaires de la cité diraient d'autres, moi, je me suis tourné vers les affaires du divertissement. Oui, je le dis sans grande honte. Les dernières années passées au micro des Débats d'hier et d'aujourd'hui furent marquées par cette atmosphère de cirque médiatique.

Et chose étonnante : la popularité de cette émission augmenta considérablement. Je devins un personnage médiatique. Un animateur habile et flamboyant. Je me fis bien quelques ennemis parmi les élites, mais je gagnai en popularité. La vérité est simple, parfois, vous savez. Du moins, une partie de la vérité. Les portes de la télévision, vous l'aurez compris, m'étaient toutes grandes ouvertes. J'entrai dans l'arène. Avais-je encore des prétentions à l'intellectualisme ? Sans doute. Mais je n'avais aucune influence.

Michel leva les yeux sur son assistance. Il régnait un silence religieux dans la salle.

J'ai 48 ans. Un jour, pas si lointain, je me retirerai de la vie publique, non sans éprouver quelque amertume. Mais s'il m'est permis de me présenter devant vous, toute proportion gardée, comme un témoin privilégié de l'histoire – comme le furent pour leur époque les César, Saint-Simon, Churchill et De Gaulle de ce monde –, j'ai envie de vous dire…

Michel s'arrêta. Il fixait devant lui l'ombre de la salle traversée de lumières aveuglantes. La ventilation produisait un ronronnement sourd. Il éprouva alors une émotion d'une forte intensité. Cela lui prenait au ventre, comme une pulsion enfouie aux confins de ses chaires qui ressurgissait soudainement après avoir sommeillé pendant des décennies. Il garda les yeux levés, délaissant ses feuilles.

J'allais vous dire de vous tenir loin de la sphère publique, mes chers amis. J'allais vous dire que le monde de l'esprit et celui de l'action ne vont plus de pair, mais qu'ils font route séparée et que le seul travail possible pour les hommes de l'esprit est celui d'étudier le monde dans la distance, comme un objet qui appartient déjà à l'histoire et sur lequel nous sommes sans emprise. J'allais prôner devant vous la morale de Candide et vous inciter à cultiver votre jardin. Mais, aussi absurde que cela puisse paraître, je me rends compte à l'instant que Voltaire avait tort...

Il sentit alors que toute l'assistance était pendue à ses lèvres, qu'une poignée d'hommes et de femmes remettaient leur jugement entre ses mains. C'était un enivrement de l'esprit. Sa voix était portée par un souffle puissant.

S'il est devenu un cirque ce monde, alors il faut y mettre un peu de sérieux et d'esprit. Il faut lui imposer la nuance et la civilité qu'on n'acquiert qu'au terme d'une longue et éprouvante éducation.

Un étudiant, au fond de la salle, poussa un cri d'enthousiasme et applaudit brièvement, réprimant son élan.

Oui, tu as raison, toi, là-bas, qui viens de crier. Il faut crier et faire entendre notre voix. Il faut se redresser les manches et prendre notre place dans la société civile, il en va de notre santé collective...

Il y eut quelques applaudissements clairsemés dans l'assistance.

S'il revenait parmi nous, Jean-Charles Harvey, qui a écrit Les Demi-civilisés *en 1937, dirait que le travail n'est pas fini et que la solution n'est pas dans un retour à la paysannerie. Le processus de civilisation de la société québécoise est encore en chemin et c'est par des efforts individuels que, collectivement, nous deviendrons un meilleur peuple, une terre de richesse autant matérielle que spirituelle.*

Il y eut alors une vague d'applaudissements.

Maintenant, mes chers amis, je vous laisse sur cette exhortation : envahissez la sphère publique de vos réflexions. Que la réflexion devienne notre action. Je vous remercie.

D'un bond, l'assistance se leva d'enthousiasme. Benoît Archambault vint le rejoindre sur la scène et les deux hommes, pendant de longues minutes, se tinrent devant une foule jubilatoire. En descendant dans la salle, Michel fut félicité par des dizaines d'étudiants.

Quelques minutes plus tard, il accompagnait le professeur avec un groupe d'étudiants dans un restaurant. Ils étaient une vingtaine. Michel trônait, au bout de la table, en maître de cérémonie. Pendant toute la soirée, ils burent du vin à s'enivrer. Michel voulait entendre chaque étudiant lui parler de ses recherches. Il lui semblait qu'il n'avait jamais quitté ce monde universitaire.

En fin de soirée, il discutait avec Benoît.

— En tout cas mon cher, lui disait son ami, je dois dire que je m'attendais à tout sauf à ça.

— Moi aussi, répondit Michel qui savourait un verre de whisky. Je ne sais pas ce qui s'est passé, là, sur scène. C'était comme si je renaissais.

— Tu devrais te lancer en politique, dit le professeur avec une légère ironie.

— Bah… maugréa Michel. La politique, c'est pas pour moi. Mais laisse-moi te dire une chose. Pour la prochaine saison de mon émission, je vais en brasser des idées. Des débats, ils en auront plein la gueule, même si je dois y perdre ma réputation.

6

Tout déboula rapidement. Annie usa de son influence auprès du réalisateur et des producteurs pour que Vincent obtienne une audition. Dès lors, Vincent s'enfonça dans le travail avec une détermination inébranlable. Pendant deux semaines, Annie le dirigea pour qu'il se glisse dans la peau du jeune agent de change à la Bourse qu'il incarnerait. Il lut quelques livres sur la finance et l'histoire des Bourses canadienne et française. Il se fit couper les cheveux très courts, acheta des lunettes, s'habilla chez un tailleur griffé et se présenta, un vendredi soir, à un cocktail de la chambre de commerce pour s'imprégner de la faune des affaires. Il parvint à se mêler à quelques conversations, faillit être démasqué, dut s'inventer une vie. Il en revint plus confiant que jamais en ses capacités à tenir ce rôle.

Quelques jours après son audition, Vincent, pressé par son impatience, se présentait chez Annie pour vérifier s'il y avait eu des développements. Annie le fit entrer et lui dit qu'elle allait justement lui téléphoner. Vincent prit place dans le salon.

— Je viens de me faire du thé, dit-elle, tu en veux ?

Vincent fit un signe négatif.

— Je n'ai pas encore parlé à Jean Boisvert, reprit Annie, mais j'ai rencontré quelqu'un que tu dois bien connaître. Bellemare… Je ne me souviens plus de son prénom.

Vincent fronça les sourcils.

— Frédéric... Frédéric Bellemare... le producteur de *L'Académie.*

— Oui, répondit Annie. C'est assez étrange. Hier, j'étais en tournage pour un téléroman, et cet homme a débarqué. Il a observé quelques prises des coulisses. Puis, quand on a eu fini, il s'est avancé vers moi en me tendant la main. J'ai cru d'abord qu'il m'approchait pour une publicité ou un autre téléroman, ce qui aurait été assez inhabituel. Puis, il a mentionné ton nom.

— Qu'est-ce qu'il a dit?

— Il m'a questionné sur notre relation. C'était très vague. Il m'a demandé si on avait des projets ensemble. On dirait qu'il voulait seulement sonder le terrain.

— Peut-être que les producteurs du film ont contacté Bellemare... s'enthousiasma Vincent. Ça voudrait dire que j'ai réussi à les convaincre, que je vais peut-être obtenir le rôle...

Sa voix tressaillait d'énervement.

— Oui... ça ressemble à ça.

Annie prit sa tasse de thé et fit tournoyer nonchalamment avec une cuillère la tranche de citron en se mordillant la lèvre inférieure.

— Qu'est-ce qu'il y a, Annie? Tu as l'air de penser à quelque chose.

— Bof, c'est dur à dire. Ce n'est peut-être qu'une fausse impression. Mais... quels sont tes rapports avec cet homme, Bellemare?

— Mes rapports? s'étonna Vincent. Ils sont très bons. On a toujours eu... comment dire?... une sorte de complicité, lui et moi. Dès la minute où on s'est rencontrés, j'ai senti qu'il m'aimait bien. J'ai même toujours eu la vague impression qu'il souhaitait que je gagne ce concours.

Vincent raconta le déroulement de la journée d'audition, presque deux ans auparavant, au terme de laquelle il avait rencontré Bellemare dans une salle isolée. Il demeura vague sur le rôle que le producteur avait joué dans les manœuvres dont il avait usé pour garder sa place pendant le concours, mais il laissa entendre que Bellemare avait délibérément transgressé certaines règles pour lui.

Annie écouta le récit de Vincent sans détourner son regard de sa tasse de thé. Quand Vincent eut fini, elle demeura silencieuse pendant quelques secondes, puis elle reprit :

— Écoute, Vincent. Je ne veux pas te mettre de fausses idées en tête, mais ce que tu me racontes, ta sélection immédiate dans le concours puis les faveurs de ce producteur, ça confirme un peu l'impression que j'ai eue quand j'ai rencontré ce Bellemare. Il m'a semblé… jaloux.

— Jaloux ? Qu'est-ce que tu veux dire ?

— Bien, cette jalousie peut s'expliquer de plusieurs façons. Peut-être qu'il sent que tu lui files entre les doigts et qu'il risque de perdre de l'argent si tu décides de te libérer des engagements qui te lient à sa maison de production. Il y a peut-être aussi dans tout ça une lutte d'orgueil. Tu es son protégé, son poulain, et là tu passes beaucoup de temps avec moi et, sans lui en parler, tu décides d'auditionner pour un cinéaste de renommée internationale. Mais, ça peut être aussi une *vraie* jalousie… parce qu'il te veut pour lui tout seul, parce qu'il éprouve quelque chose pour toi.

Vincent écarquilla des yeux confus.

— Voyons, Annie ! s'exclama-t-il après un moment de surprise. C'est complètement ridicule. Frédéric est mon producteur et c'est peut-être l'homme le plus froid que je n'ai jamais rencontré. Il n'a jamais rien fait qui me laissait croire qu'il est… gai.

— Ne t'emballe pas, Vincent, dit Annie en déposant sa tasse sur la table de salon. Ce n'est qu'une hypothèse. Mais réfléchis bien à votre histoire. Toi-même, tu dis que tu ne cadrais pas dans l'ensemble de l'émission. Quel intérêt avait-il à te choisir ? C'était un risque pour lui. Je peux te dire d'expérience que c'est rare qu'un producteur, ou un imprésario, agisse sur un coup de tête comme c'est arrivé. Et quand ça arrive, eh bien, c'est que tu as réussi à le charmer.

— Je ne comprends pas ce que tu me dis là, Annie, répondit Vincent en se calant dans le fauteuil. Quand il m'a parlé lors de notre première entrevue, Frédéric m'a dit qu'il sentait qu'il venait de découvrir une perle rare et que c'est ce qui arrive souvent dans la carrière d'un imprésario. Il m'a parlé de René Angélil, et du gérant de Shania Twain et d'un certain Epstein, ou quelque chose du genre, en tout cas celui qui a découvert les Beatles. Il m'a dit qu'il sentait qu'il venait de vivre quelque chose comme ce que ces imprésarios avaient ressenti quand ils ont découvert leur artiste.

Annie eut un léger sourire amusé.

— Mon pauvre petit… soupira-t-elle. Et ces gérants, ils sont tous tombés amoureux de leur artiste… Angélil a marié Céline, l'autre a épousé sa chanteuse country et si ma mémoire est bonne, le gars qui a découvert les Beatles était amoureux de John Lennon, ce qui n'est plus vraiment un secret pour personne.

Vincent fronça les sourcils, déstabilisé.

— Écoute, Vincent, reprit-elle. Tu n'as pas beaucoup d'expérience dans le *show-business*, alors fie-toi sur moi. Je connais le milieu. J'ai fait du théâtre longtemps, du cinéma et de la télévision. Je sais ce que c'est que de faire des auditions et d'avoir à impressionner les gens qui ont le pouvoir de te donner la chance de te démarquer. Ces personnes-là sont des êtres humains comme tout le monde et pour qu'elles t'offrent ta chance, elles doivent être séduites. Je ne dis pas qu'il faut à tout coup que ça vire en histoire d'amour, mais il y a toujours une certaine tension qui s'installe. Parce que quand tu tombes dans les bonnes grâces d'un metteur en scène, ou d'un gérant bien placé qui a un réseau de contacts, eh bien, ta carrière va comme sur des roulettes. Ça fait partie de la *game*.

Vincent regarda à travers les fenêtres. Il passait en mémoire chacun des souvenirs qu'il avait de Bellemare. Pouvait-il vraiment y être question de séduction ?

— Bon, dit-il après un moment de réflexion, tu as peut-être raison. Ça me semble complètement farfelu, mais je veux bien te croire. Alors dis-moi, comment faire pour en avoir le cœur net ? Et dans ce cas-là, qu'est-ce que je dois faire ? Si tu as raison, est-ce que je dois avoir une discussion avec Bellemare à ce sujet ?

— Non ! Surtout pas, s'empressa-t-elle de répondre. Tu dois toujours laisser planer le doute dans ces cas-là. Ça peut t'être très utile…

— De quelle manière ?…

— Écoute. D'un point de vue professionnel, tu te trouves dans une situation délicate. Frédéric Bellemare t'a mis au sommet et tu lui dois beaucoup. Mais là, tu envisages un changement de carrière. Tu veux te défaire de la réputation de culture populaire qui est associée à son émission. Dans un premier temps, tu dois connaître ses sentiments à ton égard. Est-ce qu'il éprouve vraiment une attirance pour toi ? Une attirance physique ? Est-ce que cette attirance sera assez forte pour que tu puisses l'utiliser en ta faveur ?

— Et comment on fait ça ?

— Eh bien, tu vas devoir apprendre un peu à user de tes charmes. Regarde.

Annie se leva et s'avança de quelques pas dans le centre du salon. Vincent l'observait attentivement.

— D'abord, commença-t-elle, il s'agit d'avoir l'air très détendu, comme si la présence de l'autre ne te gênait pas du tout. Moi, je commencerais par trouver une excuse pour me dévêtir. Par exemple, tu dis qu'il fait chaud et tu enlèves un vêtement.

Annie déboutonna sa veste de laine. Elle la retira d'un geste vif en se servant de sa main droite comme d'un éventail. Puis, elle déboutonna son chemisier et exhiba sa gorge.

— Il ne faut pas que ça ait l'air vulgaire. Tu n'en laisses pas trop voir, mais assez pour suggérer, tu vois ? Et puis, tu regardes l'autre personne avec attention, juste ce qu'il faut pour qu'elle hésite à soutenir ton regard. Tu observes ses réactions. Pendant la conversation, tu t'approches et tu inities un contact.

Annie s'avança vers le divan où Vincent prenait place. Arrivée à un pas de lui, elle se pencha pour prendre sa tasse de thé. Vincent put alors observer son décolleté. Il vit la forme ronde de ses seins et une partie du soutien-gorge de dentelle noire.

— Tu vois, tu n'as pas pu t'empêcher de jeter un œil sur ma poitrine ? fit-elle en le regardant avec un sourire égrillard. Vincent baissa les yeux.

— Après, tu t'approches.

Elle s'assit à ses côtés.

— Puis, pendant la discussion, au moment propice, tu oses un contact anodin.

Annie posa une main sur sa cuisse en soutenant son regard.

— Et là, tu observes bien la réaction dans le visage de la personne. Si elle cherche à détourner son regard et qu'elle paraît indisposée, alors tu sais que tu as un effet. Tu comprends?

Vincent, qui s'était laissé prendre au jeu, sourit timidement en détournant le regard. Il sentait le sang affluer vers ses joues et son entrejambe. Annie se leva et remit sa veste de laine.

● ● ●

Deux jours plus tard, Vincent recevait un appel de Bellemare. Le producteur demandait une rencontre le plus tôt possible. Vincent lui proposa de passer en fin d'après-midi. Il arriva à 16 heures et sonna un premier coup. Il attendit quelques secondes et sonna de nouveau. La porte s'ouvrit et il vit Vincent, la chevelure humide et le torse nu.

— Excuse-moi, Frédéric, mais j'étais sous la douche quand tu as sonné. Je t'en prie, entre.

Bellemare pénétra dans le portique, se déchaussa et déposa son veston sur un crochet du vestibule. Vincent se tenait dans le couloir. Il portait une serviette autour de ses hanches et séchait ses cheveux avec une autre serviette.

— Et puis… fit Vincent en secouant la tête pour sécher sa chevelure, comment se passe la tournée de la deuxième cohorte de *L'Académie de la chanson populaire*?

— Mais très bien, presque aussi populaire que la vôtre.

Bellemare s'avança de quelques pas et regarda le salon.

— Mais tu t'es aménagé un très bel appartement, Vincent. Je peux? demanda-t-il en pointant un divan.

— Bien sûr, Frédéric. Assieds-toi.

Bellemare se dirigea vers le divan. Vincent remarqua alors qu'il n'avait pas semblé indisposé par sa demi-nudité. C'était tout juste si Bellemare l'avait remarquée.

— Nous sommes sur le point de terminer la tournée, fit-il en s'assoyant, et, à ce propos, nous aimerions que tu viennes chanter une chanson de ton disque. L'équipe débarque à Montréal dans une semaine. Faudrait voir si tu peux venir pour les deux représentations.

— Bien sûr, ça me fera plaisir de venir.

Vincent fixa le regard de Bellemare. Les deux hommes se regardèrent en silence pendant quelques secondes. Puis, Bellemare reprit :

— Tu ne préfères pas t'habiller ? Après, on discutera de ce pour quoi je suis venu te voir.

Vincent se leva et alla dans sa chambre. Il se dit que Frédéric était d'une froideur telle qu'il ne parviendrait jamais à sonder sa vie émotive. Il lui semblait qu'il n'allait jamais pouvoir vérifier l'hypothèse d'Annie. Il enfila un jean taille basse et laissa le bouton de ceinture détaché. Puis il prit une chemise particulièrement ajustée et se garda de la boutonner. Il revint au salon.

— Est-ce que je peux t'offrir quelque chose, Frédéric ? Café, thé, vin, bière, scotch ?

— Non, merci. Seulement un verre d'eau.

Vincent alla à la cuisine. Il se servit un verre de vin et ramena un verre d'eau pour son invité.

— Alors que se passe-t-il ? demanda Vincent en tendant le verre à Bellemare et en prenant place dans le fauteuil.

— Eh bien, Vincent, imagine-toi que j'ai reçu, il y a trois jours, un coup de téléphone qui m'a beaucoup surpris. Il semblerait que tu as auditionné pour le prochain film de Jean Boisvert?

Vincent opina d'un mouvement de tête.

— C'est une très bonne initiative, se réjouit le producteur. Je t'en félicite. Mais pourquoi est-ce que tu ne m'en as pas parlé? Je suis ton gérant, tout de même. Et ce genre de décision, ça me regarde aussi.

— Frédéric, fit Vincent d'une voix conciliante, je n'ai pas voulu jouer dans ton dos. Tu es un très grand producteur et tout ce que j'ai aujourd'hui, je te le dois. J'ai pensé t'en parler, mais tu étais très occupé avec la nouvelle saison de *L'Académie*. Et puis maintenant, j'aimerais réorienter ma carrière et pour y arriver, j'ai besoin de faire les choses par moi-même.

Bellemare s'adossa dans le divan, s'accouda et appuya sa tête contre la paume de sa main. Il fronça les sourcils.

— Aide-moi à comprendre, Vincent, car là je dois avouer que je suis complètement dans le champ. Tu es venu à moi il y a bientôt deux ans avec la faim au ventre. Tu voulais la gloire, je te l'ai apportée, et maintenant tu n'en veux plus. Je ne comprends pas…

— La gloire que tu m'as apportée, rétorqua Vincent en s'avançant sur le bout du fauteuil, c'est une gloire… populaire. Le sentiment d'humiliation qu'il avait éprouvé au milieu de la communauté artistique lors de la soirée de l'ADISQ lui revint en mémoire. Il revoyait ces visages hostiles.

— Tu veux savoir ce qui s'est passé? reprit-il. À la soirée privée du gala en octobre dernier, on m'a humilié. Voilà ce qui s'est passé. J'ai découvert que j'avais toute la communauté artistique de la province contre moi. Ils m'ont traité comme un moins que rien. Ce soir-là, on m'a amèrement appris que le fait de vendre des disques ne fait pas de toi un artiste.

— Pourquoi n'es-tu pas venu me voir, Vincent?

— Parce qu'Annie a été là pour moi et pas toi.

— Si l'opinion de tes confrères jaloux de ton succès te préoccupe à ce point, on aurait pu faire quelque chose pour améliorer ton image.

— Pfff… pouffa Vincent avec condescendance. J'ai très bien compris ton agenda: tu me donnes des vacances au moment où ton nouveau poulain s'apprête à émerger de la deuxième édition. Je sais très bien que je viens de tomber en seconde place…

— Ce n'est pas vrai, ça, Vincent, rétorqua Bellemare. Nous avons encore plein de projets pour toi. La preuve, on t'offre de venir chanter lors de la finale… Puis, il y aura un autre album, d'ici un an ou deux…

— Frédéric, j'ai fait un album pop, c'est assez. Tu as fait de moi un artiste populaire, un chanteur de ballades! Maintenant, pour accomplir ce que je dois faire, ce n'est pas toi qui pourras m'aider.

Bellemare soupira.

— Écoute, Vincent, fit-il finalement d'une voix calme et diplomate. Je crois que tu réagis trop fortement à ce qui s'est passé à cette soirée de l'ADISQ. Les autres, ils sont jaloux, un point c'est tout. Ils aimeraient avoir la chance que tu as. Mais, ajouta-t-il dans un esprit de conciliation, il est vrai que j'aurais dû être à tes côtés. Là, il ne faut surtout pas partir en peur. Ta carrière est sur le bon chemin et nous allons tout faire pour qu'elle y reste. Si tu veux changer un peu son cap, nous allons t'épauler. Mais il ne faut pas agir précipitamment.

— Je veux corriger mon image et ce film est ma planche de salut. Une occasion, d'ailleurs, que je ne reverrai peut-être jamais.

— Il est vrai que c'est une occasion unique. Je vais discuter ce soir avec la production du film. Nous allons nous asseoir et envisager toutes les avenues afin que chacun y trouve son compte.

Soudainement, Vincent recouvra son calme en se disant que ce serait une erreur de se mettre Bellemare à dos. Il se leva et alla prendre place aux côtés de son gérant.

— Je m'excuse, Frédéric, dit-il avec déférence. Je me suis mal exprimé. Je n'ai pas voulu avoir l'air ingrat envers toi. Parce que c'est vrai que je te dois tout et que jamais je pourrai te redonner le quart de ce que tu m'as offert…

En disant cette dernière phrase, il posa sa main sur la cuisse du producteur et il sentit, sous le tissu, le muscle se contracter. Bellemare fixait la main de Vincent.

— J'éprouve pour toi une gratitude infinie et je sais que je t'ai un peu trahi en allant auditionner pour ce film sans t'en parler. Ça me déchire le cœur de te faire ça parce que… tu es très important pour moi.

Bellemare se redressa dans le divan. Il respirait bruyamment. Il leva son regard dans les airs comme s'il cherchait à se donner une contenance.

— Mais là, reprit Vincent d'une voix enjôleuse, je dois faire un bout de chemin tout seul. Tu dois me laisser faire ça pour que j'évolue. Et je sais que tu veux mon bien. Alors…

Bellemare se leva d'un bond, ajusta les manches de sa chemise d'un geste saccadé et soutint le regard de Vincent.

— C'est vrai que je veux ton bien, Vincent, reprit-il sèchement. Je suis heureux que tu reconnaisses tout ce que j'ai fait pour toi. Mais tu as aussi signé un contrat qui te lie à moi pour encore quelques années. Je ne te dis pas que je vais nuire à ta carrière. Je vais être conciliant, ce soir. Ça, je peux te le promettre. Mais je ne peux pas te donner carte blanche, tu comprends? Ta carrière, j'en fais partie, que tu le veuilles ou non.

— Bien sûr que je comprends, fit Vincent en se levant. Allez, serrons-nous la main.

Le jeune homme tendit sa main au producteur. Vincent, quand les deux mains se rencontrèrent, sentit la moiteur de celle de Bellemare. Puis, il s'avança pour lui faire l'accolade. Bellemare répondit au geste chaleureux en lui tapotant froidement le dos. Il affirma ensuite qu'il devait partir. Quelques secondes plus tard, il regagnait sa voiture et disparaissait. Vincent se chaussa et alla directement à l'appartement d'Annie.

— Je viens tout juste de rencontrer Bellemare, dit-il quand il eut franchi la porte.

— Et puis, comment ça s'est passé?

— Ben, raconta Vincent en pénétrant dans le hall, j'ai tout fait comme on avait dit. Je lui ai ouvert la porte en sortant de la douche. Mais pendant un bon moment, ça ne semblait pas fonctionner. Il était complètement indifférent. On a parlé business. Là, je me suis un peu emporté. J'ai vu que je risquais de me le mettre à dos, alors j'ai été plus diplomate. À vrai dire, je ne croyais plus du tout à ton histoire. Puis, j'ai mis ma main sur sa cuisse en lui disant combien j'éprouvais de la gratitude pour lui et là... tu aurais dû lui voir la face... Il est devenu tendu, il a perdu toute sa contenance et j'ai compris que tu avais raison. Il m'a dit qu'il rencontre ce soir les producteurs du film et j'ai réussi à lui faire promettre qu'il se montrerait conciliant.

— Est-ce que tu te rends compte? fit-elle en retournant vers la cuisine. Ça veut dire que tout a fonctionné. Boisvert te veut dans son film, il a réussi à convaincre la production et là, les pourparlers vont commencer, mais on sait déjà que Bellemare va jouer moins agressif. Il faut qu'on fête ça.

Ils pensèrent un instant aller au restaurant, mais ils optèrent finalement pour quelque chose de plus intime. Ils avaient envie de cuisiner ensemble. Vincent proposa de faire un tartare de saumon en entrée, suivi d'une tagliatelle aux zucchinis et fromage bleu.

— Ouf!… fit Annie qui replaçait ses souliers dans l'entrée. C'est un peu lourd. Puis, se relevant, elle se mira dans la glace de la penderie. Depuis un mois que tu me fais goûter à ta cuisine, j'ai pris quelques livres. Et ça commence à paraître.

Elle releva son gilet et regarda son ventre et ses fesses.

— Je ne peux plus me permettre tous ces écarts, Vincent. Je dois être à mon mieux pour le tournage, cet automne.

Vincent, qui débouchait une bouteille de muscadet dans la cuisine, regardait Annie du coin de l'œil.

— Je t'assure, Annie, que tu n'as jamais été aussi belle qu'aujourd'hui.

Annie pivota. Le liège du bouchon de la bouteille était sec et venait de se fendre entre les mains de Vincent. Elle se demanda pourquoi, encore une fois, elle avait fait son numéro de charme. Montrer son ventre et ses fesses! Allait-elle vraiment s'abaisser à ces techniques pour séduire Vincent? Il était si jeune. Pouvait-il s'intéresser à une femme de son âge? Et pourtant, en le regardant manipuler avec précaution le bouchon de liège, il lui semblait que ce n'était pas tant lui qui paraissait plus vieux qu'elle qui rajeunissait. Depuis que Vincent était entré dans sa vie, elle avait l'impression de redevenir jeune. Tout cet enivrement d'achats lui avait rappelé ses premières années, son installation à New York. Et puis ce second souffle, ce retour anticipé sur le grand écran qui lui permettait de reprendre confiance en elle.

Elle regarda son appartement, si froid et si silencieux depuis quelques années. Et maintenant le jazz qui jouait en sourdine, les arômes de la cuisson qui allaient bientôt emplir les pièces, le vin qu'elle boirait, Vincent qui dormirait sans doute avec elle ce soir. Vincent dans son lit. Elle regardait ses mains alors qu'il versait le vin. Elle les imaginait dans sa nuque, caressant langoureusement son dos, sa poitrine. Il y avait si longtemps qu'elle n'avait pas été touchée par un homme. Elle alla rejoindre Vincent dans la cuisine. Il lui tendit son verre de muscadet. Ils trinquèrent.

Ils adoptèrent finalement un menu fruits de mer. En entrée, ils firent des crevettes poêlées à l'ail. Vincent prépara comme plat de résistance un tartare de saumon au gingembre accompagné de poires caramélisées et de croûtons. Annie proposa de manger sur la table basse du salon. Ils parlèrent longuement du monde du cinéma et du théâtre. Elle lui expliqua les rouages cachés du milieu, lui raconta plusieurs anecdotes que seuls les initiés connaissaient. Ils débouchèrent une seconde bouteille. Leurs doigts se frôlèrent d'abord innocemment. Vincent posa une main sur son avant-bras. Annie, qui continuait à lui raconter sa vie à New York, posa la sienne sur sa cuisse. Ils se rapprochaient. Vincent pouvait sentir le parfum qui émanait de sa nuque. Ils étaient maintenant comme des amants qui se connaissent de longue date. Ce corps, sous ses doigts, il avait l'impression de le connaître déjà. Ces lèvres qu'elle s'apprêtait à embrasser, il lui semblait les avoir déjà senties contre les siennes.

Annie l'entraîna dans sa chambre. Dans le noir, sa robe tomba. Une heure plus tard, ils discutaient nus dans le lit.

— Je te dis, Vincent. Il faut que tu apprennes à utiliser tes lèvres quand tu embrasses…

— Es-tu en train de me dire, répondait-il en riant, que toutes les filles que j'ai embrassées en tournée, je les ai embrassées comme un débutant…

— Mais non, gros niaiseux. Je ne dis pas que tu embrasses complètement mal, je dis juste que tu devrais te concentrer davantage sur les lèvres plutôt que d'utiliser presque juste ta langue.

— Bon, bien, dans ce cas-là, dit Vincent en se redressant, tu vas devoir te sacrifier. Je vais me pratiquer sur toi tous les jours jusqu'à ce que je devienne bon.

— Hum… ça me plaît.

Vincent l'enlaça en posant ses lèvres sur les siennes.

— Ah! Mais c'est déjà beaucoup mieux, fit Annie d'un air faussement professoral. Mais il faut se pratiquer encore un peu…

Vincent rejeta d'un geste vif le drap qui recouvrait son corps. Annie s'esclaffa en se recroquevillant.

— Mais quel entrain, quelle vigueur, mon petit! fit-elle en tâtant son entrejambe.

La sonnerie du téléphone les interrompit. Annie, nue, se leva prestement pour aller répondre. Vincent la regarda se pavaner devant lui. Il admira d'un œil amoureux la beauté de sa silhouette. Il entendit quelques bribes de la conversation qu'elle tenait dans le salon. Quand elle revint, elle paraissait songeuse.

— C'était Jean Boisvert. Il vient de sortir du meeting avec ton Bellemare et les choses semblent se compliquer.

— Qu'y a-t-il?

— Les Productions COM sont prêtes à te laisser jouer à condition qu'elles participent à la production du film.

— Et quel est le problème ? demanda naïvement Vincent.

— Le problème ? Si cette maison se joint à la production du film, elle aura un droit de regard sur le contenu, ce que personne ne veut. De plus, elle partagera les profits. Ça, c'est un gros problème, parce que c'est payer trop cher pour avoir simplement un jeune acteur qui n'a jamais joué. Vincent, dit-elle en s'assoyant au pied du lit, tu dois comprendre qu'il y a des grosses sommes d'argent en jeu autour de toi. Tu es une bonne source de revenus pour ta maison de production : Bellemare serait bête de te laisser partir à rabais.

— Sacrament ! vociféra-t-il. Annie, il me faut ce rôle ! Coûte que coûte, il me le faut.

Elle le considéra en silence pendant quelques secondes.

— Es-tu prêt à tout faire pour te libérer de tes engagements ?

— Oui, tout.

— Alors, on va prendre des mesures. Je connais un avocat qui se spécialise dans les conflits de gérance. Tu vas devoir débourser beaucoup, mais peut-être que cet avocat parviendra à te libérer de tes engagements. De combien d'argent disposes-tu ?

— Un peu plus de cinq cent mille, je pense.

— Bon. Tu devras peut-être verser une compensation considérable pour ta rupture de contrat, mais tu te referas vite si ta carrière dans le cinéma va comme on le pense. Au pire, je serai là pour t'aider.

Elle se leva en se couvrant de son peignoir et dit qu'elle allait faire quelques appels.

Le lendemain matin, l'appartement était en émoi. Annie contactait Jean Boisvert et l'avocat qui prenait des disposions et fixait les premiers rendez-vous. Vincent, dans tout cela, se sentait inutile. Annie dirigeait toutes les manœuvres. Il passait continuellement du balcon au salon. C'était des conversations téléphoniques à n'en plus finir, des détails contractuels auxquels il n'entendait rien. C'était bête d'investir autant d'argent dans un conflit qui pouvait se régler d'homme à homme, pensa-t-il. Avant que toute la machine juridique ne fût activée, il se sentait capable de raisonner Bellemare.

En fin d'après-midi, il se présentait donc devant la porte du bureau de l'homme qui avait fait sa gloire. Bellemare le reçut avec déférence.

— Viens, Vincent. Assieds-toi, fit-il en l'accueillant. Je suis heureux que tu viennes me voir, car je peux te dire que les pourparlers vont bon train avec nos partenaires.

— Ce n'est pas ce que j'ai entendu, répondit sèchement Vincent en prenant place. On m'a dit que tu exiges certaines conditions qui risquent de mettre en péril ma participation à ce film.

— Voyons, Vincent, se défendit Bellemare. Tu sais que je travaille pour tes intérêts, donc ne t'inquiète pas. Laisse-moi gérer cette partie des négociations, c'est mon travail après tout. Ne te mêle pas de business : c'est jamais bon pour un artiste quand il essaie de jouer les gérants.

— Tu dis que je ne devrais pas être à l'affût des développements sur lesquels se joue ma carrière ? Me crois-tu bête à ce point, Frédéric ? Je ne suis plus un enfant, alors traite-moi comme ton égal.

Le producteur fut étonné par cette semonce acerbe. Avec un geste de relâchement dans lequel transparut une exaspération incontrôlée, il s'affaissa dans sa chaise et soupira.

— O.K., monsieur Théodore, dit-il d'un ton excédé. Tu veux la jouer à découvert, alors montrons nos jeux. Depuis l'automne dernier, si j'ai bien compris, tu t'es mis en tête de modifier ton image de chanteur populaire. Je ne suis pas vraiment d'accord sur ce point avec toi, mais je suis prêt à me plier à ta conception hiérarchique des arts qui, de toi à moi, ne veut plus rien dire de nos jours. Différentes avenues s'offrent à toi. J'ai entendu ta requête et je suis parfaitement disposé à y répondre. Avec les moyens dont je dispose, je peux t'offrir le scénario suivant : la sortie d'un album, l'été prochain, tout à fait différent de ce que tu as fait jusqu'ici. Nous viserons un autre marché, un marché moins lucratif, mais culturellement plus respecté, selon ta conception de la musique… Nous mettrons les meilleurs auteurs et compositeurs à ton service. Ce sera de l'Art… avec un « A » majuscule. Puis, tranquillement, nous redirigerons ta carrière vers le cinéma et…

— Tu n'as rien compris, interjeta Vincent. Je veux retrouver mon autonomie. Je ne veux plus être associé à ce stupide concours télévisé…

Bellemare se renfrogna. Son air s'assombrit.

— Eh bien si tu refuses ce plan, comprends bien que nous ne pouvons pas te laisser partir sans avoir de compensation. Nous avons investi gros dans ta personne et nous comptons bien être dédommagés de ta perte, advenant une perte évidemment, ce que nous ne voulons pas, ni toi ni moi.

— Non, c'est là que tu fais erreur, explosa Vincent. Je suis disposé à prendre toutes les mesures qui seront nécessaires pour m'assurer l'obtention de ce rôle.

Bellemare fronça les sourcils.

— … les mesures nécessaires… ?

— Frédéric, reprit Vincent d'un ton plus diplomate. Je suis parfaitement conscient de tout ce que je te dois. Le concours m'a apporté une notoriété que je n'aurais pu acquérir aussi rapidement par mes propres moyens. Mais comprends-moi bien : si tu mets en péril ma participation à ce film, je ferai appel à un avocat afin de résilier le contrat qui me lie à ta maison de production. Même si je dois y laisser tout l'argent que j'ai fait depuis deux ans, je ferai ce film, avec ou sans ton accord. Maître Lafontaine est déjà en train de préparer le dossier.

À l'annonce de ce nom, Bellemare sourcilla. Vincent observa l'altération dans la physionomie du producteur et ajouta :

— Mon avocat est tout à fait d'avis que si tu persistes dans tes négociations, il y aura matière à aller devant les tribunaux pour mauvaise gérance. Je ne sais pas pourquoi tu t'entêtes à vouloir participer au financement de ce film, mais si tu ne recules pas dans tes négociations, je vais non seulement entamer des procédures légales contre les Productions COM, mais je vais aussi faire quelques sorties dans les médias pour révéler des détails sur ta façon de gérer tes candidats à *L'Académie*. Et tu sais que je me débrouille bien avec les médias. Alors…

Vincent se laissa mollement basculer contre le dossier de sa chaise. Il soutint le regard glacial que Bellemare posait sur lui. Puis, il reprit :

— Il n'en tient donc qu'à toi que nous nous traînions dans la boue mutuellement à travers les médias, que nous nous lancions dans une bataille juridique dont je sortirai vainqueur. Je suis venu te voir parce que je sais que tu es le genre de personne qui aime affronter les problèmes face à face.

Les traits du visage du producteur se détendirent soudainement. Il posait sur son jeune artiste des yeux résignés et l'expression d'une vague indolence s'y dessina.

— Bon, fit-il après quelques instants. Je te remercie, Vincent, pour ta franchise. Nous savons maintenant chacun à quoi nous en tenir. Je vais aviser mes partenaires des nouveaux développements et nous allons trouver une entente. Une chose est certaine, nous ne voulons pas aller devant les tribunaux ni ameuter les médias. Ce serait dommageable autant pour toi que pour nous. Ralentis donc ton recours juridique et nous allons nous entendre entre producteurs.

Vincent se leva en éprouvant un sentiment de triomphe. Avant de quitter le bureau, il se tourna vers son imprésario et dit :

— Je suis navré, Frédéric, que nos relations en soient venues là. Je suis sincèrement désolé. Mais je n'ai pas le choix. Ce sont les circonstances… tu comprends.

Le producteur leva vers lui un visage résigné et dit :

— Je comprends.

Puis, il ajouta :

— A-t-on jamais le choix ?

Vincent n'était pas certain de saisir ce qu'il entendait au juste par là. Les deux hommes, dont les intérêts avaient convergé depuis le début de leur relation professionnelle, se regardèrent sans aucune animosité, et Vincent eut la conviction que la lutte qu'ils s'étaient livrée pendant les derniers jours venait de prendre fin.

7

Michel Lafortune attendait depuis quinze minutes. Il tambourinait nonchalamment des doigts contre la table de mélamine où il prenait place. C'était une salle de réunion située à l'un des étages supérieurs de l'immeuble qui abritait les bureaux de la télévision d'État. Il régnait dans cette salle, se dit Michel, l'odeur sèche et aseptisée des bureaux gouvernementaux. Derrière les fenêtres teintées s'étendait Montréal dans un brouillard automnal. Michel observa la vue qui surplombait le centre-ville. Il n'avait jamais compris pourquoi la plupart des gens s'enthousiasment devant la vue d'une métropole à vol d'oiseau. À ses yeux, cette distance révélait l'insignifiance des déplacements et des actions qu'on accomplissait tout en bas, dans le tohu-bohu urbain. Il préférait de loin, lorsqu'il prenait l'avion, le calme apaisant des immensités bleutées du ciel.

Quand la porte de la salle s'ouvrit, il ne se donna pas la peine de détourner le regard des fenêtres. André Cavillac et son secrétaire prirent place à l'extrémité de la table.

— Bonjour Michel.

Lafortune lui présenta un visage indifférent.

— Bonjour André, fit-il. Je vois que tu as amené ton complice avec toi, cette fois.

— Oui, Michel. Lors d'une deuxième rencontre, mon secrétaire doit retranscrire notre conversation.

Lafortune regarda le fonctionnaire du service des plaintes. Il étrennait fièrement un nouveau complet blanc crème. Il retira son veston et des bretelles jaune canari apparurent sur une chemise bleu royal. Michel réprima un sourire. Il se demanda si l'excentricité vestimentaire était, chez certains fonctionnaires, le seul moyen de manifester un esprit rebelle dans le cadre rigide de la machine étatique.

— Bon, nous allons commencer, lança son interlocuteur avec énergie. 24 septembre 2005, 13 h 17, enchaîna-t-il en regardant sa montre. André Cavillac, agent aux services à l'auditoire pour la société d'État, rencontre Michel Lafortune, animateur de l'émission *Sur la place publique* à l'antenne depuis l'automne 1999. But de la rencontre : plaintes réitérées pour propos litigieux, incitation à des comportements excessifs et troubles de la paix sociale. Tout cela, il va sans dire, dans le cadre de l'exercice de ses fonctions en tant qu'employé de la société d'État. À noter que cette rencontre est la deuxième à survenir depuis le début de la présente programmation. Tu as tout noté, Denis ?

Le secrétaire secoua nerveusement la tête. André Cavillac inspira profondément, leva les bras dans les airs d'un geste théâtral et croisa ses mains derrière sa tête en toisant l'animateur de télévision d'un air réprobateur.

— Mon cher Michel… Je suis vraiment étonné de devoir te rencontrer à nouveau en si peu de temps. Je croyais que notre précédente rencontre avait été claire et que tu avais compris ce que nous attendions de toi. Manifestement, je me suis trompé. Mais bon… Je vais reprendre la nature de ces plaintes et t'expliquer à nouveau pourquoi je suis dans l'obligation de réagir.

Michel Lafortune, accoudé à la table de mélamine, avait appuyé son menton contre la paume de sa main droite. Sa tête inclinait légèrement vers la droite. André Cavillac semblait se réjouir de son air blasé.

— Épargne-moi ton discours, André, dit-il alors que Cavillac ouvrait un dossier épais. Viens-en au but de toutes tes manœuvres. Toi et quelques-uns de tes bons amis, vous voulez me voir démissionner, vous voulez ma tête. Ça fait longtemps que j'ai compris ça. Alors, cesse de te cacher derrière les plaintes ridicules du public et comporte-toi en homme pour une fois.

— Tu crois que ce sont des plaintes ridicules? répliqua Cavillac en pointant du doigt la pile de feuilles que renfermait la chemise. Tu penses que je fais une tempête dans un verre d'eau? Aucun animateur n'a jamais reçu autant de plaintes en deux semaines… Par le passé, c'est vrai que j'ai déjà eu affaire à toi, et pas seulement moi. Ton dossier est très épais, Michel, plus épais que celui-là. Ça, ce n'est que celui pour ton émission *Sur la place publique*. Mais là, cet automne, je dois te féliciter: tu te surpasses! 193 plaintes en à peine deux semaines! Du jamais vu… Du moins pour un homme qui est toujours en poste. Est-ce que je veux ta démission? J'attends le dépôt du rapport pour faire mes recommandations. Mon devoir en attendant est de t'informer de ta situation. Le fait est, Michel, que tu n'as jamais été aussi… aussi… comment dire… belliqueux. À chaque entrevue que tu fais, tu t'arranges pour en rajouter… pour soulever des débats dont nous n'avons pas besoin, dont le public n'a pas besoin… Voyons voir, qu'est-ce que c'était déjà?

Cavillac consulta ses notes.

— Là! fit-il en pointant du doigt une feuille comme s'il venait d'écraser un insecte. Le 9 septembre dernier, lors de l'ouverture de la saison – je t'ai d'ailleurs rencontré à ce propos – tu as animé une discussion sur les mœurs sexuelles de la jeune génération en affirmant – et je cite – que «ce ne sont pas tant les prédateurs sexuels du cyberespace qui sont coupables que le relâchement de nos mœurs, dans nos foyers, qui fait de nos enfants des individus incapables de distinguer les appétits sexuels d'un prédateur de ceux d'un camarade de classe». Tu insinues que ce sont les victimes mineures des prédateurs qui sont responsables des abus auxquels elles ont été soumises! Et bang! 52 plaintes. Je passe tes autres interventions moins... comment dire... spectaculaires. Le 16 septembre, tu en remets. Lors d'un débat sur l'interventionnisme de l'État, tu suggères – et je cite, toujours! – qu'il «nous faudrait une guerre tous les 50 ou 75 ans pour raffermir le courage civique et garantir du même coup une plus grande autonomie du citoyen à l'endroit de l'État, afin qu'il comprenne qu'il en est l'agent et non le simple bénéficiaire». Et... bang! 47 plaintes, provenant pour la plupart de familles de militaires qui craignent, on les comprend, les conflits armés. Ah oui! Et une autre – une de mes préférées... Quelques minutes plus tard, en discutant cette fois du succès du Festival de jazz de Montréal, tu t'emballes et affirmes – et je cite, encore! – que «tous ces festivals ne sont que des fêtes populaires destinées à masquer notre désaffection pour toute autre cause, pour tout autre projet rassembleur digne de faire sentir au citoyen que son individualité participe d'un plus grand dessein que celui seul de la fête». Et vlan! encore pour les plaintes! En veux-tu des causes, Michel? Toutes les ONG existantes, ou presque, m'ont écrit pour te rappeler le combat difficile et parfois injuste qu'elles mènent par pure dévotion pour la cause... LA CAUSE, tu comprends?

Michel Lafortune était très impressionné par la performance convaincante de son collègue. Il allait le lui dire quand Cavillac, maintenant très en verve, reprenait:

— Et tu penses que j'invente tout ça, Michel? Je suis flatté que tu me prêtes une telle intelligence. Mais je suis désolé de te décevoir. Je n'ai rien inventé, Michel. Tu vois, je ne suis que le

représentant du public, de celui qui paie ton salaire farami-
neux. Je suis seulement la voix de tous ces gens qui sont la
raison pour laquelle toi et moi on travaille.

Et le fonctionnaire balaya d'un large geste de la main les
fenêtres de la pièce.

— C'est comme ça, Michel. Tu dois écouter cette voix parce
qu'elle monte le ton en ce moment et que, bientôt, il sera trop
tard.

Lafortune ne trouvait rien à répondre à une démonstration
si magistrale de la force publique. Dans le silence qui se fit entre
les deux hommes, on entendait le tapotement du clavier d'ordinateur où le secrétaire s'affairait fébrilement à rattraper les
paroles de son supérieur. Lorsqu'il cessa, Michel put entendre
distinctement sa respiration haletante, comme s'il avait retenu
son souffle pendant de longues secondes.

— Je ne suis pas là pour te faire la morale, Michel, reprit
Cavillac d'une voix apaisée en avançant son visage au-dessus
de la table. Tu es un homme intelligent, tout le monde le sait,
ici. Tu n'as rien à prouver. Tu as déjà tout un parcours derrière
toi. Tu peux en être fier. Un intellectuel comme toi, on en
compte peu. Mais tu dois te méfier de toi-même. Tu t'aigris
avec les années, Michel, tu t'aigris et ça, c'est dangereux. Un
jour, tes propos vont dépasser ta pensée et il sera trop tard. On
te crucifiera sur la place publique et je ne pourrai rien faire
pour toi. Alors je te prie de m'entendre et de revoir ton…
comment dire… ton attitude, voilà. Ce n'est qu'une question
d'attitude, même pas une question d'idées… Des idées, on en a
tous. C'est normal. Mais ce genre de choses que tu dis, ça, il faut
les laisser à la maison. Est-ce que tu me comprends bien ?

Michel eut envie de dire quelque chose pour sa défense.
Après quelques instants de réflexion, il se contenta d'opiner de
la tête.

— Noter que M. Lafortune, dit Cavillac à l'intention de son secrétaire, fait signe qu'il comprend la teneur des recommandations que nous venons de lui exposer.

L'agent du service à l'auditoire, manifestement satisfait de la rencontre, se leva prestement de sa chaise, attrapa son veston et l'enfila. Il prit la chemise et se la mit sous le bras. Puis il s'avança vers Michel. À mi-chemin de la table, il s'immobilisa et tendit la main.

— Allez, mon cher collègue, serrons-nous la main en signe de respect mutuel.

Michel se sentait nauséeux. Il se leva tout de même, machinalement. Il fit une dizaine de pas et tendit la main. Cavillac la lui serra fermement. Puis, il tourna les talons.

Michel Lafortune resta seul dans la pièce. Il s'assit à même la table de conférence. La nausée passa et fit place à un apaisement complet. Il revoyait la scène à laquelle il venait d'assister, passivement. Il n'avait même pas tenté de se battre, cette fois-ci, contrairement à la réaction qu'il avait eue, deux semaines auparavant, lors de la première rencontre avec l'agent du service à l'auditoire. Non que cette fois-ci les arguments lui fissent défaut ; il n'en ressentait pas l'envie. Tout simplement. Il avait écouté consciencieusement le discours de ce représentant du public, il en avait suivi la démonstration d'une logique implacable. Cette confusion entre les idées et les faits était tout de même fascinante et atteignait un degré extraordinaire. À un point tel, pensa-t-il, que c'était la discussion même qui s'en trouvait compromise. Il aurait pu écrire un livre sur la question, s'il en avait eu la moindre envie.

Il regarda à nouveau le ciel gris qui semblait enrober la ville d'un brouillard vaporeux. D'une voix éteinte, il murmura le poème de Baudelaire.

Quand le ciel bas et lourd pèse comme un couvercle
Sur l'esprit gémissant en proie aux longs ennuis…

Il se demanda alors quelle vanité l'avait poussé à croire que lui, un animateur de télévision, allait pouvoir changer les choses. Le souvenir de la conférence qu'il avait donnée au printemps dernier lui semblait de plus en plus lointain; l'émotion qu'il en avait gardée lentement étouffée par les récriminations de toutes parts, par les montées aux barricades de l'opinion où l'on réclamait sa tête comme celle d'un ennemi public. Quelle folie lui avait fait croire qu'il aurait la force morale de résister dans la tourmente? Déjà, son courage avait faibli. Il ne savait plus vraiment au nom de quelle cause au juste il avait décidé de piquer l'opinion publique, cet animal balèze et lourdaud qui allait l'écraser.

Il sortit finalement de la salle de conférence. Il croisa des employés qui ne lui adressèrent aucun regard. Il était devenu anonyme, se disait-il. On le comptait parmi les disparus. Il y avait peut-être du bon dans cette situation. On le laisserait tranquille. Lorsque les portes de l'ascenseur se refermèrent sur lui, il se dit qu'il ne remettrait peut-être jamais plus les pieds ici. Pendant la descente, son esprit fut envahi par le ronflement sourd de la machinerie. C'était un son plus tendre à ses oreilles que celui de la voix de Cavillac.

Au fond, se dit-il lorsque les portes s'ouvrirent en le déposant au rez-de-chaussée, il ne lui en voulait pas. Il faisait très bien son travail, mieux apparemment que lui faisait le sien. Quel bon représentant du public il était, tout de même! Il poussa la porte de l'édifice pour regagner le boulevard René-Lévesque. Il avait envie de se promener pour voir plus clair en lui-même. Il marcha au hasard des rues du centre-ville. Il revoyait dans son esprit le visage satisfait de Cavillac dont les traits, se confondant avec ceux des passants qu'il croisait sur la rue Sainte-Catherine, se délayaient toujours davantage pour ne devenir qu'un visage anonyme et collectif.

« Cavillac par-ci, Cavillac par-là… » murmura-t-il entre ses lèvres au coin d'une rue. Et puis, soudainement, tout cela fut clair dans son esprit. Il démissionnait. Cavillac avait gagné ; *ils* avaient gagné. Quelle était la raison de ce combat ? Il ne savait même plus pourquoi il devrait résister, tenir son bout, soulever l'ire de la populace et être persécuté. Pourquoi, diable, se dit-il, endurerait-il tout cela ?

La retraite. Le mot roula dans son esprit alors qu'il revenait vers le stationnement de la société d'État. Se retirer. Jamais ce verbe n'avait semblé si plein de sens. Laisser le monde poursuivre sa route comme il l'entend, ne plus en faire partie ; être seul dans son coin, retiré, loin des bruits, et s'adonner à des activités qui n'engagent que soi et soi seul.

Il revint vers les studios de la télévision d'État. En arrivant à la guérite du stationnement, il salua le gardien. Ils discutèrent un moment des travaux que nécessitait l'entretien du bâtiment. Puis, Lafortune entra dans sa voiture. En refermant la porte, il fut plongé dans un calme serein. Le monde était juste là, derrière les vitres et les portières. Lui, il était ailleurs.

Il arriva chez lui en fin d'après-midi. Caroline était partie faire des courses. Il ramassa le courrier dans l'entrée. Il prit les enveloppes qui lui étaient destinées, laissa les autres sur la table de la cuisine. Il avait reçu dans la livraison matinale le dernier numéro de la revue *L'Actualité*. Il le prit, plus par habitude que par intérêt, avec les enveloppes et monta à l'étage.

Il alla directement dans la bibliothèque. Il ouvrit son ordinateur et écrivit sa lettre de démission. Demain, il la posterait. Ce soir, il annoncerait la nouvelle à Caroline. Bien sûr, sa retraite était précipitée. Dans trois mois, il fêterait ses 49 ans. Une retraite précoce aurait des incidences sur l'avenir financier de la famille. Mais ils s'arrangeraient. Jamais, se dit-il, pour tout l'or du monde, il ne retournerait travailler là-bas. Il animerait la prochaine émission au terme de laquelle il annoncerait son départ. Qui sait, peut-être y aurait-il une petite fête organisée après le tournage à laquelle toute l'équipe se sentirait obligée d'assister? Puis, ce serait tout. Les adieux. Ensuite? Il verrait. Peut-être prendrait-il un emploi pour quelques années. Un poste dans une université. Benoît lui trouverait peut-être quelque chose. Mais comment se présenterait-il devant son vieil ami après cette défaite? Il pourrait se recycler aussi pour un temps comme conseiller en développement pour une maison de production. Un poste, s'il fallait vraiment rester dans le divertissement, où il serait en retrait, effacé, anonyme.

Il ouvrit son courrier et n'y trouva rien d'important. Machinalement, parce que se tenir informé était devenu pour lui un second réflexe qu'il allait perdre assurément dans les années à venir, il feuilleta d'un regard distrait le numéro de *L'Actualité*. Il tomba sur une chronique, écrite par le critique musical Antoine Morin, intitulée «Les Métamorphoses». Le chroniqueur reprenait l'ensemble du parcours artistique du jeune chanteur populaire, Vincent Théodore. Il retraçait l'évolution de l'artiste qui, du jeunot timide et intellectuel qu'il était à son entrée dans *L'Académie*, s'était transformé en un jeune homme jovial et friand de musique populaire, pour devenir ensuite un Mike Jagger irrévérencieux; et, enfin, il s'apprêtait, selon une rumeur de plus en plus persistante dans le milieu et qui allait être confirmée sous peu, à se faire comédien en se joignant à la distribution du film de Jean Boisvert pressenti pour marquer la prochaine année cinématographique. Ces diverses métamorphoses n'étaient pas strictement professionnelles, suggérait le journaliste, mais bien identitaires, puisque l'artiste faisait de sa personnalité même la matière de son art. Vincent Théodore, un artiste de la personnalité qui change de «moi» comme un comédien change de costume, concluait-il ; un esprit malléable, s'adaptant aux circonstances, ajustant sa personne au gré du milieu ambiant, si bien qu'il devient quasi impossible de dire qui, parmi ces multiples identités artistiques, est le véritable Vincent. Seul l'artiste, peut-être, possède cette réponse.

Lafortune éprouva un sentiment partagé au sujet de la lecture brillante que faisait ce chroniqueur de la vie artistique de Vincent Théodore, qui faisait écho à la sienne. Il enviait cette capacité qu'avaient certaines personnes de s'adapter aux circonstances. Peut-être était-ce là en définitive la caractéristique des hommes qui avaient eu du succès par le passé, ceux qui avaient été capables de s'arrimer à la marche de l'époque pour s'élever vers la gloire. En même temps, il jugeait cette attitude servile et aliénante.

Il allait s'assoupir quand son téléphone portable vibra. C'était Audrey, l'une des recherchistes de son émission. Il décrocha et apprit que Frédéric Bellemare, le producteur de *L'Académie de la chanson populaire*, insistait pour s'entretenir avec lui le soir même.

8

Le régisseur l'accueillit et lui exposa le déroulement de la soirée. Vincent apprit qu'il était le quatrième invité de l'émission et qu'il devrait patienter dans une loge où un téléviseur diffuserait les activités du plateau. Vincent y prit place, confortablement assis dans un fauteuil. Bientôt, il vit Lafortune apparaître à l'écran pour la mise en place.

Quelques minutes plus tard, Bellemare venait le rejoindre dans la loge et le saluait d'un geste discret. L'imprésario s'assit à l'extrémité de la pièce et ouvrit son téléphone portable. Vincent l'observa. Alors que leurs chemins étaient sur le point de se séparer, Bellemare poursuivant son travail à *L'Académie*, et lui, s'apprêtant à s'élever dans une carrière qu'il jugeait plus noble, Vincent éprouva une soudaine gratitude pour cet homme. Sans lui, que serait-il devenu? Tout ce potentiel qu'il sentait dans ses veines, comment aurait-il pu pleinement se développer? Entre eux allaient et venaient des techniciens et les premiers invités. Malgré Annie qui était devenue sa compagne, Vincent savait, en regardant Bellemare à l'autre bout de la salle, qu'il était maintenant seul. S'il voulait devenir un grand artiste, il serait foncièrement seul. Il en avait à l'instant une intuition aiguë. Cette solitude l'effrayait un peu. Mais il était prêt à l'affronter.

Sa participation à l'émission *Sur la place publique* était sa dernière concession aux stratégies promotionnelles de

Bellemare. Il fallait préparer, comme il lui avait laissé entendre, la nouvelle orientation artistique qu'il s'apprêtait à donner à sa carrière. Bellemare avait finalement baissé ses exigences afin qu'il participe au film de Boisvert, mais Vincent avait dû garantir qu'il produirait un album dans les deux ans à venir selon la vision qu'en avait l'imprésario. Le passage à l'émission de Michel Lafortune était, selon le producteur, une vitrine idéale pour annoncer cette transformation artistique. La rumeur circulait aussi en coulisse que Lafortune annoncerait, au terme de l'émission, qu'il devait se retirer pour des raisons personnelles. Les conditions médiatiques, avait suggéré Bellemare, étaient réunies. L'animateur, vieil intellectuel repentant, allait saluer cette vocation artistique comme son dernier chant du signe ; Bellemare en avait l'assurance.

Vincent assista aux premières entrevues dans cette salle qui ressemblait étrangement à une salle d'attente d'hôpital. Provenait du plateau la rumeur des applaudissements étouffés par le décor. Là, pendant ces quelques minutes où sa vie semblait suspendue, immobilisée temporairement entre la carrière que lui avait apportée Bellemare et celle qu'il allait échafauder, celle où, il en était maintenant convaincu, il allait enfin pouvoir réaliser son plein potentiel artistique, Vincent eut une vision étrange de son avenir. Encore une fois, il cherchait à changer la perception que l'on avait de lui, de sa personne. Mais pourrait-il se reposer sur une quelconque stabilité professionnelle quand il se serait enfin complètement débarrassé de Bellemare et de son image populaire ? Ou bien devrait-il toujours se renouveler dans ce mouvement perpétuel ? La vision qu'il entrevit alors de son avenir, comme celle d'un spectre, le terrorisa un instant. Qu'allait-il devenir, lui, Vincent Théodore, s'il devait se recomposer indéfiniment ?

Quand on fit signe à Vincent de s'avancer, la sonnerie du téléphone de Bellemare teinta et il dit à Vincent qu'il allait prendre l'appel à l'extérieur du plateau. Derrière le panneau qui dérobait sa personne aux regards de la foule, le régisseur épingla un micro portatif sur le col de sa chemise. Lorsqu'il entendit sa présentation, la vision de son avenir qu'il venait d'avoir s'était évaporée ; il était redevenu pleinement lui-même, assuré que cette quête de l'identité artistique était sur le point de se terminer. Il s'avança vers les escaliers parmi les applaudissements de l'assistance. Il ne ressentait alors aucune nervosité.

En arrivant autour de la grande table au bout de laquelle trônait un Lafortune impassible et où prenaient déjà place trois invités – un journaliste, un ministre et un metteur en scène –, Vincent salua chacun d'eux d'un geste de tête posé. Il tira le tabouret. Il s'y assit difficilement. Deux accoudoirs lui cerclaient fermement la taille. Les applaudissements s'estompaient et l'entrevue démarrait.

— Alors, Vincent Théodore, dit l'animateur d'un air blasé en lisant une fiche descriptive, tu es le grand vainqueur de la première saison du concours *L'Académie de la chanson populaire*. Plus de deux millions de téléspectateurs ont suivi tes progrès. Depuis, tu as sorti un album qui a fait exploser les ventes, tu as fait une tournée à travers toute la province pendant laquelle plus de deux cent mille spectateurs t'ont applaudi. Et puis, depuis quelques mois, les journaux ont relaté l'idylle amoureuse que tu vis avec l'actrice Annie Bonsecours qui est de quinze ans ton aînée. Si je comprends bien, tout roule très bien pour toi : la carrière démarre en trombe, la notoriété, l'amour… C'est un conte de fées, ton histoire…

— Oui, dans un sens, répondit Vincent, tu as raison, Michel, de dire que mon histoire a quelque chose de merveilleux. Il y a tout juste deux ans, j'étais un simple inconnu, sans carrière.

J'étais un étudiant, sans plus. Je dois dire qu'à ce compte, je dois beaucoup à l'*Académie* qui m'a permis de me hisser aussi rapidement au sommet. Mais, en contrepartie, je dois avouer que je suis prisonnier d'une certaine image populaire qui m'a attiré des critiques injustes…

— Ah bon. Et de la part de qui? demanda l'animateur.

— Bien, les fans sont vraiment remarquables. Ils sont derrière moi, je les sens qui m'incitent à repousser mes limites et sans eux je ne pourrais rien entreprendre. Eux me connaissent. Mais une partie – et je ne veux pas nommer de noms – de la communauté artistique me snobe: on me reproche de faire dans le populaire et d'être le pantin d'une grosse machine du *show-business*. C'est tout à fait injuste: je suis un artiste, au même titre que tous les autres artistes québécois, j'ai travaillé très fort pour arriver où je suis aujourd'hui.

— Et ce soir, reprit l'animateur, tu viens ici pour répondre à ces critiques?

— Oui. Je ne suis pas là pour m'attaquer à des personnes en particulier. Je veux seulement qu'on me laisse le temps de faire mes preuves avant de me cataloguer comme un chanteur de radio. Et je veux dire à toute la province qu'elle n'a pas encore vu tout ce que je suis en mesure d'accomplir.

— À ce propos, reprit Lafortune qui s'animait peu à peu, on vient d'annoncer ta participation au prochain film de Jean Boisvert. Ça, c'est loin d'être de la « petite » culture…

— Oui, Michel, je vais me joindre à la production d'un film qui est très prometteur. J'ai lu le scénario et je ne veux rien dévoiler. Mais selon moi, c'est du calibre des plus grands films.

Vincent s'avança en appuyant ses avant-bras sur la table. Il joignit ses mains l'une dans l'autre et dit d'un ton solennel.

— Tu sais, Michel, cette expérience à l'*Académie* a été majeure pour moi. Ça m'a déterminé en tant qu'artiste. J'avais, en me présentant à ce concours il y un peu plus de deux ans aujourd'hui, une vision un peu étroite de l'art. Je le confesse sans honte. J'étais déconnecté. Aujourd'hui, j'ai la conviction qu'il est possible de faire du grand art qui s'adresse au plus grand nombre de gens possible.

Vincent se lança alors dans l'énumération de quelques grandes œuvres qui avaient marqué la culture occidentale en touchant un très large public.

— Je suis, terminait-il, le défenseur d'une haute culture et je veux élever tout mon public à ce niveau culturel. J'ai foi dans le potentiel de chacun de nous et j'ai foi dans les pouvoirs infinis de la culture. Tu es peut-être, Michel, le mieux placé pour comprendre ce que je dis. Quoique le ministre Cambron doit aussi en savoir quelque chose.

Vincent se tourna vers son voisin en échangeant un regard de connivence. Puis, il reprit :

— Selon moi, la culture, la *vraie* culture est affaire de rigueur et d'exigence. C'est par elle qu'on peut devenir de meilleurs êtres humains et se perfectionner. La culture n'a pas qu'un rôle esthétique ; essentiellement, elle est politique, car elle éduque.

Lafortune, à l'extrémité de la table, eut une expression de ravissement spirituel.

— Bien dit, jeune homme.

Et il se mit à applaudir. Aussitôt, l'assistance suivit l'encouragement auquel Lafortune venait de donner le branle. Le ministre opinait de la tête avec énergie en tapant bruyamment de ses mains charnues. Vincent, alors, eut l'impression d'avoir atteint le but qu'il s'était fixé en venant sur ce plateau de télévision. Le clapotement chatoyant de ces applaudissements bruissait dans ses oreilles comme l'annonce précoce des grandes réussites artistiques qui jalonneraient son parcours à dater de ce jour. Puis, lorsque les applaudissements cessèrent, l'animateur reprit:

— Ce sont là des paroles très sages que tu viens de prononcer, jeune homme. Mais, je dois avouer qu'elles me confondent un peu quand je regarde ton parcours. Nous avons préparé une petite vidéo sur laquelle j'aimerais avoir ton opinion. C'est un détail, certes, mais il me tient à cœur.

L'animateur fit alors un signe en direction de la régie technique; les lumières s'abaissèrent et un écran, perché dans les hauteurs assombries du studio, s'illumina.

On vit d'abord Vincent, debout devant le micro, portant sa guitare en bandoulière, arborant un air frondeur mais encore très juvénile. Sur sa poitrine, il portait un collant avec le numéro quatre-vingt-quatre. Une voix off dit:

— Alors… Vincent… pourquoi, selon toi, serais-tu le meilleur candidat pour l'*Académie*?

Et Vincent répondait sans que la caméra en plan fixe n'ait quitté son visage:

— Parce que je suis le meilleur.

Le plan changea. On le vit, torse nu, vêtu d'une simple serviette blanche attachée mollement autour de sa taille, et Simon était assis à ses côtés. Vincent reconnut la pièce: il s'agissait du vestiaire de la rotonde sportive du domaine. Ce fut une impression de réalité altérée, comme s'il était dans un rêve. Déjà, il s'entendait dire: «Mais tu ne dois jamais oublier que c'est un concours et qu'on est tous des concurrents. Je veux gagner ce concours, tu veux gagner ce concours et Christine aussi veut le gagner. C'est comme ça et il faut assumer que toute action peut être intéressée.»

L'écran redevint noir. À cet instant, une petite musique rythmée, comme celle d'un film policier, se fit entendre. On vit le domaine dans un plan d'ensemble et les candidats qui déambulaient dans les couloirs de la maison. Après trente secondes de plans de caméra généraux, on revint au vestiaire de la rotonde sportive, mais cette fois Jean-François était assis aux côtés de Vincent. On entendait la discussion qu'ils avaient eue sur l'homosexualité de Julien. Il ne faisait aucun doute, devant ces images, que c'était Vincent qui avait monté Jean-François contre le jeune homme.

La scène changea. On retrouva tous les concurrents assis autour de la table. C'était la scène du débat sur le mariage homosexuel. On entendait Jean-François exposer les opinions qui lui avaient coûté sa place au domaine. Puis, à nouveau, on revenait dans le vestiaire de la rotonde sportive et on voyait Vincent, à nouveau aux côtés de Simon, qui lui disait :

— Mais tu dois assumer la possibilité que Christine n'est peut-être pas aussi honnête que tu le penses, qu'elle t'a peut-être menti et qu'elle essaie de dissimuler votre idylle parce qu'elle a quelqu'un d'autre.

— C'est absurde ! Vincent. Si c'est comme tu dis, elle jouerait la comédie avec moi simplement afin que son autre chum ne s'aperçoive pas de notre liaison.

— Oui, s'entendit dire Vincent à l'écran. Mais il y a une autre possibilité. Christine peut agir ainsi avec toi par calcul… Peut-être qu'elle cherche à créer chez le spectateur l'espoir d'une liaison entre vous deux. Tu sais, le *happy end* ? Les gens dans leur salon n'espèrent que ça : un dénouement heureux. Et tant que deux candidats agissent comme s'il y avait une histoire entre eux, ils ne seront jamais éliminés, ça tu peux en être certain… Tu peux continuer à jouer le jeu ou bien tenter d'aller au fond des choses.

— Ce qui veut dire… s'interrogeait Simon.

— Ce qui veut dire te promener autour de l'isoloir du téléphone quand Christine passera son coup de fil et tendre l'oreille.

La scène se déplaçait alors vers les isoloirs téléphoniques. On voyait d'abord Christine entrer dans l'isoloir et composer un numéro. Puis, la jeune fille disait :

— Ah! frérot! Je suis tellement contente de te parler. Je m'ennuie tellement de toi. J'aimerais que tu sois là pour qu'on puisse parler de tout ça. Tu sais, je suis vraiment amoureuse de Simon. On ne fera rien tant qu'on est ici, sous les caméras, mais quand même, c'est vraiment bien d'être avec lui. En plus, j'sais pas si t'as entendu, mais l'autre jour on a fait allusion à notre relation, tu sais quand il pleuvait…

À l'instant, on voyait Simon s'approcher de l'isoloir et poser son oreille contre la cloison et on entendait Christine qui continuait :

— … quand il pleuvait, mais bon, c'était quand même pas trop pire… Mais j'm'ennuie quand même de toi. J'ai tellement hâte qu'on puisse parler de tout ça, seule à seul. Ça commence à être lourd, tout ça, tsé. J'suis tannée de tout ce climat de : "je peux faire cela, je peux pas faire ceci…" C'est bien beau, mais j'en ai un peu marre de toutes ces caméras braquées sur moi en permanence et j'ai hâte d'être complètement moi-même…

Vincent, assis dans l'ombre, sursauta : Christine parlait donc à… son frère… Son cœur s'emballait dans sa poitrine. Il ne pouvait détacher ses yeux de l'écran. On voyait ensuite Simon malmener Christine.

L'écran redevint noir. Vincent espéra qu'il en avait fini avec ce calvaire.

Mais l'écran s'illumina à nouveau. Cette fois, la scène était dans le bus. Vincent et Marianne étaient assis l'un à côté de l'autre. Vincent disait :

— Ce soir, tu as vraiment été excellente, Marianne. J'ai eu des frissons. Vraiment. Et je peux te dire que je doute de mes chances face à toi la semaine prochaine.

À ce moment, la musique rythmée reprenait. La scène se déplaçait dans la chambre de la jeune fille. On la voyait entrer dans la salle de bains en peignoir. Puis, Vincent entrait dans la chambre et subtilisait un cadre qui était posé sur la commode. Ensuite, on voyait Marianne qui allait et venait dans la pièce ; elle était agitée. Enfin, elle descendait à la cuisine et apostrophait un domestique :

— Ah ! Jean-Paul. J'ai perdu le portrait de Steve et des jumelles qui était sur ma table de nuit. Est-ce que tu l'as vu ?

La séquence qui suivit était le point culminant de la vidéo. On voyait Vincent et Marianne lors du dernier souper, le samedi soir. Le montage avait été fait de sorte qu'une succession de plans suggèrent au spectateur les mauvaises intentions de Vincent. C'était, pour ainsi dire, l'envers du montage qui avait été diffusé lors de l'émission quotidienne. On le voyait remplir à plusieurs reprises le verre de vin de Marianne. On le voyait minauder en jeune amoureux. Plusieurs plans de Marianne hésitante entrecoupaient la séquence. Puis, ils montaient l'escalier. Et finalement, on voyait Marianne dans le lit de Vincent. L'image évoquait les ébats amoureux. La mise en scène était efficace : Vincent y passait pour un séducteur sans conscience morale, traquant une jeune femme sans défense.

Le plan suivant, on voyait Vincent chanter le succès de Claude Dubois et remercier ensuite son public après avoir triomphé de sa rivale.

Vincent, assis dans l'ombre, entendait l'assistance sur le plateau qui poussait des «Ohhh!...» et des «Ahhh!...» d'indignation. Il n'arrivait tout simplement pas à en croire ses yeux. Puis, la scène changea de nouveau. Le plan sur l'écran montrait maintenant le plateau de Michel Lafortune, il y avait de cela quelques minutes à peine, et Vincent se vit, habillé comme il l'était à l'instant, coiffé comme il l'était à l'instant, et il s'entendit dire :

— Selon moi, la culture, la *vraie* culture est affaire de rigueur et d'exigence. C'est par elle qu'on peut devenir de meilleurs êtres humains et se perfectionner. La culture n'a pas qu'un rôle esthétique; essentiellement, elle est politique, car elle éduque.

Subitement, l'écran s'éteignit et les lumières du studio se rallumèrent. Vincent se répétait sans cesse dans sa tête : «Je ne suis pas ici, c'est impossible, je ne suis pas en train de vivre ça... c'est impossible... » Dans le studio, un silence lourd régnait, un silence de tribunal. Vincent se frotta les yeux; tout son corps était en alerte, comme une bête qui flaire l'haleine de son prédateur.

— Tu comprendras, Vincent, prononçait maintenant Lafortune d'un ton de voix goguenard, pourquoi je disais que j'ai de la difficulté à établir la cohérence de tes propos. Tu viens, aujourd'hui, sur mon plateau, pour dénoncer l'injuste critique que t'adresse la communauté artistique. Mais à la lumière de ces images très révélatrices, il me semble qu'au contraire on est en droit de se poser plusieurs questions sur ta «légitimité». Explique-toi.

Vincent demeura bouche bée pendant quelques secondes; puis, il dit d'une voix bègue :

— Je... je ne crois pas... je veux dire qu'il faut replacer cela dans son contexte... mais... tout de même... enfin...

Vincent promenait son regard dans toutes les directions. Il venait de perdre toute sa confiance. Il avait une conscience aiguë des caméras qu'il était parvenu à ignorer avec le temps. Il avait maintenant l'air d'un homme qui en est à sa première expérience devant une caméra : le regard hagard et nerveux, les mains incontrôlables qui vont dans tous les sens, la parole boiteuse, et bientôt la sueur, à grandes coulées, qui se mettait de la partie. Il se détourna : derrière lui, à un mètre ou deux, à l'extérieur de l'angle de la caméra qui était braquée sur lui, il y avait un immense projecteur qui dégageait une chaleur épouvantable. Puis, Vincent sentait de plus en plus l'inconfort de ce petit tabouret dont les accoudoirs exerçaient une pression sur sa taille, si bien qu'il se démenait d'une façon inhabile et gauche pour trouver une position confortable. Mais rien n'y faisait.

De l'autre côté de la table, Michel Lafortune était implacable. La mise en scène était parfaite : une mise en confiance, d'abord ; puis l'insinuation d'un doute ; et enfin, bang ! la vidéo compromettante qui ne pouvait être contestée. Et l'idée de génie qu'avait eue Serge, le réalisateur en régie, de boucler la vidéo par un extrait de l'entrevue en cours…

Très calmement, sans animosité, Lafortune reprit la parole :

— Je pense, Vincent, que tu nous as menti, à moi et à tous tes fans.

Il laissa quelques secondes s'écouler dans un silence glacial. Le visage du garçon, à l'extrémité de la table, s'allongeait.

— Ce que cette vidéo vient de nous révéler, c'est ton vrai visage, n'est-ce pas ? Comment oserais-tu nier les complots que tu as fomentés ? Tu as feint une amitié à l'égard de Jean-François et Simon afin de les tromper. Pire encore : tu as feint un amour pour cette Marianne que tu as séduite et abandonnée. En couchant avec elle, tu savais qu'elle allait craquer, n'est-ce pas ?

C'était ça, l'idée, hein? Pourquoi as-tu fait ça, Vincent? Explique-toi. Tu as la chance de t'expliquer; je te l'offre, alors prends-la.

Vincent jetait un œil du côté des coulisses en espérant que Bellemare fît quelque chose pour le sortir de cet enfer. Il vit, appuyé contre le décor, le régisseur technique qui le regardait fixement, comme un objet de fascination. Et à la gauche de cet homme s'étendait la noirceur des coulisses qui menaient à la loge où, quelques minutes auparavant, il avait attendu, calme et confiant, alors qu'il s'apprêtait à marcher dans un piège. Aucune trace de Bellemare. Il était seul dans ce bourbier et il devrait s'en sortir seul. Il respira profondément, rassembla tout son courage, et tenta de prononcer un discours cohérent pour sa défense.

— Tu as raison, Michel, dit-il. Je ne peux pas nier ces faits qui sont accablants. Mais je refuse d'admettre que je suis entièrement coupable. Je ne pouvais pas faire autrement…

— Comment? explosa subitement l'animateur. Tu oses clamer ton innocence? Est-ce que ce ne serait pas toi le garçon que l'on voit comploter sur cette vidéo?

— Ce n'est pas ce que je dis! s'écria Vincent. Cette vidéo est un montage qui montre les choses pires qu'elles ne l'ont été en fait. Écoutez, fit-il en s'adressant à tout le panel d'invités. Je n'étais pas bien disposé à faire ce concours et j'ai vite compris que j'allais le perdre… je devais agir. Me donner du temps pour rebondir avant de me faire évincer. Jean-François était un homophobe, ça, on ne peut pas le nier. Je n'ai fait que révéler ce qu'il y avait en lui…

— Tu avais pourtant l'air de partager son opinion… Et Simon? demanda l'animateur. Tu vas dire qu'il était jaloux de nature?

— Non! Mais encore là, il faut nuancer. Je ne savais pas que Christine parlait à son frère. J'ai été trompé. Elle avait vraiment une histoire pas réglée avec un gars en dehors de l'émission. Marianne m'a dit que…

— Tu oses dire, interjeta Lafortune avec véhémence, que c'est Marianne qui est responsable de ce qui est arrivé entre Simon et Christine?

— Ah! Ben, ça, c'est l'boute! s'indigna le ministre Cambron assis à la droite de Vincent.

— Non!…

— Et Marianne, reprit Lafortune. On te voit clairement dérober le portrait de son mari sur sa table de nuit. Tes intentions étaient malveillantes: tu voulais qu'elle cesse de penser à son mari et ses petites sœurs, qu'elle oublie ses engagements? Tu voulais que Marianne couche avec toi pour la faire tomber, c'est ça?

— Non, ce n'est pas aussi simple que ça. Marianne… elle voulait changer de vie, quitter son mari… Elle est venue à moi et…

— Comment oses-tu dire ça?! C'est abominable! s'offusqua l'animateur. Tu as séduit une fille qui n'a jamais dit qu'elle remettait en question son mariage, une jeune fille qui voulait offrir à ses sœurs orphelines un milieu familial paisible et sain. Tu l'as poussée à commettre une infidélité et voilà pourquoi elle a quitté le *show-business*. Elle a été la victime de tes machinations…

— Non! Ce n'est pas aussi simple que ça… Ce n'est pas exactement ce que ça semble être…

— Tu refuses de reconnaître ta culpabilité quand tous les faits sont contre toi? poursuivait l'animateur. Tu veux savoir ce que je pense, Vincent? Je pense que tu as révélé ta vraie nature, à ce concours. Tu n'es pas un jeune homme très cultivé qui a appris, pendant ce concours, la simplicité des manières et l'humilité. Tu n'es rien d'autre qu'un jeune homme vaniteux et ambitieux qui a profité de la crédulité de ses camarades pour s'en tirer avec les honneurs.

À ce moment, la foule se mit à applaudir. C'était un rugissement puissant qui bourdonnait dans ses oreilles en couvrant toutes ses pensées. L'entrevue tournait au lynchage.

— Non... tu vas trop vite, Michel. Ce n'est pas ma faute... Il leva les yeux vers le public. Vous ne me comprenez pas... Vous vous méprenez sur mon compte. Les événements m'ont forcé à agir de la sorte, mais je vous garantis que mes intentions n'étaient pas mauvaises...

Vincent se liquéfiait à l'instant, sur ce tabouret, chauffé comme un poulet par ce projecteur qui produisait une chaleur intenable. À l'autre bout de la table, Michel Lafortune était en pleine possession de ses moyens : il avait un tabouret fait sur mesure et un petit climatiseur dissimulé sous le décor qui lui envoyait des bouffées de fraîcheur au visage.

À ce moment, la foule se mit à taper des mains en cadence. On exigeait son départ immédiat du plateau. Vincent relevait la tête vers les gradins où des visages haineux dardaient en sa direction des regards sulfureux. À l'autre bout, Lafortune s'appuya confortablement sur l'accoudoir de son tabouret avec un rictus triomphant. Vincent voulait continuer à parler, nuancer les images qui l'incriminaient indubitablement. Il aurait fallu peser chaque affirmation, en expliquer la genèse pour en saisir le poids exact et en déduire sa juste part de culpabilité. Mais ce n'était pas le moment ni le lieu pour de telles nuances. La foule scandait son départ, refusait d'entendre quoi que ce soit ; son jugement était arrêté, son opinion, cimentée. Vincent, enfin, comprit qu'il ne pourrait plus rien tirer de bon de cette situation qui s'envenimait de seconde en seconde. Il se résolut à partir.

Au milieu des huées et des applaudissements, Vincent se releva et se dirigea d'un pas anxieux vers la sortie du plateau. Alors qu'il tournait pour disparaître derrière le décor, il tomba nez à nez avec Bellemare qui semblait fort calme. Voyant l'air ahuri et affolé du jeune homme, le producteur demanda :

— Mais que se passe-t-il ? Pourquoi est-ce qu'ils crient ? Pourquoi as-tu déjà quitté le plateau ?

— Où étais-tu ? explosa Vincent.

— J'ai été retenu à l'extérieur par un coup de téléphone.

— Je viens de me faire démolir, complètement, par ta crisse de bonne idée…

Vincent s'accroupit en s'adossant contre le mur du décor et enfouit son visage dans ses deux mains. Bellemare, dont la respiration s'accentuait, posa des questions, mais Vincent ne répondait pas. Enfin, le producteur commença à s'affoler lui aussi. Il attrapa le bras de la jeune vedette et le souleva. Vincent haletait. Il y avait une expression meurtrie sur son visage : le jeune homme était en pleine crise de panique. Bellemare le poussa à l'extérieur du studio en le tenant par le bras et en le pressant de questions.

Quand ils furent seuls dans un couloir, Bellemare trouva une cruche d'eau et remplit un verre de carton ; il le lança au visage de Vincent. Il lui attrapa une épaule et la secoua brusquement. Après quelques instants, le jeune homme retrouva ses esprits et, assis contre un mur, il lui raconta d'un ton détaché, comme si la réalité des derniers événements lui était étrangère, ce qui venait de lui arriver.

— Il a tout montré, dit-il en achevant, tout. Je ne comprends pas comment ça a pu se produire, mais il a tout montré. Quand je pousse Jef à parler contre Julien; quand je dis à Simon qu'il doit se méfier de Christine; quand je dérobe le portrait de Marianne; même… quand je couche avec Marianne… Ils ont tout vu, tout. Je suis fini.

— Mais c'est impossible… répétait Bellemare qui faisait les cent pas.

— Tu m'avais garanti qu'il n'y avait pas de caméra dans le vestiaire…

— Mais il n'y en avait pas! répliqua le producteur. J'ai moi-même passé l'annulation de la caméra.

— Mais alors, comment… À moins que ce ne soit toi…

Les deux hommes se toisèrent d'un œil méfiant.

— Moi! s'indigna enfin Bellemare. Mais sais-tu combien cette histoire va me coûter, Vincent? Sais-tu ce que je risque de perdre avec toi?

Son regard était inquiet, sa respiration était saccadée. Vincent ne l'avait jamais vu dans un tel état.

— Non, fit-il en empoignant son imperméable. Il faut empêcher la diffusion de cette entrevue. Voilà tout. Je vais tout faire pour que ça ne sorte pas.

— Mais les spectateurs vont parler…

— Des rumeurs… il y aura des rumeurs et il y a toujours des rumeurs.

Puis, comme Bellemare s'apprêtait à partir, le visage de Vincent s'illumina, frappé par l'évidence.

— C'est lui, dit-il.

— Qui? demanda le producteur.

— Le technicien, celui que j'ai croisé dans les vestiaires, celui qui nous a entendu discuter et qui a déjà fait de la chanson…

— Marc?…

— Oui, c'est ça. Il m'a dit des choses étranges pendant la dernière semaine sur le *show-business*. Il a dit que j'étais un frimeur.

— Ça colle, répliqua Bellemare en réfléchissant. Il avait accès à toutes les images. Bon, je vais tâcher d'aller au fond de cette histoire. Toi, Vincent, tu rentres chez toi et tu ne parles de ça à personne, O.K.? À personne.

Le jeune homme opina de la tête. Quelques secondes après, Bellemare disparaissait en composant un numéro sur son portable.

9

Annie revint à son appartement en milieu de soirée. Elle avait passé la journée avec l'équipe de stylistes à essayer différentes robes et coiffures. Elle se faisait une tisane lorsqu'on cogna à la porte. Elle alla ouvrir et vit Vincent qui se tenait sur le pas de la porte. Pendant un instant, elle crut qu'il était ivre.

— Tu n'es pas en train de tourner l'émission de Michel Lafortune, toi ? lui demanda-t-elle.

Vincent inspira profondément et lui dit qu'il lui expliquerait tout, mais qu'il devait s'asseoir. Annie le fit entrer. Il traversa le hall d'un pas lent. Son regard était absent. Il alla au salon. Annie se dit alors que quelque chose n'allait pas. Elle voulut le presser de questions, mais elle était elle-même ébranlée par l'état d'apathie auquel Vincent semblait réduit.

Lorsqu'il eut finalement pris place sur le divan, il demanda à boire. Annie alla chercher un verre d'eau froide qu'elle lui tendit. Vincent l'attrapa. Elle vit que sa main droite tremblait. Il déposa le verre contre ses lèvres. Elle entendit distinctement ses dents, secouées aussi de tremblements, frapper contre la paroi de verre. Son imagination s'emballa. Elle pensa qu'il avait était le témoin d'un accident mortel sur la route ou qu'il venait d'apprendre le décès de sa mère. Annie dut faire un effort pour se raisonner. Elle s'assit près de lui sur le divan et lui prit la main.

— Vincent, tu dois me parler. Qu'est-ce qui t'est arrivé ?

— Lafortune… l'émission, balbutia-t-il. Je suis fini. Fini.

Annie se redressa dans le divan. Elle avait compris. Vincent commença le récit de son passage sur le plateau. Il parvint à relater fidèlement l'enchaînement des événements qui avaient mené à son exécution sociale. Annie eut alors l'impression très distincte que son esprit se scindait en deux : une partie d'elle s'occupait de Vincent et cherchait à le calmer alors qu'une autre partie d'elle-même surplombait la scène et entrevoyait les événements avec lucidité.

— Ne t'en fais pas, Vincent, lui dit-elle en serrant fermement sa main quand il eut fini le récit de sa soirée. Il ne faut pas paniquer. Écoute-moi, Vincent. Bellemare va empêcher la diffusion de l'entrevue. Ces images-là n'appartiennent pas à la télé d'État. C'est illégal, ce que Michel Lafortune a fait. Tu as la loi de ton côté. Alors ne pense pas que tu es fini.

Ils passèrent la soirée à discuter des différentes options qui s'offraient à eux. Annie mit tant d'effort pour redresser le courage de Vincent qu'elle ne parlait qu'à la première personne du pluriel, comme si elle était personnellement impliquée dans cette histoire. Vincent reprit peu à peu confiance en lui et vit les choses sous un autre angle.

Quand il s'endormit au petit matin, Annie resta éveillée en caressant la chevelure de Vincent. Elle tâcha de voir les événements froidement, sans que ses émotions n'altèrent son jugement. Elle douta alors des chances qu'avait Vincent de sortir indemne de cette entrevue.

Le lendemain matin, pourtant, tous les deux étaient convaincus qu'ils se sortiraient de cette impasse lorsqu'ils apprirent de Bellemare qu'une mise en demeure avait été déposée contre le diffuseur de l'émission de Lafortune stipulant que les images prises au domaine étaient l'entière propriété de la société des Productions COM et qu'elles ne pouvaient être diffusées sans son approbation. Vincent accueillit cette nouvelle avec exubérance : il exulta en se voyant déjà déchargé des lourdes accusations qui avaient pesé sur lui le jeudi soir. Annie calma ses ardeurs sans pour autant les étouffer. Il fallait attendre la diffusion de l'émission avant de célébrer.

Devant le barrage juridique qu'on lui imposait, Lafortune fit montre d'une intelligence astucieuse. L'animateur décida de diffuser l'entrevue, mais sans la vidéo accablante. Lafortune y ajouta un prologue. On le voyait, dans les studios de montage, assis devant une immense console de son, l'air sombre et grave, avertissant son auditoire : « Pour des raisons juridiques, nous ne pouvons diffuser dans son intégralité l'entrevue que nous avons réalisée avec Vincent Théodore. Vous remarquerez donc qu'il manque une longue séquence à cet entretien. Nous ne pouvons non plus expliquer le contenu de cette séquence, mais nous jugeons qu'il est de notre devoir de diffuser malgré tout cette entrevue. Le spectateur sera imparfaitement informé, certes ; mais il saura tout de même à quoi s'en tenir afin de poser lui-même un jugement éclairé sur ces événements. »

Dans le salon de l'appartement, Vincent se crut replongé en plein délire kafkaïen. Annie et lui suivirent l'entrevue, ils entendirent les répliques assassines de Lafortune et virent le visage lézardé de sueur du jeune chanteur qui bégayait ses réponses. Il ferma le téléviseur et Annie s'apprêtait à lui dire qu'ils trouveraient une solution quand Vincent se leva en arpentant énergiquement le salon.

— Bon, ce n'est pas ce que nous espérions, dit-il, mais on va s'en tirer, hein ? Oui, on va agir. Il faut qu'on agisse. La priorité est de sauver mon rôle dans le film de Boisvert. Si on a ça, alors on va pouvoir s'en tirer. T'es d'accord, Annie ?

Annie fixait le vide devant elle. Elle ne pouvait plus se défaire maintenant de sa lucidité. Tout commençait à lui apparaître clairement.

— Hum… Oui, oui, Vincent, bégaya-t-elle après un instant, comme si elle reprenait ses esprits.

— Bon, alors, tu vas aller voir directement Boisvert, ce soir même. Tu dois le convaincre de se battre pour me garder dans son film. Ses producteurs risquent d'être apeurés. Seulement Jean pourra les rassurer.

Annie regardait et écoutait Vincent lui exposer sa stratégie pour convaincre le réalisateur. Elle se dit que Vincent avait retrouvé son esprit combatif. Il allait se battre jusqu'à la fin, elle en avait la conviction maintenant. Elle tenta de partager son enthousiasme. Elle dit qu'elle irait convaincre Boisvert, qu'ils se battraient ensemble jusqu'au bout afin qu'il conserve son rôle dans ce film. Elle jura même de se retirer de la production si on ne voulait plus de lui. Vincent lui sauta au cou. Il avait les larmes aux yeux. Elle était la seule vraie alliée qu'il avait. Il jura qu'il n'avait jamais rencontré une personne aussi généreuse qu'elle. Annie l'embrassait, mais elle avait l'impression que son esprit était déjà ailleurs.

Le téléphone de Vincent sonna. C'était Brigitte, inquiète, qui venait d'écouter l'émission et qui voulait savoir ce qui s'était passé. Annie se leva, mit son manteau et murmura à Vincent qu'elle allait voir Boisvert. Vincent se détourna de son téléphone et lui dit qu'il l'aimait. Annie lui sourit en lui caressant le visage, puis elle sortit.

Une fois dehors, elle marcha vers le coin de la rue où étaient stationnées quelques voitures de taxi. En arrivant à quelques mètres d'une d'entre elles, elle bifurqua vers le parc et marcha dans les sentiers que les feuilles des arbres commençaient à recouvrir. Elle se disait qu'elle devait aller voir Jean, elle se répétait son discours pour le convaincre, mais tout cela ne lui semblait être qu'un rôle qu'elle pratiquait. Une voix dans sa tête ne cessait de l'interrompre pour lui dire qu'elle n'irait pas vraiment voir Boisvert. Oui, elle irait. Elle jouerait sa carrière sur cette décision. Elle aimait Vincent. Il méritait qu'elle se sacrifie pour lui. Il en aurait fait de même pour elle. Non, il l'aurait abandonnée, comme il avait abandonné l'autre candidate à la fin de la première saison de ce concours de chanson. C'était pour cette raison qu'ils s'aimaient : tous les deux, ils mettaient leur carrière au-dessus de tout dans leur vie. Ils étaient prêts à tout pour réussir. N'attendait-elle pas depuis des années cette chance que lui offrait aujourd'hui Jean Boisvert ? N'allait-elle pas enfin pouvoir prouver qu'elle faisait partie de la classe des grandes actrices ?

Annie était arrivée au sommet d'une petite colline. Le vent d'octobre soufflait dans les branches en emportant de son souffle froid les feuilles multicolores des arbres. Ici et là, quelques clochards trouvaient refuge : sur un banc, sous les branches d'un cèdre, dans le tunnel d'un module de jeu. Elle alla s'asseoir sur un banc et tenta de réfléchir. Elle revit son appartement, froid et solitaire, où elle avait appris à vivre avant de rencontrer Vincent. Elle avait alors accepté cette vie sans chaleur, sans réel contact humain. Puis, elle voyait la vie qu'elle et lui s'étaient peu à peu faite ensemble. Elle revit tous ces soupers chaleureux qu'ils avaient partagés, ces vins qu'ils avaient bus, ces rires qu'ils avaient échangés. Elle pouvait encore sentir ses mains contre son corps, ses lèvres sur ses cuisses. Depuis que Vincent était entré dans sa vie, elle avait retrouvé le goût des choses qui forment le bonheur apparent des gens communs. Parler, se toucher, partager la vie quotidienne. Était-elle prête à sacrifier sa carrière pour cela ? Pour des caresses et des émissions de cuisine ? N'avait-elle pas toujours voulu plus ? Une statuette de plomb valait-elle ce sacrifice ?

Elle savait que Vincent était peut-être sa dernière chance de mener cette vie normale que certaines de ses amies avaient réussi à se construire. Doutant que les choses n'étaient pas aussi simples, elle se disait que son choix se résumait à deux options : avoir une carrière mais mener une vie solitaire, ou bien renoncer à la gloire mais avoir une vie avec Vincent. C'était un choix dans lequel elle croyait jeter toute sa vie, passée comme à venir, dans un geste de volonté aussi brusque et sec qu'un roulement de dés. Elle savait ce que l'avenir renfermait comme un livre dont elle connaissait le dernier mot. Elle vieillirait. Elle vivrait de petits rôles dans les téléromans, de moins en moins avec les années. Peut-être se recyclerait-elle dans le doublage, dans la publicité. Vincent serait un musicien parmi tant d'autres dont les traits ressembleraient vaguement à une vedette populaire qui avait été une promesse d'amusement. Puis, un soir, il rencontrerait une jeune femme pendant l'un de ces petits concerts dans les bars de Montréal. Elle lui referait croire pendant un soir à sa gloire d'antan et, comme un homme vaincu qui croit retrouver les capacités illusoires de sa jeunesse, il succomberait à ce plaisir. Et ce serait la fin de ce confort domestique, de cette vie apaisée et chaleureuse. Tout redeviendrait froid. Elle vivrait seule dans un appartement où il n'y aurait plus de musique, où elle mangerait des plats cuisinés achetés à l'épicerie.

Ses joues étaient glacées. Annie les toucha de ses doigts. Elle était assise sur ce banc dans les rafales toujours plus fortes de la nuit. Quelle heure pouvait-il être ? Elle ne savait plus. Elle sursauta en observant une ombre près d'elle. Un clochard venait de se lever du banc voisin et maugréait contre le froid. Il lui demandait de l'argent pour aller dormir dans un refuge chauffé.

— Un dollar, madame, répétait-il à quelques mètres d'elle. Y veulent un dollar pour la nuit. J'aurai une soupe et un lit chaud.

Elle regarda la main qu'il avançait vers elle. Sous la lumière du lampadaire, elle vit des doigts boursouflés et noirs de crasse. Elle imagina toutes les poubelles où ils avaient plongé. Elle eut un haut-le-cœur. Ce fut comme une décharge électrique dans tout son corps. Elle n'avait plus aucun doute, maintenant. Elle se leva et passa devant le clochard en lançant une pièce à ses pieds comme l'on jette parfois une pièce dans une fontaine, parce que l'on croit naïvement au destin. L'homme se précipita au sol en la remerciant.

Elle rentra directement à l'appartement. Vincent était dans le salon et était encore pendu au téléphone. Il se précipita vers elle et lui demanda ce que Boisvert avait dit.

— Ne t'en fais pas, mon petit, lui dit-elle d'une voix affectueuse. Je me suis chargée de tout. Tout ira bien.

Vincent lui sauta au cou en disant qu'il se saignerait pour elle si elle le lui demandait. Cette nuit-là, ils firent longuement l'amour. L'adrénaline de cette lutte immense qui les opposait au monde entier, leur semblait-il, leur donna un appétit sexuel insatiable. Ils s'abandonnèrent à cette fièvre corporelle avec une fougue animale. À l'aurore, Annie réveilla Vincent en lui demandant de lui faire à nouveau l'amour. Elle voulait jouir de ce corps, elle voulait en tirer tout le plaisir possible. Ensemble, ils virent la lumière du jour illuminer peu à peu la chambre alors qu'ils faisaient des projets d'avenir. Ils auraient une longue vie. Bientôt, ils achèteraient une maison, une grande maison au bord d'un lac où ils vivraient pendant l'année quand ils ne seraient pas en tournage. Ils auraient aussi une maison de vacances dans le sud de la France. Avant longtemps, ils auraient des enfants. Annie se retirerait de la profession pour se consacrer à leur éducation. Vincent leur donnerait des cours de piano.

Ils se levèrent dans cette lumière fraîche qui leur semblait éclairer une nouvelle vie qui s'ouvrait devant eux.

Comme d'habitude, Annie descendit dans le hall de l'immeuble pour aller chercher les journaux alors que Vincent se dirigeait vers la salle de bains. Elle revint dans l'appartement et déposa les journaux sur la table de la cuisine alors que Vincent terminait de se doucher. Elle ouvrit les quotidiens, en déplia les cahiers qui se déballaient en de grandes feuilles noircies d'encre et ce fut comme un drap gris qu'elle déposait sur cette vie qu'ils avaient pris plaisir à imaginer. Elle ouvrit la radio, alluma le téléviseur et monta simultanément le volume des appareils. Bientôt, l'appartement fut rempli de cette cohue assourdissante de la vie médiatique. Vincent arriva dans la salle à manger et trouva sur la table les articles relatant partiellement son entrevue à l'émission de Lafortune. Il les parcourut d'un œil nerveux. Le téléviseur déversait un flot de paroles où son oreille décelait, parfois, son nom. Annie, depuis la cuisine, buvait sa tasse de café en observant Vincent. Il allait d'une page à l'autre des quotidiens, puis se tournait vers le téléviseur, allait vers la radio dans un état de grand énervement.

Pendant toute la journée, ils furent à l'affût de la machine médiatique qui s'emballait. On parla beaucoup dans les médias de cette fameuse entrevue tronquée; les lignes ouvertes furent inondées par des spéculations diverses; les journalistes lancèrent des appels dans la population afin que les spectateurs qui avaient assisté à l'enregistrement de l'émission fournissent des explications. On raconta alors en détail les faits que la fameuse vidéo mettait à jour. Tout cela, tout ce bourdonnement des médias devait appâter le public qui réclamait avec véhémence l'accès à ces images. Celles-ci furent rendues publiques sur Internet. Malgré la tentative des Productions COM d'en bloquer la diffusion, elles apparurent sur un site de téléchargement gratuit et se répandirent dans les serveurs comme une traînée de poudre. Dans la presse du lundi matin, certains articles offrirent au public les moyens de se procurer les images sur le Net et, à partir de ce moment, il devint impossible de gérer l'impasse dans laquelle la carrière de Vincent devait tomber.

Ce matin-là, Vincent, assis à la table de la cuisine, blafard comme un homme en sursis, lut dans les journaux les articles virulents qui mettaient à jour son comportement au domaine. Annie vint près de lui et lut par-dessus son épaule. Vincent murmura :

— Maintenant, tout le monde peut voir la vidéo sur Internet.

Annie, face à la nouvelle, resta de glace. Vincent poussa les journaux d'une main molle et s'accouda à la table. Annie attrapa les papiers et feuilleta les cahiers. En couverture, l'animateur, qui avait reporté son projet de retraite, s'expliquait sur les circonstances qui l'avaient mené à faire cette entrevue :

Michel Lafortune se défend bien de mener une campagne de salissage : « Tout ce que je veux, c'est que la vérité soit faite sur l'agissement de ce jeune homme lors de son passage à L'Académie de la chanson populaire. Puisqu'il est une vedette si estimée, je veux que ses fans le connaissent vraiment, je veux qu'ils prennent connaissance des actes qu'il a faits pour obtenir sa notoriété. Si on veut toujours de lui après, tant mieux, je n'ai absolument rien à ajouter. »

L'animateur soutient qu'il a été poussé à faire cette entrevue-exécution parce qu'une cassette vidéo a été déposée à son intention à ses studios. « Je vous dis que c'est une vraie histoire de polar. Moi, je n'ai pas suivi ce concours de musique. Ça ne m'intéressait pas. Puis, un matin, quelqu'un a déposé sur le bureau de ma secrétaire une grande enveloppe avec mon nom écrit dessus. Dedans, il n'y avait qu'une cassette vidéo, sans nom, sans explication. Je l'ai fait jouer regarder et j'ai compris que c'était une vraie bombe d'intérêt public. Je voulais, même si cela devait me coûter mon poste, que le public connaisse la vérité sur ce garçon. Mais je vous le répète : je n'ai aucune idée de l'identité de celui ou celle qui a fait cette cassette. Ça doit venir de l'intérieur, je présume. »

En fin de journée, Vincent recevait un appel de Bellemare qui lui apprenait que son contrat pour le film de Boisvert avait été résilié. Il se tourna vers Annie, l'air incrédule.

— Ils m'ont retiré le rôle, souffla-t-il d'une voix éteinte. Boisvert ne m'a pas défendu…

Comme Annie le regardait froidement, il comprit. Il se recula d'un pas et s'appuya contre une bibliothèque.

— Tu n'es pas allée le voir, hein… ?

— Non, répondit sèchement Annie. Je voulais aller le voir, mais en chemin, j'ai changé d'idée. Écoute, Vincent, dit-elle d'une voix empathique. Toi et moi, on est pareils. On ferait tout pour avoir une carrière. Nous sommes ambitieux. Et je ne peux pas risquer ma carrière pour toi. Tu ne peux pas me demander de choisir entre toi et mon rôle dans cc film.

— Mais c'est toi qui voulais me défendre…

— Je sais, je sais… Je n'étais pas complètement moi-même. Je ne voyais pas clairement. Maintenant, je me suis fait une idée. Je ne t'en veux pas. J'ai même de la peine pour toi. À partir d'aujourd'hui, ça va être très difficile de te refaire un nom. Mais je dois me dissocier de tout ça, sinon je risque d'être emportée avec toi. Et tu comprends… ce rôle… c'est peut-être ma dernière chance d'avoir la carrière dont j'ai toujours rêvé.

Vincent baissa la tête et passa une main sur son front.

— Alors, tous ces projets que nous avions ensemble…

— Ne sois pas aussi romantique, dit Annie. Tu sais très bien, comme moi, que ce n'était que des paroles.

Voyant l'air abattu de Vincent, Annie lui conseilla de ne rien précipiter.

— Fais-toi oublier, Vincent. Tu vas voir, les gens oublient vite ce genre de frasque. Mais d'ici là, je crois qu'on devrait cesser de se voir. Ça ne serait pas de la bonne publicité pour le film, tu comprends…

Vincent se dirigea vers la cuisine en titubant. Il se versa un verre d'eau. Il eut envie de vomir. Il regarda Annie qui était demeurée dans le salon. Il voulait lui cracher au visage, la traiter de tous les noms. Mais il savait qu'elle avait raison. Il alla dans la chambre et mit ses vêtements dans une valise en éprouvant l'étrange impression qu'il venait d'être évincé d'un concours qui débordait largement le cadre d'une émission de variétés, qui englobait sa vie jusque dans ses derniers retranchements.

En revenant vers le salon, il se dit qu'il avait été bien naïf de croire qu'il n'était pas seul, que quelqu'un veillait sur lui dans cette tourmente. Il mit ses souliers, enfila son veston. Avant de franchir la porte, il jeta un dernier regard vers Annie qui se tenait debout dans le salon, la silhouette éclairée par les reflets vacillants du téléviseur en sourdine.

— Je te souhaite d'obtenir ce que tu cherches, Annie. Nous avons quand même vécu de beaux moments ensemble. Merci pour tout. Adieu.

Lorsque la porte se referma derrière Vincent, Annie eut un bref sanglot qu'elle réprima. Elle actionna le loquet de la serrure et inspira profondément pour calmer sa douleur. Elle se dit que la douleur n'allait être qu'une affaire de temps. Bientôt, elle oublierait Vincent. Tout passait avec le temps. C'était presque sa seule certitude maintenant.

Elle attrapa la télécommande et éteignit le téléviseur. Le salon fut plongé dans l'obscurité. Elle alla à la table de la salle à manger et plia un à un tous les journaux qui s'y étalaient dans un désordre complet. Elle passa ensuite la soirée à nettoyer son appartement, à retirer chaque objet que Vincent y avait laissé. Après quelques heures, il était redevenu à l'image de l'appartement qu'elle possédait avant qu'il entre dans sa vie.

10

Pendant la semaine qui suivit la diffusion de l'entrevue, Vincent vécut dans différents hôtels afin d'échapper aux journalistes qui assiégeaient son appartement. Lorsqu'on parvenait à retrouver sa trace et à frapper à la porte de sa chambre, il changeait d'hôtel. C'était une pression continue, tous les moyens étant bons pour parvenir jusqu'à sa personne afin de lui extorquer un aveu, une confession coupable.

Enfin, un jour, exténué par cette vie de cavale, il téléphona à Bellemare. Après avoir longuement insisté, il obtint de lui un rendez-vous à sa chambre d'hôtel. C'est un garçon craintif qui vint lui ouvrir. À l'intérieur, la pièce était baignée par une obscurité quasi complète. Vincent murmura qu'il prenait toutes les précautions afin de ne pas être reconnu. Il alluma la lumière de la salle de bains afin que la pièce fût à demi éclairée. Bellemare put alors constater à quelle existence lamentable le jeune homme était maintenant réduit. Ici et là, dans la pièce sombre, il y avait des plateaux de nourriture qui n'avaient pas été desservis; des valises, prestement défaites, reposaient sur les commodes. Il se tourna vers Vincent qui se tenait dans l'embrasure de la porte de la salle de bains. Il avait une mine pitoyable. Une odeur âcre de sueur émanait de la robe de chambre qu'il portait. Ses cheveux étaient en bataille, son teint était livide. Vincent alla s'asseoir dans un fauteuil. Bellemare prit place dans un autre fauteuil en face.

— Frédéric, tu dois me venir en aide, implora Vincent. Pourrais-tu me loger, quelque part, n'importe où?... Je n'en peux plus de me cacher. Regarde à quoi je suis réduit. Quand ce n'est pas une femme de chambre qui me reconnaît, c'est un garçon d'étage, ou une réceptionniste.

— Ça passera, dit le producteur d'un ton qui se voulait rassurant.

— C'est ce que tu m'as dit, il y a presque deux semaines, quand tout a tourné au vinaigre. Mais vois, maintenant, où ça me mène... Vincent s'exprimait toujours à demi-voix, d'une voix contenue et soufflée où paraissait une teinte de colère énervée.

— Écoute, répondit le producteur, j'en ai plein les bras avec le lancement de l'album de Marc-Antoine et toute cette histoire de scandale qui risque de nuire considérablement à l'émission. Je ne peux pas me charger de ton logement. Ce qu'il y a de mieux à faire, c'est d'attendre et d'être patient.

— Mais Frédéric, reprit Vincent dont la voix craquait d'exaspération, c'est insoutenable... C'est ton devoir de faire quelque chose pour m'aider... Lis-tu les journaux? Écoutes-tu les lignes ouvertes? Il n'y a pas un journaliste qui ne me condamne pas. Il faut agir. Il faut que je rebondisse.

— Qu'as-tu en tête?

— Cet album, style chanson française, que tu voulais me faire enregistrer... Il faut le faire maintenant.

Bellemare eut un geste de surprise mal contenue.

— Mais voyons, Vincent, ce serait une erreur. Nous avons prévu la production d'album pour plusieurs académiciens dans la prochaine année. Vous seriez en compétition.

— Mais quand, alors? Quand?... s'impatienta Vincent en s'avançant.

Bellemare vit alors briller ses yeux. Vincent était poussé par une exaspération nerveuse et mordait dans chaque mot qui sifflait entre ses lèvres tendues de colère.

— Je ne sais pas, répondit évasivement Bellemare. Disparais, fais-toi oublier, et peut-être que dans un avenir rapproché nous reparlerons de ton album.

Vincent soupira. Il resta silencieux pendant quelques secondes, puis il releva la tête.

— Il y a sans doute un moyen pour qu'on puisse s'entendre, Frédéric. J'ai besoin de toi comme jamais … Je suis prêt à tout pour qu'on relance ma carrière et avec un peu de bonne volonté, je suis certain que tu saurais le faire.

En prononçant cette phrase, il avait posé une main sur la cuisse de Bellemare. Puis, avant que le producteur ne réagisse, Vincent attrapa de l'autre main le cordon de sa robe de chambre qu'il tira. Le nœud se défit et les pans du vêtement s'ouvrirent en découvrant l'entrejambe du jeune homme. Bellemare leva des yeux froids et observa le visage de Vincent. Il affichait un sourire aguicheur. D'un geste vif, le producteur repoussa la main de Vincent qui était toujours posée sur sa cuisse et lui dit :

— Voyons, Vincent. Ne sois pas ridicule. Le *show-business*, ça ne fonctionne pas comme ça…

Vincent s'adossa dans son fauteuil en reprenant une pose passive. Son visage retomba dans l'obscurité.

— Tu n'as pas l'intention de me faire enregistrer cet album, que ce soit dans un avenir prochain ou lointain, hein ?… Aie au moins la décence de me livrer le fond de ta pensée.

— Il est de notre avis, répondit Bellemare en pesant chacun des mots qu'il prononçait, que tu dois te faire discret pour les temps à venir. Profite de ta fortune. Fais comme Marianne et pars faire ta vie à l'étranger pour un temps. Les gens oublient, tu sais. Le temps efface toutes les fautes. Et un jour, qui sait dans combien de temps, peut-être pourras-tu faire un retour dans la chanson.

— Tu me mens ! explosa le jeune homme. Tu connais trop bien le *show-business* pour dire ça et le penser. Si je ne fais rien maintenant pour rétablir ma réputation, je serai toujours étiqueté comme le gars qui s'est planté à *L'Académie*. Ma fuite et mon silence seront interprétés comme des aveux. C'est le moment ou jamais de rebondir, et tu le sais, Frédéric, tu le sais.

— Soyons réalistes, Vincent, veux-tu ? dit Bellemare en fronçant les sourcils. Notre société sort plutôt amochée de toute cette tourmente. Nous devons regagner la confiance de la population, ce qui n'est pas chose facile. Pour ce faire, nous avons de nouveaux visages, des artistes talentueux et prometteurs qui tenteront de rattraper tes bévues. Pour ta part, tu représentes un trop grand risque pour notre société. Il est tout à fait incertain que tu puisses te relever d'une telle chute. Un album nous coûterait très cher à financer. Et nous n'aurions aucune garantie quant aux ventes. Non, je te le redis : la meilleure chose à faire est de disparaître pendant un certain temps.

Vincent fit une moue de ressentiment.

— Alors c'est ça… tenta-t-il de résumer d'un ton vindicatif, tu abandonnes ma carrière, c'est trop risqué… Tu n'as plus confiance en moi alors tu m'abandonnes après avoir pris ce qu'il y avait à prendre.

Bellemare écoutait ses remontrances sans sourciller.

— Dis-moi au moins, reprit Vincent, où ça en est dans ton enquête interne… connaît-on l'identité de celui qui a fait parvenir la vidéo à Lafortune ?

— L'affaire est toujours nébuleuse, expliqua le producteur. Marc nie catégoriquement avoir joué un rôle dans cette histoire et nous ne pouvons l'accuser par présomption. Nous n'avons aucune preuve. Et même si nous pouvions prouver qu'il est le coupable, est-ce que ça te redonnerait quoi que ce soit ?

— C'est ma vie que l'on vient de mettre en morceaux ; j'espère au moins voir le visage de celui qui en est responsable.

— S'il y a des développements, je te le ferai savoir, dit Bellemare en se levant de son fauteuil, geste par lequel il voulait mettre un terme à leur entretien.

— Alors c'était ça, ton idée ? ironisa Vincent. Me laisser agoniser dans une chambre d'hôtel, comme un sale cafard ?

— Ne sois pas dramatique, Vincent. C'est déplorable ce qui t'arrive, mais ne perds pas la tête. C'est dans la tourmente qu'il faut s'accrocher à notre jugement.

— N'essaie pas d'être philosophe avec moi. Tu sais comme moi qu'un homme sans réputation est un homme fini. On ne vit que par les autres, je le sais maintenant. On est dépendant des autres. C'est toi qui m'as enseigné ça.

Bellemare sourit, touché par la verve du jeune homme. Pendant une seconde, il brilla sur son visage l'expression du mécontentement de voir un esprit ainsi gaspillé. Il aurait tant aimé que ce garçon devînt la star qu'il avait cru entrevoir en lui. Mais maintenant, il n'avait qu'un souvenir étiolé de cette impression. Vincent ne serait plus jamais une vedette, il en était convaincu.

En partant, le producteur dit qu'il devait suivre son conseil et se faire oublier. Vincent regarda la porte se fermer sur lui, puis il éteignit la lumière de la salle de bains.

Quelques jours plus tard, un recours en justice était intenté aux Productions COM par Vincent Théodore en dommages et intérêts pour atteinte aux droits de la personne. Vincent, dans ce recours ultime, ne cherchait pas seulement réparation pour les torts qui avaient été faits à sa carrière ; il voulait que le débat juridique fût fortement médiatisé afin de redresser sa réputation dans l'opinion publique.

Plusieurs communiqués de presse furent publiés à chaque étape du procès. Maître Lafontaine fit plusieurs apparitions dans les médias, captées aux portes du palais de justice. Il clamait non pas l'innocence de son client, mais réclamait plutôt que la société de production reconnût sa responsabilité dans «l'affaire Théodore», comme les médias avaient baptisé le procès. Les journaux télévisés accordèrent une place à l'événement dans leur programmation ; on commenta l'affaire dans les émissions juridiques et les chroniques de la presse écrite.

À la barre, l'avocat du plaignant construisit son plaidoyer sur le fait que le contrat entre son client et la société était injuste, puisque fait entre professionnel et non professionnel. Il voulut démontrer que son client ignorait le métier et que c'était à la société de production qu'il incombait de lui fournir une protection. Il débattit aussi pour démontrer que les images compromettantes étaient entre les mains de la société de production et qu'à ce compte, celle-ci en était entièrement responsable. La partie adverse soutint que le contrat que Vincent Théodore avait signé était sans équivoque : le participant avait donné son accord à une cession complète de ses droits de la personne et de ses droits à l'image, ce qui, d'un point de vue juridique, déchargeait la société de production de toute imputabilité. En aucun cas, selon le contrat, elle ne pouvait être tenue responsable de tout préjudice subi par un concurrent.

Le procès dura plusieurs mois. Il traîna en longueur, car il était sans précédent : la téléréalité était encore à ce moment dans un flou juridique, ce qui obligea le juge à établir un critère en la matière. Le jugement fut rendu un vendredi après-midi : la société de production n'était pas tenue de verser une indemnité au plaignant puisque celui-ci avait aliéné ses droits légaux en abandonnant ses droits de la personne. En contre-partie, le juge reconnut la nécessité d'établir une législation qui garantît les droits des participants lors de tels concours télé-visés dans le futur.

Lorsqu'il entendit le jugement, Vincent comprit que tous les recours pour se rétablir étaient épuisés, que rien ne pouvait lui redonner du crédit auprès de la population. Il vit, de l'autre côté de la barre, Frédéric Bellemare qui sortait complètement blanchi de toute cette histoire.

Son avocat, en refermant les chemises qui contenaient une documentation volumineuse, lui dit qu'il ferait appel de la décision. Vincent, ployant sur le bureau, lui décocha un regard désillusionné. Puis, le jeune homme détourna la tête. Bellemare serrait la main de son avocat. Vincent se leva et se dirigea vers leur table. Il demanda à parler à Bellemare en privé. Bon joueur, le producteur accepta.

Les deux hommes se retirèrent dans une salle attenante à la cour d'audience. Lorsqu'il eut refermé la porte, Vincent dit :

— Je devais essayer, tu comprends, je devais te faire dire que tu reconnaissais ta part de responsabilité. Ce n'était pas pour l'argent.

— J'ai compris, répondit Bellemare, quand tu as alerté les médias. Au début, je croyais que tu perdais les pédales, mais après j'ai compris. Ce n'était pas fou, mais je ne pouvais pas te laisser nous traîner dans la boue comme ça sans réagir.

— Dans la boue ? s'exclama Vincent en se retournant subi-tement vers son interlocuteur. Tu me laisses couler quand tu sais tout autant que moi quel rôle tu as joué dans cette histoire…

Le producteur fronça les sourcils dans une expression de confusion.

— Frédéric, tu étais au courant des actes que je commettais au domaine ; tu les as implicitement approuvés… Plus : tu y as participé en acceptant de ne pas mettre de caméra dans la rotonde sportive… Si tu avais au moins le sens de l'honneur, tu reconnaîtrais publiquement tes torts…

— Tu es mal placé pour faire des leçons d'honneur, ironisa Bellemare.

— Mais je suis complètement fini ! explosa Vincent en levant les bras. N'as-tu aucune compassion, aucune humanité !… Qu'est-ce que je vais devenir ? Toutes les portes me seront à jamais fermées. As-tu songé à la vie qui m'attend ?

Le producteur posait sur lui un regard impassible.

— Est-ce que c'est moi qui t'ai poussé à agir de la sorte ? demanda-t-il.

La respiration de Vincent s'accentua, son visage s'empourpra. Bellemare, porté par l'énergie désespérée de son interlocuteur, poursuivit sur sa lancée :

— Je n'étais pas mandaté pour surveiller ta conscience, Vincent. Je n'ai fait que t'observer agir. C'était à toi de te questionner sur tes agissements.

— C'est faux ! Tu mens ! vociférait Vincent en frappant d'une main vigoureuse contre la table de bois devant lui. Tant que mes actes demeuraient dans l'ombre tu les approuvais, mais maintenant qu'ils sont étalés au grand jour, tu t'empresses de les condamner. Tu es un monstre, Frédéric, tu n'es qu'un opportuniste sans scrupule… Je n'aurais jamais dû t'écouter le jour des auditions.

À cette parole, Vincent sembla défaillir. Sa silhouette se voûta et il s'affala sur une chaise qui était adossée contre le mur. « Qu'est-ce que je vais devenir ? » répéta-t-il à plusieurs reprises d'une voix faible en fixant le vide. Des larmes coulèrent sur ses joues empourprées.

Bellemare se cambra, affectant une insensibilité à la douleur du garçon. Il dit, d'un ton solennel :

— Il faut assumer les conséquences de ses actes. Aie au moins de la grandeur et cesse de chercher un coupable : confesse ta faute, c'est tout ce qui reste au condamné quand il approche de l'échafaud.

L'allusion à la potence acheva de briser la volonté du jeune homme. Son menton chevrota, ses mains furent secouées par un tremblement nerveux. L'œil vitreux, l'air effaré, il leva la tête vers le producteur et comprit qu'il ne pouvait rester une minute de plus dans cet établissement. Il se leva, poussé par l'envie de disparaître, de fuir toute présence humaine. En passant dans la salle d'audience, Me Lafontaine l'interpella, mais Vincent ne l'entendit pas. Il sentait une pierre peser lourdement contre sa poitrine. Il avait un grand besoin d'air ; il était sur le point de suffoquer. Quand il fut à l'extérieur, il put respirer plus à son aise. L'air glacial de janvier lui brûla les poumons. Mais, avant même qu'il reprît son souffle, des journalistes, flanqués de caméramans, couraient à sa rencontre. Vincent eut une expression confuse. Déjà, il était encerclé par une douzaine de corps qui exerçaient une pression intenable contre sa personne. Son visage affolé allait dans toutes les directions, cherchant une échappatoire au milieu de cette cohue. Le jugement étant rendu public à l'instant, les journalistes faisaient montre d'une agressivité manifeste dans leurs apostrophes. Cela ne dura que quelques instants ; bientôt, Vincent se fraya un chemin entre les corps. Mais ils le suivirent. C'était une scène beaucoup trop romanesque pour qu'ils la laissent filer.

Arrivé sur le trottoir, il voulut héler un taxi. Il piaffa d'impatience. Les journalistes l'avaient rejoint et se délectaient de son obstination. Il entendait siffler dans ses oreilles les questions les plus irrévérencieuses. Enfin, ne pouvant plus supporter ce calvaire une seconde de plus, il vit, de l'autre côté de la rue, un bus des transports en commun qui était sur le point de démarrer. Sautant sur l'occasion et voyant dans ce moyen de transport le seul qui pût le tirer du bourbier où il s'enlisait, il se lança à travers le boulevard. Des voitures klaxonnèrent, des pneus crissèrent. Les journalistes, incrédules, restèrent figés sur le trottoir qu'il venait de quitter. Personne n'osa se lancer dans la circulation pour suivre le fuyard.

Lorsqu'il arriva devant le bus, un vieil homme franchissait la dernière marche et le chauffeur s'apprêtait à fermer la porte avant du véhicule. Vincent bondit à l'intérieur en haletant. Il lâcha un soupir de soulagement quand le véhicule démarra et il vit, à travers les fenêtres, s'éloigner l'essaim de journalistes.

Comme il n'avait pas de monnaie, il glissa un billet de cinq dollars dans le poste de péage et s'assit dans un siège à l'avant du véhicule. Il sentit que ses pieds étaient mouillés. Il grelotta. C'est à ce moment, alors que le bus avait atteint sa vitesse de croisière, que Vincent songea à la présence des autres passagers. Il devait y en avoir une vingtaine. Il esquissa quelques coups d'œil très brefs dans leur direction. Il se détourna alors vers les fenêtres pour dissimuler son profil.

Il avait pour voisine une vieille femme qui feuilletait un magazine. Sur ses genoux reposaient deux sacs d'épicerie. À un moment, elle jeta un œil en direction des fenêtres et son regard se posa sur son voisin. La vieille dame sursauta. Vincent comprit et tenta de dissimuler davantage son visage. Mais sa voisine, après qu'elle l'eut regardé à la dérobée, se pencha sur son banc pour le voir davantage. Elle fit basculer un sac qui déversa quelques fruits et légumes dans l'allée. La vieille dame lâcha un : « Ohhh ! » en se pressant pour ramasser la nourriture. Une femme l'aida dans sa manœuvre. La vieille dame remercia poliment, puis, comme pour payer le bon geste de la femme, elle lui fit un signe tacite, une sorte de hochement de tête saccadé en direction de son voisin. L'autre femme ne parut pas saisir l'intention de la vieille dame. Puis, quand elle eut posé son regard sur son voisin, elle eut une expression incrédule. Elle coudoya son mari qui était assis à ses côtés.

Peu à peu, des murmures commencèrent à circuler dans l'autobus. Sans même qu'il eût regardé les passagers, Vincent sentait que l'atmosphère s'envenimait. L'excitation d'avoir parmi eux une personne de notoriété publique gagnait l'ensemble des passagers qui avaient tous maintenant les yeux rivés vers lui. Il entendit même une femme dans le fond du bus qui dit à haute voix :

— Regarde, c'est Vincent, là-bas, dans le bus !

— Vincent qui ?

— Ben… Vincent THÉ-O-DORE !

Il ferma les yeux. Des commentaires continuaient à sourdre çà et là :

— Mais qu'est-ce qu'il fait là, dans un autobus… ?

— Il n'a pas honte de se montrer après ce qu'il a fait… ?

— Je peux pas croire qu'il veut faire payer les autres pour les problèmes qu'il a…

— Il a honte, hein ? Regarde, là, il essaie de se cacher.

Ces commérages durèrent quelques instants. Puis, comme l'intensité continuait à monter, un homme, assis en face de lui, le hua : « Booooouuuuu ! » Des sifflements suivirent, un concert de railleries :

— Hein ! T'es obligé de prendre l'autobus, comme tout l'monde… t'arrêtes de péter plus haut qu'le trou maintenant !…

— Comme ça t'as eu honte de faire du populaire…

— Looooser, loooooser, loooooser…

— VIOLEUR!

Vincent ne put en supporter davantage et il se tourna afin de faire face à ses détracteurs. Il fixa chacun d'eux du regard, mais rien ne pouvait les intimider; ils avaient la force du nombre avec eux. Impuissant, il décida de sortir du véhicule. Pour braver les passagers, il se dirigea vers la porte arrière du bus. Les huées étaient devenues assourdissantes. Dans l'allée, des gens refusèrent de déplacer leurs bagages qu'il dut enjamber. Chacun des visages qu'il croisa exprimait la rancœur et l'animosité. Des insultes lui furent lancées à la figure et, comme il allait s'adresser au chauffeur à voix haute pour lui demander d'arrêter le bus, il entendit, derrière sa nuque, le son d'un homme qui se raclait la gorge. Il se retourna et sentit un souffle humide et une mucosité chaude s'abattre sur son visage. Il ferma les yeux.

Il y eut un moment de silence. Vincent sentait la bave qui dégoulinait sur son visage et un dégoût viscéral lui étranglait la gorge. Tous ses muscles étaient crispés. Il entrouvrit les yeux et le visage d'un adolescent lui apparut. Ses poings étaient serrés par une rage violente, prêts à répliquer, mais la peur d'encourir les représailles de chaque homme qui prenait place dans le bus retint son geste.

À ce moment, le véhicule s'immobilisa et la porte devant lui s'ouvrit. Vincent jeta un regard à ces hommes et ces femmes qui le regardaient avec défiance et sortit sans rien dire.

Une fois dehors, il fut pris de nausées. Il trouva un mouchoir dans sa poche et s'essuya le visage. Sur le boulevard, le bus s'en allait en tanguant et Vincent put voir les gens qui se pressaient contre les fenêtres arrière. Jamais il n'avait imaginé que le public pût témoigner une telle haine à son égard. Ceux-là mêmes qui l'avaient hissé à une telle gloire le regardaient maintenant comme étant leur chose, leur propriété qu'ils étaient libres maintenant de détruire.

Il regagna son hôtel à pied en empruntant des chemins peu fréquentés. Dans une boutique, il acheta un chapeau et des verres fumés. Il attendit le milieu de la nuit pour se rendre à la gare d'autobus. Là, il prit un billet pour Québec. Il ne voyait plus d'autre option que de rentrer chez sa mère. Il éprouva un soulagement en voyant que le voyage serait càlme : il n'y avait que trois passagers dans le bus. Il alla s'asseoir tout au fond. Il voyait maintenant un ennemi potentiel en chaque homme qu'il croisait.

QUATRIÈME PARTIE
LES BRUITS

1

Vincent était arrivé de Montréal au milieu de la nuit. Il avait dit à sa mère que ce n'allait être que temporaire, en attendant que les choses se placent. Dès cette nuit, d'un accord tacite, ils s'étaient entendus pour éviter ce sujet de discussion.

Pendant les deux années qui avaient suivi son retour dans la capitale, Vincent s'était évertué à composer des chansons qui, espérait-il, lui auraient permis de se refaire un nom dans le milieu. Benjamin avait tenté d'entrer en contact avec lui, mais Vincent n'avait pas voulu le revoir, pas avant qu'il ait composé de quoi relancer sa carrière. Il s'était engagé dans cette entreprise avec l'entêtement des gens de génie ou l'aveuglement des fous.

Au terme de ces années de travail, il avait réuni une douzaine de compositions qu'il jugeait d'une très grande qualité. Il était entré en contact avec des maisons de disque. Là-bas, son travail avait été pris en considération. Mais quand il était allé à Montréal, le directeur d'une importante maison de disque lui avait dit :

— Honnêtement, c'est du très bon travail que tu as fait. Tes chansons sont prometteuses et nous sommes très intéressés à les acquérir. Mais nous ne voulons pas te produire, toi, Vincent Théodore, car ton nom ternirait ce bon travail. Nous te proposons donc de les acheter.

— Et quelqu'un d'autre les chanterait? Mais vous me prenez pour un esclave! s'était-il écrié, la voix étranglée d'indignation. Vous voudriez que moi, Vincent Théodore, je travaille dans l'anonymat? Jamais. Je les laisserai pourrir au fond d'un tiroir plutôt que de les entendre chanter par quelqu'un d'autre! Vous m'entendez?

— Dans ce cas, avait répondu le directeur en lui tendant sa maquette, j'ai bien peur que nous ne puissions rien faire pour toi.

Vincent, estomaqué, était demeuré hébété par le refus du directeur. Puis, il avait repris son disque et avait dit en se levant:

— Si Brel avait accepté de n'être qu'un auteur-compositeur comme on voulait qu'il le soit au début de sa carrière, jamais il ne serait devenu l'immortel qu'il est aujourd'hui. On le refusait à cause de sa dentition, vous savez. Moi, des Brel, j'en contiens dix. Vous vous en mordrez les doigts un jour.

Il était sorti en coup de vent. À chacune des maisons de disque où il s'était présenté par la suite, on lui avait fait la même réponse. Aux yeux du public, le nom de Vincent Théodore était pour ainsi dire tombé dans l'oubli. On se rappelait alors de lui comme d'une anecdote, comme d'un simple fait divers. Mais dans l'industrie, le bruit courait qu'il était un artiste à risque, ingérable, une personnalité instable.

L'un des directeurs d'une maison de disque lui recommanda de tenter sa chance en France. Là-bas, il aurait un nom neuf. Il lui donna un numéro d'agence d'artistes. Vincent prit le numéro et sortit. Pendant les semaines qui suivirent, il hésita. L'idée n'était pas bête. Il avait les moyens de s'installer en France pour une période indéterminée. Mais le ressentiment était trop fort en lui; il voulait la gloire dans son propre pays. Il voulait que les mêmes gens qui l'avaient conspué s'inclinent devant son génie.

Alors, Vincent décida de s'autoproduire. Croyant aveuglément à sa renaissance, se voyant l'unique architecte de ce retour fracassant, il engloutit des sommes démesurées dans ce projet. Enregistrement, frais d'employés et de musiciens professionnels, mixage, conception de la pochette, sessions de photo, promotion d'envergure : il assuma tous les coûts. Il s'improvisa imprésario ; il échoua. Ce fut une débâcle monétaire complète. Certaines radios firent bien jouer ses chansons. Pendant un bref instant, son nom résonna à nouveau dans l'espace public, ce qui raviva dans le souvenir des gens les faits qui l'avaient forcé à se retirer, trois années auparavant. La colère et la honte avaient fait place au rire et au sarcasme. Vincent était un artiste qui appartenait au passé et, quoi qu'il fît, il demeurait dans l'esprit du public un homme qui s'acharnait à retrouver une gloire qu'il n'avait plus.

Après avoir dépensé largement pour le procès qu'il avait intenté à la société de production COM, il avait englouti dans ce projet d'album le gros de la fortune qui lui restait.

Quand les exemplaires de son disque lui furent retournés par milliers dans des boîtes de carton, il comprit qu'il ne réussirait jamais à regagner une notoriété quelconque. Il remisa ses invendus dans le sous-sol, ne pouvant se résigner à les détruire, et se résolut à vivre une vie simple ; il entreprit un retour sur les bancs d'école. Il avait alors vingt-quatre ans.

Lorsqu'il entra dans l'auditorium du département de droit de l'Université Laval, où il devait assister à un cours d'introduction au Code civil, il sentit qu'il n'y serait pas à sa place. En quelques minutes, il se crut repéré, reconnu, jugé ; il en déduisit qu'il ne serait jamais un étudiant comme les autres, mais bien toujours Vincent Théodore, le chanteur populaire déchu. Les étudiants, quant à eux, appartenant à une autre génération que celle qui l'avait admiré avant de le conspuer, ignoraient son nom et posaient des regards intrigués sur l'homme étrange qui était assis en retrait et qui ne parlait à personne en promenant des regards nerveux autour de lui. Il fut isolé, ostracisé. Vincent développa alors une peur des foules qui le fit quitter l'université.

Pendant les années suivantes, il mena une existence recluse et piétinante. Brigitte l'entretint comme l'on garde un convalescent à la maison. Vincent entrait alors dans une période dépressive. Ne voyant aucune issue possible à l'impasse où il était, il errait dans la maison tous les jours, vêtu d'une robe de chambre, passant d'une pièce à l'autre d'un pas nonchalant, usant de ses pantoufles le vernis déjà usé des planchers. Le spectacle lamentable de son désœuvrement affectait sa mère qui rentrait le soir de l'université et constatait l'état d'apathie dans lequel son fils était, ce qui la retenait d'exiger de lui qu'il quitte la maison et prenne un appartement. Par la force inépuisable que trouvent les mères dans leur dévotion maternelle, elle voulut le tirer de la torpeur dans laquelle il s'enlisait. Elle tenta de stimuler son activité intellectuelle en l'incitant à se remettre à l'étude du latin, matière qu'il avait tant aimée pendant ses jeunes années. Dans un élan d'amour maternel, elle se sacrifia pour lui en acceptant de veiller à ses moindres besoins. Plus qu'une mère, elle devint une servante. La largesse dont elle fit montre n'avait d'égale que l'exigence qu'elle avait mise dans son éducation.

Plus le temps passait, plus Vincent refusait de sortir de la maison. Sa mère, seule, se chargeait des commissions et de l'entretien du terrain. Parfois, il allait lire dans la cour, étendu dans une chaise longue. Mais la vue des voisins l'indisposait. Quand il ne lisait pas, il passait de longues heures, étendu sur le divan du salon, le regard fixé au plafond. Brigitte se demandait alors ce qui pouvait bien occuper ses pensées.

Un été, elle résolut de l'emmener en vacances, espérant ainsi qu'un changement d'air lui fît du bien. Sur les plages de Virginia Beach, Vincent éprouva pour la première fois depuis des années un répit salutaire. Là-bas, il était un inconnu ; il pouvait marcher sur la plage, croiser des visages sans éprouver la peur irrépressible d'être reconnu, jugé et condamné par un seul regard. Il revint de ces vacances animé par une énergie nouvelle ; il entrevoyait une échappatoire : l'émigration. Il n'avait bien que vingt-six ans. Il résolut de quitter le pays, d'aller étudier à l'étranger, de refaire sa vie là-bas. Vincent entreprit des démarches. Il voulut s'inscrire à une université américaine, mais les frais l'en dissuadèrent. Il lui restait quatre-vingt mille dollars, somme qu'il consommait lentement pour sa subsistance.

Puis, lors d'une consultation pour des brûlures d'estomac, les médecins découvrirent à Brigitte un cancer de l'intestin grêle. Ce matin-là, elle fit un aller simple à l'hôpital. Pendant les six semaines que dura l'hospitalisation de sa mère, Vincent fut contraint à vivre seul. Bien qu'il passât la majeure partie de ses journées au chevet de sa mère, il devait revenir à la maison chaque soir pour dormir.

Il s'accoutuma aux repas frugaux. Après avoir épuisé les réserves du réfrigérateur et les conserves qu'il trouva dans le garde-manger, il se rendit à l'évidence : il devrait aller à l'épicerie. Cela lui demanda tout son courage. Il mit des verres fumés à monture proéminente, un chapeau et un imperméable. À l'épicerie, on jeta des regards intrigués en direction de l'homme suspect qui déambulait dans les allées, poussant d'une main nerveuse un panier d'épicerie rempli de conserves et de plats surgelés. C'est là qu'il comprit combien la vie allait être difficile sans Brigitte. Au terme de ces années de dépression, il avait désappris à vivre, comme s'il avait régressé. Lui qui, à une certaine époque, avait tant aimé la cuisine, voilà qu'il n'avait plus la force de se faire à manger, s'alimentant à même les boîtes de conserve. C'était surtout les détails de la vie quotidienne qui lui faisaient peur. Il ignorait comment fonctionnait la tondeuse, comment s'occuper des comptes à payer et il ne savait toujours pas conduire.

Un matin de mars, à l'aube, Vincent assista à l'agonie de sa mère. Dans les heures qui précédèrent son inconscience, Brigitte eut des paroles sévères à son endroit.

— Dire que j'ai élevé un garçon qui est maintenant sans diplôme et sans travail, avait-elle dit entre deux râlements.

— Ne parle pas, maman, lui avait répondu Vincent. Tu dois ménager ton souffle.

— Non, s'était-elle renfrognée, nous n'avons jamais reparlé de tout ça, Vincent, jamais. Je t'ai tout donné, tout ce qu'il y avait de meilleur pour que tu mènes une bonne vie et que tu deviennes un homme respectable. Et qu'as-tu fait ? Qu'es-tu devenu ? Tu es sans travail, Vincent. J'ai cru, moi aussi, que tu te relèverais, mais là, je vois bien que tu ne te relèveras jamais de cette histoire.

— Maman, s'il te plaît, avait imploré son fils qui cachait un visage éploré, ne dis pas ça. Je ne peux pas tout t'expliquer, maman.

— Tu m'as reniée, là-bas, à la télévision… Je m'en souviens, Vincent, après toutes ces années, je me souviens encore de ce que tu as dit.

— Non, maman, implorait Vincent d'une voix chevrotante, ne dis pas ça, pas toi aussi, ne me fais pas ça…

— Comment as-tu pu gâcher mon travail !... comment…

Et le souffle avait manqué. Des mucosités avaient bloqué les voies respiratoires ; la poitrine s'était affaissée. Cela avait été une agonie lente et souffrante par asphyxie. À certains moments, elle sortait de son inconscience, comme des éclats, des soubresauts de conscience. Mais, privée d'oxygène pour alimenter son cerveau, elle était alors prise d'hallucinations. Dans ces moments, elle criait des choses que Vincent ne comprenait pas :

— Ne les écoutez pas, ce sont des monstres, vêtus de noir comme des curés, ils sont la gangrène de l'État : ils couperont les têtes !

Brigitte décéda à l'aurore. Vincent rentra chez lui, ce matin-là, en éprouvant une peine indescriptible. Brigitte avait été si bonne pour lui. Pendant toutes ces années, elle avait dissimulé ses vrais sentiments afin de le ménager. Puis, la vérité avait éclaté : elle aussi, comme tout le monde, l'avait abandonné, renié et rejeté.

L'enterrement de Brigitte fut laborieux. Il avait dû faire des visites chez le notaire et au salon funéraire. Ces détails pratiques lui donnaient la nausée. Il comprenait qu'avec la perte de sa mère, la vie allait se compliquer dramatiquement. Il allait devoir veiller lui-même à payer les comptes, faire l'épicerie, l'entretien de la maison et du terrain ; il allait devoir se débarrasser de la voiture qui encombrerait inutilement l'entrée. D'une façon ou d'une autre, il allait devoir se mêler au monde, et cette pensée le terrifiait.

2

— Et Vincent, est-ce que vous avez gardé contact?

Benjamin Trépanier plongea son regard dans son verre de bière. Il y avait des années qu'on lui avait parlé de Vincent. Il essaya de se rappeler les informations qu'il détenait sur son ancien ami. Tout cela lui semblait appartenir à un passé si lointain, à une autre vie presque.

— Non, répondit-il après un long moment. Je n'ai pas gardé contact avec Vincent, et c'est pas faute d'avoir essayé. Ça fait combien d'années qu'il s'est retiré? Six ou sept ans?

— Huit ans, très exactement, pour être précis, dit Antoine Morin. C'est à l'automne 2005, au début du mois d'octobre, que Vincent est passé à l'émission *Sur la place publique*. Après ça, est-ce que vous vous êtes revus?

— J'ai essayé d'entrer en contact avec lui à l'époque, dit Benjamin après avoir pris une gorgée de bière. Je lui avais envoyé plein de messages texte quand il était au pire de la tourmente. Je me souviens qu'il vivait alors dans des hôtels pour éviter les journalistes. Il m'avait répondu, une fois, il me semble, pour me dire qu'il allait se débrouiller tout seul. Il avait refusé mon aide. Puis, je n'ai plus eu de nouvelles.

— Même après son retour à Québec?

Benjamin fixa le centre de la table où ils prenaient place en essayant de se rappeler les traits du visage de Vincent.

— J'ai été surpris d'apprendre dans les journaux, quelques années après son retour à Québec, qu'il avait fait un album qu'il avait autoproduit. Il y avait eu une campagne publicitaire. Je me suis dit qu'il cherchait à faire quelque chose de totalement différent, qui ne ressemblait en rien à ce qu'il avait fait avec *L'Académie*. Et comme j'avais été son bassiste pour sa tournée… C'était tout normal qu'il n'ait pas voulu m'associer à tout ça.

Benjamin regarda la terrasse du bar. En cette fin de soirée d'été particulièrement chaude, quelques clients étaient toujours attablés. Les voitures défilaient dans un flot régulier sur la rue Saint-Denis.

— Peut-être qu'il y a une autre explication, reprit-il. Je ne sais pas. Je ne lui en ai pas voulu. J'ai acheté son album. C'était pas si mal, mais… Tu l'as sans doute écouté ?

— Bien sûr, fit Antoine Morin. J'ai suivi la carrière de Vincent avec beaucoup d'intérêt. Son album, il y avait un bon potentiel là-dedans, mais la réalisation était maladroite. Il n'y avait aucune unité. Et les niveaux de langues… On passait du néo-trade à la chanson française continuellement. Je comprends pourquoi tout ça a été un flop. Il a tiré dans toutes les directions.

— Je suis allé le voir, chez sa mère, continua Benjamin qui revoyait en mémoire sa rencontre avec Vincent. Je voulais lui parler de son album, voir comment il se portait. Je dois dire que c'était pire que ce à quoi je m'attendais. Il était complètement dépressif. Une vraie loque humaine. On a à peine parlé dix minutes. Quand je suis sorti, Brigitte m'a demandé de rester en contact avec lui. Elle m'a dit qu'il ne voyait jamais personne. Il n'a jamais retourné mes appels. Alors, j'ai cessé de l'appeler.

Benjamin prit une gorgée de bière.

— Un peu plus tard, j'ai appris par hasard le décès de Brigitte. Ça doit faire deux ou trois ans. Elle était déjà enterrée.

Mais je suis quand même allé cogner à la porte de la maison de Vincent. Je présumais, en tout cas, qu'il avait gardé la maison. Il n'est jamais venu m'ouvrir. J'ai vu passer une ombre derrière les rideaux du salon. Je suis donc allé voir si la porte arrière était barrée. J'ai frappé. Après un moment, Vincent a tiré le rideau de la fenêtre et là…

Benjamin fit une pause. Pendant un moment, il fixa le vide. Son regard devint absent.

— Je me rappelle surtout de son regard. Il était affolé, comme s'il avait peur que je défonce la porte, comme si… j'étais venu pour l'attaquer ou je ne sais pas trop quoi. J'ai voulu qu'il m'ouvre, mais il a refusé. Il m'a crié qu'il n'était plus capable de sortir. Je lui ai demandé pourquoi? Et là… Il a commencé à délirer. Il a dit qu'on allait lui tirer des roches dans la rue… Je ne comprenais pas, au début. Je pensais qu'il avait un problème avec le voisinage…

— Une névrose? dit Antoine Morin.

— Ben… Je ne suis pas très calé en maladie mentale. Tout ce que je peux dire, c'est qu'il était incapable de sortir de chez lui. Même ouvrir la porte était impensable. J'ai essayé de le raisonner. Je lui ai dit que plus personne ne parlait de lui maintenant, que tout le monde avait oublié ce qu'il avait fait à ce concours de musique. Mais lui… C'était comme s'il y était encore. Après toutes ces années, c'était comme s'il vivait encore dans cette histoire qui ne dit plus rien à personne.

Antoine Morin regarda le musicien. Benjamin s'était assombri en racontant les derniers contacts qu'il avait eus avec Vincent.

— Je lui ai dit à travers la porte qu'il avait besoin d'aide, que je l'emmènerais à l'hôpital s'il voulait. Mais il s'est complètement affolé. Il s'est mis dans un état… J'ai finalement abandonné.

Benjamin fit une pause.

— À chaque fois que je passe en voiture dans son quartier depuis, je veux arrêter pour voir comment il se porte. Mais… On dirait que j'ai pas la force.

Antoine prit une gorgée de bière. Il y eut une effusion de cris festifs à la table voisine. Quatre jeunes femmes semblaient célébrer un événement.

— Donc, fit-il après un moment, il doit encore habiter cette maison ?

— Je ne vois pas où il aurait pu aller, répondit Benjamin. Ce que je te raconte, ça fait quelques années déjà. Il lui est peut-être arrivé quelque chose depuis. Je ne sais pas. Mais si tu tiens à t'entretenir avec lui, commence par aller cogner à cette porte.

Benjamin tenta de se souvenir de l'adresse de Vincent. Mais comme il n'était plus certain du numéro de porte, il expliqua à Antoine où se trouvait la maison. Antoine nota les informations dans son calepin. Quelques minutes plus tard, les deux hommes se quittaient. Alors qu'Antoine se levait de sa chaise après qu'ils se soient serré la main, Benjamin lui dit :

— Si jamais tu réussis à parler avec Vincent pour ton livre, salue-le de ma part. J'aurais vraiment aimé pouvoir l'aider…

Antoine Morin lui dit qu'il n'avait rien à se reprocher. Puis, il sortit. Quelques jours plus tard, il faisait le voyage à Québec et se tenait devant la maison que Benjamin lui avait indiquée. Il resta un moment immobile devant le spectacle lamentable de cette maison en décrépitude. La pelouse s'élevait en de grosses touffes d'herbes qui ondulaient sous le vent et ressemblaient aux bouillons d'une cascade verte, à des herbes hautes de campagne. La peinture des volets s'était écaillée avec la succession des hivers et les carreaux des fenêtres étaient opaques de saleté. L'escalier déjeté de la porte principale paraissait dangereux. Une voiture, garée dans l'entrée, rouillait comme une charogne de tôle sous les rafales de la pluie. Tout le terrain et la demeure étaient à l'abandon.

Avant de s'avancer vers l'entrée principale, Antoine observa pendant de longues minutes cette façade et ce terrain et douta un instant du bien-fondé de sa visite. Il s'élança tout de même dans l'entrée et arriva à la porte en y frappant quatre coups brefs. Il n'eut aucune réponse. Après plusieurs répétitions, il se résigna et retourna au trottoir. Puis, il remarqua un homme sur le terrain voisin qui mettait deux sacs à ordures dans la rue.

— Pardon, monsieur! dit-il en s'avançant. L'homme se retourna. Savez-vous si la maison voisine est occupée?

L'homme regarda la maison qu'il indiquait d'un geste de la main.

— Le 581? répondit-il en revenant vers ses vidanges. Parlez-moi pas du 581. Voyez-vous c'te terrain-là? C'est n'importe quoi! C't'une dompe à ciel ouvert!

— Oui, je le vois bien, répondit Antoine, mais est-ce que quelqu'un habite dans cette maison?

D'un air agacé, le voisin poussa ses vidanges et dit qu'il y avait bien un homme qui habitait cette maison, mais que personne ne lui avait jamais parlé.

— Ma femme pis moi, on a emménagé ici y a deux ans. On n'a pas eu le temps de bien connaître l'ancienne propriétaire. Monsieur Bertrand, le voisin d'en face, lui, y a connaissait bien. Une femme tout c'qu'il y a de plus comme il l'faut qui vivait avec son fils, un gars bizarre qu'on voyait jamais. Un chanteur qui a mal viré, à ce qu'on dit. Après le décès de Mme Théodore, c'est devenu une vraie soue à cochons. C'est peut-être ben son fils qui habite encore là, on l'sait pas. Ma femme a regardé le courrier un jour, pis c'est pas un nom qu'on connaît. Alors…

On a fait des pressions, imaginez-vous donc, pour que ça r'devienne propre, mais c't'un fantôme, ce gars-là !

Le voisin retourna vers son allée et repoussa quelques branches d'arbre qui étaient tombées sur son pavé asphalté. Puis, il disparut dans la cour arrière. Antoine regarda à nouveau la maison et comprit ce qu'il devait faire.

Le lendemain, il revint avec une enveloppe et la glissa dans la boîte aux lettres. Puis, le surlendemain, comme il n'avait toujours pas eu de réponse, il réitéra sa manœuvre. Ce ne fut qu'à la cinquième tentative qu'il eut une réponse.

Antoine était dans sa chambre d'hôtel et s'apprêtait à faire sa valise quand le téléphone sonna. La voix au bout du fil était sourde. Malgré son altération, il put reconnaître le timbre de voix du chanteur populaire déchu.

— Oui, Antoine, dit Vincent, même après toutes ces années je te reconnais. C'est gentil de ta part de prendre des nouvelles de moi, mais j'aimerais mieux en rester là, O.K. ?

Antoine dit qu'il ne voulait qu'un entretien pour compléter l'ouvrage sur lequel il travaillait depuis plusieurs années.

— Mais comment tu m'as retrouvé ? demanda Vincent. J'ai changé de nom.

— Bien, j'ai retrouvé ton ancien musicien, Benjamin Trépanier, sur Facebook. Il jouait dans un bar à Montréal pendant une semaine. Je suis allé le voir. On a parlé de toi pis de ton parcours. C'est lui qui m'a suggéré d'aller cogner à la maison de ta mère. Il ne voyait pas un autre endroit pour te trouver. Alors, je suis venu. J'écris un livre sur la chanson populaire au Québec et j'aimerais te poser quelques questions. Accepterais-tu de me rencontrer ?

— Mais… mais… bredouilla Vincent. Je ne comprends pas. Tu veux écrire un livre sur… moi ?

— Non, répondit le journaliste. Pas sur toi, sur la chanson populaire. Je consacre un chapitre de mon livre à *L'Académie de la chanson populaire*. J'ai fait déjà plusieurs entrevues. De tes anciens amis, pour ainsi dire.

— Ah bon. As-tu parlé à Simon ?

— Oui.

— Qu'est-ce qu'il est devenu ?

— Il est maintenant professeur de français au secondaire. Il est marié. Il a deux enfants et il joue encore de la guitare.

— Et Marianne ?

— Elle vit toujours à Vancouver. Elle a fait des études de cycle supérieur, un master en histoire. Elle n'a pas voulu parler de ce qu'elle a vécu à l'époque de *L'Académie*. Elle juge que ça ne vaut pas la peine. Les autres ont accepté de me rencontrer, même Virginie. Mais, écoute, Vincent. C'est très bien de parler de ce que les autres sont devenus, mais ça n'a pas de sens si je ne parle pas de toi, de ce que tu as vécu. Ça serait l'occasion pour toi, il me semble, de faire face à ce passé pour te permettre d'enfin poursuivre ta vie comme tout le monde, non ?

Vincent, à l'autre bout du fil, demeura silencieux. Antoine craint de l'avoir poussé un peu trop brusquement. Après un moment, Vincent dit qu'il avait besoin de réfléchir et qu'il le rappellerait bientôt. Le lendemain de cet entretien téléphonique, en zappant, il tomba sur une entrevue avec une chanteuse qui, aux dires de l'intervieweur, avait une carrière exceptionnelle.

— Virginie Saint-Amant, votre parcours professionnel me fascine. Vous commencez comme une chanteuse populaire en vous rendant à la demi-finale de la première édition de *L'Académie de la chanson populaire* en 2003. Ensuite, vous vous produisez ici et là pendant quelques années, votre carrière semble piétiner. Alors, vous faites les petites salles avec un groupe de musiciens qui vous sont fidèles. Puis, venant de nulle part, vous sortez un album qui, du jour au lendemain, vous hisse au niveau des grandes voix de la chanson québécoise, aux côtés des Ginette Reno, Diane Dufresne, Céline Dion. Par la suite, c'est la conquête du public français et l'époque de la vie en France. Et vous êtes revenue vous installer au Québec récemment, vous vous êtes entourée des meilleurs auteurs-compositeurs et vous préparez un album qui est l'un des plus attendus des dix dernières années. Ce qui me fascine, c'est l'incongruité entre votre début dans un concours de chanson populaire et la carrière d'une chanteuse mature. Que s'est-il passé entre ces deux époques de votre vie ?

— Quand je me suis embarquée, fit la chanteuse après s'être éclairci la voix, dans cette histoire de concours de télévision, j'avais une idée en tête : me faire connaître. Je n'étais qu'une jeune interprète qui n'avait aucun contact dans le milieu, qui n'avait pas d'agent, qui n'avait pas de bons auteurs-compositeurs pour lui fournir des chansons. Je n'avais rien. Je devais démarrer quelque part. Ce quelque part, ça a été *L'Académie de la chanson populaire*. Mais, il y a une chose que je ne voulais pas : finir la première parmi les candidats. Je ne voulais pas me rendre en finale. Pourquoi ? Premièrement pour m'assurer une certaine indépendance : je me disais que la gagnante ne serait toujours que la gagnante du concours, tandis que la deuxième aurait la possibilité de retrouver une certaine autonomie éventuellement. Ensuite, je voulais finir deuxième parmi les candidats pour que mon visage et mon nom circulent et profitent de la vitrine qu'offre une telle machine de spectacle. Quand j'ai eu cette deuxième place derrière Marianne, j'ai laissé tranquillement passer mon contrat. Pendant ces années, j'ai rencontré des gens, je me suis familiarisée avec le milieu, mais je n'ai rien fait d'extraordinaire d'un point de vue chanson. J'ai été patiente. Je ne voulais surtout pas que l'émission me garde à son service.

Quand je me suis retrouvée sans contrat, je n'avais que vingt-trois ans, mais j'avais un nom. Alors, j'ai engagé des musiciens de talent et on a roulé notre bosse. J'avais noué des relations avec des auteurs-compositeurs avec qui je voulais travailler. Je me suis trouvée un bon agent, puis j'ai travaillé. Voilà tout.

— C'est fascinant! commentait l'animateur. Vous avez fait preuve d'une telle patience... vous avez gardé la tête froide à chaque étape de votre carrière, sans jamais perdre un instant le but visé. Comment on fait ça, garder la tête froide, dans un milieu si chaud?

— Je ne sais pas, répondit la chanteuse avec une expression d'humilité. Il y a des gens qui se laissent emporter par les événements et font des gestes répréhensibles et qui découvrent par après qu'ils se sont laissés aveugler par quelque chose...

Vincent s'empressa d'éteindre le téléviseur. Cette nuit-là, il fut dans un état d'énervement soutenu. Le monde avait donc continué à tourner? Il se rendait compte que pendant toutes ces années, il avait vécu sans se tenir informé des actualités. À chaque fois qu'il était tombé sur un bulletin d'information en zappant, il avait pris l'habitude de changer de canal, comme s'il ne pouvait entendre parler de la vie qui se déroulait à l'extérieur de sa demeure. Et pourtant, la vie avait bel et bien continué pour les autres et ils étaient tous passés à autre chose. Il eut l'impression de sortir d'un coma qui avait duré plus de huit années.

Dans les jours qui suivirent, il tenta de se rappeler chaque étape qui l'avait mené vers cette réclusion complète. Pourquoi, lui, n'avait-il pas su garder la tête froide? Quelle avait été son erreur? À quel moment avait-il fait fausse route?

Alors, il pensa à ce professeur d'histoire de la chanson populaire et, pour la première fois depuis plusieurs années, il accepta de parler de sa vie.

3

Le garçon de table venait de sortir du salon privé. Frédéric regarda à travers les fenêtres le paysage du Vieux-Port de Montréal. Quelques minutes plus tard, le garçon revint avec un verre de Martini sur son plateau et le déposa devant Bellemare.

— Et puis, monsieur ? Il vous convient.

— Oui, c'est parfait.

Le serveur lui demanda alors s'il pouvait faire autre chose pour lui.

— Non, merci, répondit Bellemare. Je vais attendre mon invité.

Une fois seul, Frédéric attrapa sa tablette électronique et consulta son agenda. Son séjour au Québec tirait à sa fin. Il prenait l'avion deux jours plus tard et avait encore plusieurs rendez-vous importants. Il consulta à nouveau les états financiers des Productions COM pour l'année 2013 et passa en revue les chiffres. Le conseil d'administration siégeait le lendemain après-midi. Même s'il ne prenait plus part aux décisions artistiques depuis sa retraite, qu'il avait prise deux ans auparavant, Frédéric observait de très près la santé financière de son entreprise. Il remarqua encore une fois, en parcourant les colonnes de chiffres, combien le virage vers la production de films qu'il avait opéré en 2007 s'avérait payant. Les rendements de *L'Académie de la chanson populaire* de la dernière mouture avaient été décevants, comme ceux de la précédente, et l'on songeait sérieusement à mettre un terme à cette production qui avait fait la notoriété de la compagnie. Frédéric savait qu'on aborderait encore cette question lors de la rencontre du lendemain ; il allait devoir se rendre à l'évidence et accepter qu'une page importante de sa vie se tourne. Il se dit alors que c'était dans l'ordre des choses. Tout était bien ainsi.

Il déposa sa tablette sur la table et prit son verre. Il sentit les arômes floraux du gin Hendrick's inonder ses narines. Puis, chose qui ne lui arrivait que très rarement, Bellemare s'adonna à la nostalgie. Pendant de longues minutes, au son de la musique baroque qui jouait faiblement dans le salon de ce restaurant gastronomique, il se remémora les bons moments qu'il avait eus à la direction de cette maison de production. Il était habité par un sentiment nouveau depuis sa retraite. Il avait atteint tous les objectifs qu'il s'était fixés dans sa carrière. Tant qu'il avait été occupé à accroître la prospérité de son entreprise, il n'avait eu aucun répit. Mais avec le recul des années, il constatait qu'il s'en était bien tiré pour une industrie québécoise. Les Productions COM étaient bien implantées. Il avait bâti quelque chose.

Sa rêverie fut interrompue lorsque le serveur se présenta et lui dit que son invité venait d'arriver dans le restaurant. Bellemare se levait de sa chaise pour l'accueillir quand il entendit le serveur :

— Bonsoir, monsieur le ministre.

Michel Lafortune pénétra dans le salon en saluant le garçon d'un signe de tête. Puis, il avança une main en disant de sa voix éclatante :

— Mon cher Frédéric ! Comme je suis heureux de te voir !

Bellemare sourit et serra la main que lui tendait chaleureusement son invité.

— Moi aussi, Michel, je suis heureux de te voir. Tu as l'air en pleine forme.

— Moi, je ne me suis jamais senti aussi débordant de vie.

Le ministre se recula d'un pas avec un geste théâtral et dit :

— Mais attends. Tu es bronzé ? Toi, tu es tout bronzé ?

Bellemare lança sa tête vers l'arrière en riant.

— Je sais, je sais… Les hivers québécois, ce n'est plus pour moi… Je vis à l'étranger maintenant. Depuis deux ans. La Thaïlande, tu te souviens ?

Les deux hommes prirent place à table.

— La Thaïlande ? fit Michel une fois assis. J'avais oublié que tu t'étais installé en Thaïlande.

— J'imagine bien. Depuis que tu es ministre, on ne se parle plus. Mais tu te rappelles le tsunami de 2005 ? Bien après, des plages entières sont demeurées vacantes et les investisseurs hésitaient. Un de mes amis m'a conseillé d'investir. J'ai donc acheté une terre, pour presque rien, et un bon bout de terre à part ça. Assez pour construire un hôtel et tout, un de ces jours… tu vois ? J'avais de vagues projets pour mes vieux jours. Puis, lorsque j'ai pris ma retraite, je me suis contenté d'une petite villa. Quelque chose de simple, mais de confortable. J'ai fini par vendre mon condo à Montréal et, peu à peu, c'est devenu ma résidence principale.

— Et ce complet ? enchaîna Michel en désignant d'un geste large de la main l'ensemble de sa personne. Tu as l'air d'un vrai dandy !

— Ah ! ça ! dit Frédéric en étirant ses avant-bras pour contempler son costume. Ça vient d'un petit tailleur londonien que j'ai déniché lors d'un voyage. Chaque année, je passe par Londres et je me fais faire quelques complets. Le sur-mesure, il n'y a rien comme ça. Et puis, je me permets quelques excentricités.

À ce moment, le garçon de table se posta silencieusement près d'eux. Frédéric tint à choisir le vin. Après avoir consulté la carte, il arrêta son choix.

— Bon sang, Frédéric, dit Michel après que le garçon les eut quittés. Un saint-estèphe 1995, vraiment? Je ne pourrai pas faire passer ça sur mon compte de dépenses. Plus de 400 $ pour une bouteille, disons que le vérificateur va sourciller…

— Ça va, Michel. Je t'invite. Je n'ai que ça à faire de ma vie, maintenant: boire du bon vin, voyager, m'offrir le luxe que je n'ai jamais eu auparavant. Je profite de mon argent pendant que j'en suis encore capable.

— Et tu fais bien! approuva Lafortune. Ça me fait seulement regretter d'avoir quitté le *show-business*. Ce n'est pas avec un salaire de ministre que je pourrais avoir ton train de vie.

Bellemare lui demanda alors comment allait sa vie de famille. Lafortune lui répondit qu'il n'avait jamais été plus heureux. Caroline s'impliquait dans sa carrière politique. Sa fille aînée pensait même faire le saut en politique depuis qu'elle avait terminé son barreau et qu'elle pratiquait dans un cabinet montréalais.

Le garçon arriva avec le vin. Ils trinquèrent. Michel, après avoir savouré une première gorgée de vin, continua:

— Tu ne sais pas qui j'ai rencontré, il y a deux semaines? Antoine Morin.

— Le professeur d'histoire de la chanson à mon *Académie*? Mais qu'est-ce qu'il te voulait?

— Il prépare un livre, une sorte d'essai si j'ai bien compris. Et il voulait me poser des questions sur Vincent Théodore. En souvenir du bon vieux temps, j'ai accepté de le rencontrer.

— Et puis ? Qu'est-ce qu'il avait à raconter sur Vincent ?

— Bof… soupira Lafortune. Il a une théorie, je crois, sur le vedettariat et notre société. Il a des idées…

— Est-ce qu'il faut s'inquiéter ? demanda Bellemare. Si jamais il arrive à découvrir la vérité sur la fin de la carrière de Vincent, ça pourrait être mauvais pour toi.

— La vérité… maugréa Lafortune. Qu'est-ce qu'il pourrait écrire sur moi ? Sur nous ? Que nous nous sommes concertés pour faire éclater la vérité sur Vincent Théodore ? La vérité, elle est de notre côté, Frédéric. Et puis, ce type est un théoricien. Il est très intelligent. J'ai adoré, en fait, la discussion que nous avons eue. Mais il peut bien avoir des théories pour expliquer la déchéance de ton ancien poulain, moi, ça ne m'inquiète pas. Nous sommes à l'abri des idées… Ça n'a jamais fait de mal à personne, les idées. Du moins chez nous. Il vendra quoi ? 500, 1000 exemplaires ?

Puis, après un moment, il reprit :

— Sois sans crainte. C'était amusant plus que toute autre chose. Ça m'a rappelé la vieille époque. Il m'a même fait visionner sur son ordinateur l'entrevue que j'ai faite avec Vincent. Je n'avais pas vu ces images depuis des années. Et tu sais quoi ? En revoyant son visage effrayé, je me suis senti un peu mal.

Bellemare regarda les fenêtres du salon assombries par la noirceur du soir. Il ne distingua que les lumières éparses du port. Alors, il se rappela lui aussi le visage de Vincent, la dernière fois qu'il l'avait vu, à la fin du procès. Il fut étonné de se souvenir aussi distinctement de ses traits. Il avait eu une telle expression d'affolement qu'il en avait gardé un souvenir amer.

Bien sûr, comme Michel, il se sentait responsable. Mais cela, il ne l'avouerait jamais ni publiquement ni dans l'intimité, pas même à Michel, qui était pourtant devenu l'un de ses rares amis intimes. Comme il n'avouerait jamais qu'en lui faisant parvenir la vidéo qui avait détruit la carrière et la réputation du jeune chanteur, il avait plutôt agi comme un amant délaissé qui cherche vengeance que comme un gérant qui cherche à se débarrasser d'un poulain nuisible. Il se souvenait du désir de vengeance qui s'était emparé de lui quand Vincent avait essayé de profiter de l'attirance sexuelle qu'il avait toujours éprouvée envers lui. Il avait tout apporté à ce jeune homme, la gloire, la richesse, une carrière dans le *show-business*. Et lui, il l'avait rejeté comme une jeune femme sotte rejette l'homme qui lui apporte le monde sur un plateau d'or. Si Vincent ne pouvait lui appartenir, alors il n'appartiendrait à personne, s'était-il dit en envoyant la vidéo compromettante à Lafortune. Il avait donné rendez-vous à l'animateur qui était alors dans les mauvaises grâces du public. Il lui avait proposé de le tirer de son bourbier en procédant à l'exécution sociale de son poulain. Dans cette manœuvre, les deux hommes avaient trouvé intérêt à se rendre mutuellement service. Depuis, une amitié particulière, née de cette entente clandestine, s'était développée entre eux. Et Bellemare ne s'était plus jamais fié uniquement à son seul flair d'homme mature pour sélectionner ses candidats. Comme tout le monde, il avait une faiblesse qu'il savait dissimuler à la face du monde. Depuis sa retraite, il vivait en paix avec elle.

Bellemare prit une gorgée de vin et les derniers remords qu'il pouvait éprouver disparurent avec l'harmonie délicate du vin millésimé. Il regarda Michel. Lui aussi était devenu pensif.

— Est-ce qu'Antoine t'a dit ce que Vincent est devenu ?

— Quand je lui ai parlé, il cherchait toujours à entrer en contact avec lui. Paraît qu'il ne s'est jamais remis de son humiliation.

— Mais pourtant, s'étonna Bellemare, plus personne ne se souvient de lui, à part toi et moi, peut-être?

— Oui, c'est vrai. Mais Antoine m'a dit qu'il avait apparemment développé une maladie mentale. Il ne savait pas trop. Agoraphobie ou quelque chose du genre. Mais bon! reprit-il avec entrain. Pourquoi s'apitoyer sur le passé?

Frédéric haussa les épaules en signe d'acquiescement. Ils parcoururent le menu et passèrent leur commande. La discussion dériva ensuite sur des sujets politiques. Michel raconta plusieurs anecdotes ministérielles qui firent bien rire l'ancien producteur. Après quelques services et une seconde bouteille de vin, Michel devint mélancolique.

— Mais qu'est-ce que tu as? lui demanda Frédéric en revenant des toilettes. On dirait que tu es triste.

— Triste? Mais pas du tout. Je me disais que c'est tout de même incroyable combien on peut changer avec le temps. Regarde-toi! Quand je t'ai connu, tu t'habillais avec des complets douteux achetés à la douzaine, tu n'avais d'intérêt que pour ta carrière. Et maintenant? Tu vis en Thaïlande, tu es devenu un touriste, tu t'habilles comme George Brummel et tu bois du saint-estèphe!

Bellemare eut un éclat de rire volubile.

— Et regarde-moi, poursuivit Michel. J'ai aussi beaucoup changé. Si on m'avait dit à une certaine époque que je me lancerais en politique un jour, j'aurais tout simplement éclaté de rire... Moi, en politique!

— Je pense que tu avais ça dans le sang, Michel. Tu étais cynique, mais au fond, tu voulais agir, tu voulais avoir une emprise sur les gens, non ?

Lafortune eut un rictus. Il se servit un verre de vin.

— Une emprise ? Oui, peut-être. En tout cas, ce n'est pas ce que j'ai gagné en devenant politicien. Tu sais, je ne gère pas grand-chose. Même le premier ministre, il ne gère pas grand-chose. Les promesses, le devoir politique, la légitimité, l'avenir du Québec ? Tout ça, dit-il en abaissant la voix, ce n'est que de l'électoralisme. Je peux bien te le dire à toi. J'ai appris à baisser mes exigences depuis que je suis en politique.

Michel réfléchit un instant.

— Tu sais, dit-il avec un sourire qui tenait à la fois de l'insouciance et du sarcasme, je crois que ce qui a vraiment changé en moi depuis quelques années, c'est le fait que j'aie cessé de prendre le monde au sérieux. J'ai compris que ça ne servait à rien de se prendre la tête à essayer de tout comprendre, de tout arranger. Ça m'a pris 56 ans, mais je sais ça aujourd'hui. J'ai compris que ma maladie, c'était l'enthousiasme. Maintenant, je ne fais que diriger les choses pour que tout fonctionne rondement, pour éviter le plus possible les problèmes. C'est ça, la politique… Il réfléchit un instant avant d'ajouter : ou du moins, c'est ce qu'elle est devenue. Rien d'autre que ça. Et j'écoute les sondages. Personne ne le dit tout haut… mais tout le monde le pense.

Bellemare se servit à son tour un autre verre de vin.

— Rassure-toi, dit-il. Je comprends mieux que quiconque ce que tu dis. N'oublie pas que tu as devant toi un spécialiste du divertissement. Alors le monde… il y a longtemps que je ne le prends plus au sérieux.

En fin de soirée, Michel était confortablement assis sur le siège arrière de sa voiture de fonction qui le ramenait à son hôtel. Au centre-ville, la population nocturne s'animait. Il pensa à l'agréable soirée qu'il venait de passer. Il y avait si longtemps qu'il avait eu un véritable échange. Il se dit alors que Frédéric était le seul homme peut-être avec qui il pouvait parler librement. Ni ses anciennes amitiés intellectuelles, qu'il voyait d'ailleurs de moins en moins, ni ses collègues du caucus des ministres, ni même Caroline ne pouvaient comprendre les paroles qu'il venait d'échanger avec Frédéric.

Et il prit alors conscience qu'il n'avait pour ainsi dire plus de vie privée. Cette relation unique qu'il avait avec Frédéric lui révélait ce fait particulier : il vivait presque exclusivement de sa vie publique. Il était le même homme avec ses intimes qu'il était avec les membres de son cabinet ministériel.

Alors que la voiture s'engageait sur la rue Sainte-Catherine et que la rumeur urbaine faisait un bourdonnement sourd à ses oreilles, il se rappela l'état d'esprit dans lequel il était lorsqu'il avait rencontré Frédéric pour la première fois. Il voulait se retirer, être anonyme. L'homme de télévision avait rapidement cerné son caractère et avait attisé son amertume par diverses allusions. Et c'est à ce moment qu'il lui avait proposé de se livrer à une dernière vengeance. Et s'il quittait cette vie publique en brisant sa principale idole, celle qui était en voie d'acquérir une gloire complète ? N'était-ce pas la meilleure sortie qu'il pût imaginer ? Lui, l'intellectuel qu'on bâillonnait, que le public ne voulait plus entendre, triomphant devant la jeune vedette brisée, mise en pièces par un stratagème savant ?

Sa sortie, en fait, avait été son premier véritable pas dans le monde. Avec quelle stupéfaction avait-il vu s'ouvrir à lui les bras d'un public d'autant plus redevable que repentant ? Sa nomination comme personnalité de l'année dans la revue

L'Actualité n'avait été que le début d'une longue série de manifestations d'affection publique. Les partis politiques, rapidement, s'étaient mis à le courtiser. Il avait sauté dans l'arène politique plus par curiosité que par conviction. Il se demandait, par cynisme, jusqu'où il pouvait pousser la farce. Ministre? Il l'était maintenant. Deviendrait-il premier ministre? On le pressentait pour occuper cette fonction. Il devait se pincer quand il entendait de tels propos.

Et des désirs lui revenaient par moment, de vieux désirs d'homme d'idées : éduquer le peuple, montrer la voie à suivre, être l'architecte d'une nation, le catalyseur d'une société. C'était des moments de grand enthousiasme. Il se croyait alors capable d'accomplir les plus grandes choses.

La voiture freina brusquement. Un jeune homme ivre venait de rebondir faiblement contre le parechoc et insultait maintenant le chauffeur. Lafortune eut un rictus. La vie se chargeait toujours de lui fournir un remède contre son enthousiasme.

— Laissez tomber, dit-il à son chauffeur. Il n'est pas en état de discuter. À quoi bon?

La voiture avança lentement alors que Michel entendait les insultes du piéton s'estomper peu à peu dans la nuit.

4

Les entrevues se firent par téléphone. Avec précision mais sans épanchement, Vincent répondit aux questions d'Antoine Morin. Revenir sur son passé, rétablir la cohésion et la chronologie des événements qui l'avaient conduit à une réclusion quasi absolue, cela ne fut pas de tout repos. Ce fut un moment bref dans sa vie, un moment où, rendu à l'extrémité du chemin parcouru, il se retournait et entrevoyait la ligne de sa vie. Il se rappela son adolescence passée dans un isolement culturel particulier qui avait été à l'origine de son inaptitude à la vie en société. Il se rappela le jour où sa mère, après l'avoir surpris à refuser les avances d'une jeune fille, avait voulu qu'il se mêle davantage aux siens en le forçant à faire plus de sport. Il se rappela ce premier soir où il avait participé à un concert rock, et il émanait de ce soir-là une force qui avait changé le cours de sa vie. Jusque-là, il avait toujours été en contrôle de lui-même, ayant une vision claire de ses désirs. Mais, à partir de ce fameux soir, les événements s'étaient enchaînés sans qu'il distingue clairement leur orientation. Il revoyait en mémoire les auditions, la rencontre avec celui qu'il appelait son « corrupteur », ses débuts dans *L'Académie*. À partir de ce moment, sa vie lui apparaissait comme une chaîne de fer qui lui serrait le corps.

Malgré cette impression de fatalité, Vincent Théodore n'était pas révolté. Il pouvait encore accuser ceux qui l'avaient incité à se compromettre, ou s'en prendre à son destin. En vérité, il n'avait plus la force ni la volonté de se révolter contre quoi que ce soit.

Il menait alors une existence recluse dans sa maison qui se décomposait lentement. Sans rapport aucun avec le monde extérieur et comme banni de la société des hommes, il n'avait plus aucun commerce avec eux, sinon celui nécessaire à sa survie. Après qu'il eut fréquenté les épiceries de nuit, l'occasion de briser ce dernier lien se présenta quand une épicerie de quartier offrit le service de livraison par Internet. Alors, Vincent n'eut plus à quitter sa demeure. Réduit à un immobilisme physique et psychologique, il passait ses journées terré dans sa maison, loin de la lumière du jour et des hommes.

La dernière fois qu'Antoine Morin lui adressa la parole, c'était à sa résidence. D'après l'extérieur délabré de la maison, il s'attendait à retrouver à l'intérieur une certaine négligence. Les choses étaient bien pires. En entrant dans le portique, l'essayiste enjamba une pile de sacs publicitaires; il devait y en avoir une centaine. Quand il eut fermé la porte, il fut d'abord saisi par l'atmosphère confinée qui régnait à l'intérieur. L'air était lourd de poussière. Puis, ce fut l'obscurité qui le gêna. Les rideaux de toutes les fenêtres étaient tirés; la lumière du jour perçait par quelques déchirures. Quand ses yeux se furent habitués à l'obscurité, il observa plus attentivement. Le vestibule et le couloir étaient encombrés d'objets de toutes sortes. Sur les meubles, commode, table, coffre, il y avait une épaisse couche de poussière. La vie semblait arrêtée, suspendue.

Vincent se retourna et lui présenta son visage. Sa silhouette était voûtée, sa poitrine, concave. Son visage était dissimulé sous de longs cheveux bruns, agglomérés en mèches noueuses, grasses et torsadées. La peau de son visage, dénuée de ride et dissimulée sous une barbe grossière, était jaune et prenait une teinte olivâtre autour des yeux. Le regard était froid et apathique. Vincent était vêtu d'une veste de laine noire ample et trouée ; dessous, il portait un gilet brun taché de nourriture. Son pantalon de velours cordé d'un vert défraîchi, élimé aux genoux, tombait sur ses maigres cuisses et s'effilochait sous ses talons.

Antoine Morin demeura hébété devant un tel spectacle. Il croyait voir le fantôme de Brian Wilson pendant sa période dépressive qui s'étendit sur l'ensemble de la décennie 1970. Après quelques secondes, il se ressaisit.

— J'ai le livre que tu m'as demandé. C'est une très bonne édition.

Vincent prit le bouquin que lui tendait Antoine. Il jeta un œil sur le deuxième tome des *Lettres à Lucilius* de Sénèque.

— Merci, murmura-t-il. J'ai égaré le mien. Combien est-ce que je te dois ?

— Non, laisse. Je te l'offre. Je te dois bien ça.

Vincent eut un léger hochement de tête en signe de remerciement, puis il alla vers le salon pour y ranger le livre. Antoine avança d'un pas. Tout le salon était dans un état lamentable. Il y avait des déchets étalés dans toute la pièce, des piles de vêtements sur les divans, de la vaisselle sale éparpillée. Une odeur âcre de pourriture planait dans l'air. Vincent s'arrêta devant un fauteuil à l'extrémité du salon. Le cuir du fauteuil était troué à plusieurs endroits et la rembourrure en sortait par grosses touffes. Sur la tête du meuble, une couverture servait d'appui ; un rond jaune, comme un cercle de sueur, la tachait. Antoine eut alors l'impression que l'existence de Vincent évoluait maintenant autour de ce meuble ; il devait y passer ses journées comme ses nuits. Près du fauteuil, il y avait des piles de livres. Sur une table basse, plusieurs verres sales traînaient et un essaim de mouches tournait au-dessus. Vincent y déposa le livre de

Sénèque. Une plante avait poussé dans toutes les directions, comme elle l'aurait fait dans un milieu sauvage, et déployait ses longues feuilles vertes et jaunes. Plus loin trônait un vieux téléviseur dont l'écran était obstrué par la saleté.

Vincent revint vers Antoine.

— Excuse ma lenteur, mais tu me prends en plein milieu de ma nuit. Généralement, je dors le jour et j'écoute la télévision la nuit. Il y a une chaîne qui ne diffuse que des documentaires sur les sciences naturelles. Il y a aussi une autre chaîne spécialisée dans les téléromans. Je n'écoute plus que ces deux chaînes, maintenant.

— Et tu lis Sénèque? demanda Antoine en pointant le livre que Vincent venait de déposer sur la table.

— Oui, parfois, répondit-il avec indolence. Mais c'est juste pour le latin. Je n'aime pas vraiment réfléchir au sens de ses textes. Je me concentre sur la langue. C'est… comment dire… apaisant.

Il y eut un moment de silence. L'essayiste eut l'impression que sa présence indisposait le chanteur déchu. Il recula vers le vestibule.

— Alors, voilà? demanda Vincent. J'imagine que c'est tout.

— Eh oui. C'est terminé.

— J'espère que je t'ai été utile, au moins.

— Mais absolument, répondit Antoine Morin. Ton témoignage a donné beaucoup de chair à certaines de mes idées.

— Ah bon? fit Vincent, à demi intrigué.

Antoine Morin se laissa alors emporter par son enthousiasme intellectuel. Il expliqua qu'avec l'évolution des médias et des communications, on avait assisté à l'émergence d'un nouveau paradigme de la promotion artistique: ce n'était plus tant la production qui importait que la personnalité elle-même de l'artiste.

— À l'aube des années 2000, continuait l'essayiste, nous sommes entrés dans une ère de la performance. La personnalité de l'artiste est devenue la matière même de son art. Mais l'envers de tout ça, continuait Antoine en se laissant porter par ses idées, c'était le risque de l'envahissement de l'espace privé par l'espace public. Si les gens n'aimaient plus le produit d'un artiste, pour une raison ou pour une autre, c'était la personne même de cet artiste qui était rejetée, critiquée, discréditée…

Antoine Morin cessa de parler. Il venait de reporter son regard sur Vincent dont les mains tremblotaient. Il mordillait sa lèvre inférieure. Son regard s'affolait.

— Je… vois… balbutia-t-il d'une voix anxieuse. Mais ça va… j'ai… compris. Je n'aime pas vraiment ça… réfléchir à tout ça… Ça ne… m'apporte rien… Je préfère rester tranquille… si tu comprends… Restons-en là, s'il te plaît…

À ces signes de nervosité, Antoine comprit que ce qui n'était que des mots pour lui prenait des proportions bien différentes pour Vincent. L'intellectualisation de ce phénomène social, dont il était peut-être la personne vivante qui l'avait expérimenté de la façon la plus drastique, lui était impossible. Antoine craignit alors que Vincent ne fasse une crise nerveuse. Il valait mieux faire comme il disait et le laisser tranquille. Il ouvrit la porte. La lumière du jour pénétra comme une lame étincelante. Vincent ferma les yeux et recula d'un pas, dans l'ombre.

Puis, sur le pas de la porte, il demanda :

— Et Benjamin… il va bien ?

— Oui, fit Antoine en revenant sur ses pas. J'ai oublié de te dire qu'il aimerait te revoir un de ces quatre. C'est ce qu'il m'a dit quand je l'ai rencontré. Il joue dans un bar du Vieux-Québec pour l'été.

Antoine lui donna le nom de l'établissement, puis il eut un geste de salut de la tête. Vincent referma la porte derrière lui.

5

C'étaient ces heures creuses de la nuit, le dernier set de musique avant la fermeture du bar. Il n'y avait plus alors que quelques clients épars assis dans la salle. Une femme éméchée causait au bar avec un homme. Un couple qui ne s'était pas adressé la parole de la soirée sirotait leurs dernières consommations sur une table du fond et s'apprêtait à partir. Le barman nettoyait ses bouteilles et les rangeait sous le comptoir. Il n'y avait surtout plus cette rumeur de la foule qui empiétait sur la musique ; il n'y avait plus que ça, la musique, celle que jouait le petit *band* de blues rock sur l'étroite scène.

Benjamin, qui chantait en s'accompagnant à la guitare, se tourna vers ses musiciens. Ils venaient d'exécuter quelques compositions.

— Allez, les *boys*, dit-il après un morceau. On termine en se faisant plaisir…

Le guitariste entama alors les premières notes de *In My Life*. Puis, Benjamin revint au micro.

There are places I'll remember
All my life though some have changed
Some forever not for better
Some have gone and some remain

Benjamin jeta un regard sur la salle presque déserte. Personne n'écoutait vraiment, à part cet homme solitaire attifé de grosses lunettes de soleil à la Roy Orbison. Il pensa alors à son *Macallan 18 ans* qu'Olivier, le barman, lui préparait pendant cette dernière chanson.

Though I know I'll never lose affection
For people and things that went before
I know I'll often stop and think about them
In my life I love you more

À la fin du morceau, il y eut des applaudissements timides. Puis, les musiciens rangèrent leurs instruments. Benjamin alla vers le bar et prit le verre de scotch qu'y avait déposé le barman. Il sortit son portefeuille, mais Olivier lui dit que son verre lui était offert par le client assis tout au fond. Benjamin se retourna et vit l'homme à lunettes. Il se dirigea vers lui.

— Merci, dit-il en l'abordant. Vous êtes un régulier? Je vous ai vu tous les soirs de la semaine.

L'homme enleva ses lunettes et dégagea son visage de ses longs cheveux. Benjamin remarqua alors l'air ému du client. Puis, sous la barbe fournie, il reconnut le visage.

— Vincent? dit-il avec étonnement.

— Salut Benjamin. Ça fait un bail, hein?

Benjamin tira une chaise et prit place à table.

— Oui, dit-il d'un ton détendu comme s'il s'attendait à cette rencontre. Ça fait tout un bail, mon vieux.

— C'est Antoine Morin qui m'a parlé de toi.

— Je me doutais bien que je te reverrais. Je suis content que tu sois venu. Comment vas-tu?

Vincent eut un haussement d'épaules. Il lui raconta brièvement ce qu'il était devenu depuis quelques années. Benjamin à son tour lui parla de ses projets musicaux. Les deux hommes échangèrent longuement. Olivier vint à quelques reprises vérifier s'ils voulaient une dernière consommation.

— Je crois qu'il attend qu'on parte, dit Vincent.

— Oui, je sais. Mais, c'est un soir spécial. On peut bien le faire patienter.

— Tu termines toujours tes spectacles avec *In My Life*? demanda-t-il.

— Souvent, oui, répondit le musicien.

— Vous la jouez vraiment bien, dit Vincent. C'est pour ça que je ne t'ai pas abordé les premiers soirs. Cette chanson… ça vient me chercher. Lennon, c'était tout un musicien. C'est comme si deux minutes trente de musique et quelques paroles pouvaient résumer une vie entière.

— C'est bien vrai, ça, répondit Benjamin en finissant son verre. C'est la qualité des grandes chansons : contenir autant en si peu.

— Tu sais, reprit Vincent, que c'est grâce à tes spectacles que j'ai recommencé à écouter de la musique.

— Tu avais arrêté?

— Oh oui! Depuis au moins cinq ans, j'avais pas entendu une chanson. Hier, je me suis acheté un iPod. Ils en font de 160 Go maintenant. C'est une vraie folie…

Vincent fit tournoyer mollement son verre de vin entre ses doigts d'un air pensif.

— Faut croire que le temps atténue bien des blessures. J'ai même ressorti ma vieille *Martin*.

Olivier arriva à leur table en disant qu'il devait fermer le bar.

— Oui, oui… dit Benjamin. On part.

Puis, s'adressant à Vincent :

— Il faudrait que tu viennes jouer avec nous au local, un moment donné. J'ai encore un local de pratique aux *Studios*. Tu te souviens des *Studios* ?

Vincent opina.

— Mais maintenant, on est au rez-de-chaussée. On a enfin accès aux bons locaux. C'est confortable et tout. On ne joue plus aussi fort qu'avant…

Vincent eut un vague sourire.

— Je ne dis pas non.

— Mon guitariste est sur le point de déménager à Montréal. On a toujours besoin d'un bon guitariste dans un *band*. On pourrait essayer, si ça te dit.

Pour la première fois depuis des années, Vincent éprouvait l'envie de faire quelque chose.

— Tu peux me rejoindre sur Facebook, dit-il en se levant. Mais tu n'as peut-être pas de page… se ravisa-t-il.

— Non, en effet, dit Vincent en se levant pour l'accompagner vers la sortie. Mais bon, je crois que je vais m'en ouvrir une. Quoique je n'aurai pas beaucoup d'amis…

Les deux hommes échangèrent un sourire. Benjamin salua Olivier en s'excusant de l'avoir retenu dans le bar jusqu'à cette heure. Ils sortirent à l'extérieur. Quelques rares passants défilaient en silence sous les douches de lumière des lampadaires. Vincent s'immobilisa sur le trottoir. Il regarda devant lui le Palais Montcalm. La place D'Youville était déserte à cette heure. Il regarda vers sa gauche. La rue Saint-Jean serpentait paresseusement sous les fortifications de la vieille ville dans un défilement de vitrines de commerce. Il s'avança de quelques pas vers la porte Saint-Jean et reconnut le bar où il avait participé à son premier spectacle rock. L'affiche avait changé, l'établissement n'était plus le même. Et pourtant, il lui semblait déceler encore dans l'air cette euphorie qui l'avait lancé dans la carrière de la musique populaire.

Benjamin vint le rejoindre sur le trottoir en s'allumant une cigarette. Vincent lui fit signe de la tête en direction du bar où ils avaient joué et lui dit :

— Tu te souviens… L'hommage à Leloup ?

Pour seule réponse, Benjamin sourit en inspirant sa cigarette. Pendant un moment, Vincent craignit que tous ces souvenirs n'excitent son esprit. Dans ces moments de crise, il lui semblait perdre le contrôle de ses propres pensées qui se transformaient en sons incompréhensibles et envahissaient sa tête. Son crâne lui semblait alors sur le point d'exploser. Instinctivement, il porta ses mains contre ses oreilles, mais les bruits ne vinrent pas. Il n'y avait que le silence de la rue. Son esprit était tranquille. Il inspira profondment. L'air frais de la nuit pénétra dans ses poumons. Il se dit qu'il était bien. Tout simplement, bien.

Vincent héla un taxi. Puis, juste avant d'embarquer dans la voiture, il dit à Benjamin :

— Je suis heureux de t'avoir revu, Ben. Sincèrement.

— C'est réciproque. Allez, fit-il, on garde contact.

Ils se laissèrent d'une poignée de main.